D1329867

ro
ro
ro

ro
ro
ro

Sibylle Berg, geboren in Weimar, lebt in Zürich. Für »Die Fahrt« reiste sie ein Jahr lang durch verschiedene unwirtliche Kontinente. Sie hat bislang sieben Bücher veröffentlicht. Ihre Theaterstücke wurden in 14 Sprachen übersetzt. Von der Autorin ist außerdem der Roman »Ende gut« (rororo 23858) lieferbar.

Sibylle Berg
Die Fahrt

Roman

Rowohlt Taschenbuch Verlag

Die Autorin dankt folgenden Stiftungen/Institutionen
für die Unterstützung ihrer Arbeit:
Globetrotter Reisebüro, Zürich
Stiftung Pro Helvetia, Zürich
Stiftung Landis & Gyr, Zürich
UBS Kulturstiftung, Zürich

3. Auflage 2011

Veröffentlicht im Rowohlt Taschenbuch Verlag,
Reinbek bei Hamburg, März 2009
Copyright © 2007 by Verlag Kiepenheuer & Witsch, Köln
Umschlaggestaltung any.way, Hamburg nach der
Originalausgabe des Verlages Kiepenheuer & Witsch
(Umschlagmotiv: © Privatbesitz der Autorin)
Druck und Bindung CPI – Clausen & Bosse, Leck
Printed in Germany
ISBN 978 3 499 24775 0

Le ba'ali.
Bil'adecha eyneni holechet leshum makom.
Letamid!

Inhalt

Gunner Gustafson
Reykjavík

Es war die Jahreszeit, da es nur vier Stunden ein schwaches Licht gab in Island. Seit Tagen wehte ein properer Wind, der pfiff und heulte, der machte die Welt klappern und die Stille noch klarer, die in Gunners Haus herrschte. Eine Stille, die sich wie etwas Gefrorenes anfühlte und die jede Bewegung so langsam werden ließ, dass man nicht anders konnte, als sich von außen zu beobachten.

Seit zwei Tagen lag Gunners Frau im Wohnzimmer, auf dem Bett, unbeweglich, was außer Gunner niemanden wunderte, denn Gunners Frau war tot.

Er vermochte nicht zu verstehen, warum Gabriella aussah wie immer, nun vielleicht ein bisschen verwaschener, wie an einem besonders schlechten Tag mit Grippe, und warum sie nicht zurückkam, das verstand er nicht.

Gabriella war immer zurückgekommen. Sie war leicht zu erzürnen und liebte es, mit Gegenständen zu werfen, aus dem Haus zu rennen und tagelang zu verschwinden, aber sie war immer zurückgekehrt. Warum sollte es diesmal anders sein?

Zumal sie vor ihm lag und er sie anfassen konnte.

Doch so viel Gunner auch mit ihr redete, sie schüttelte, sich neben sie legte, sie kam nicht zurück. Es war nicht zu verstehen, was einen Menschen zum Schlagen, zum Ticken, zum Laufen und Reden brachte und welcher Stecker gezogen werden musste, damit alles in sich zusammenfiel und der Mensch zu etwas wie einem Möbel wurde.

Es kamen keine Trauergäste mehr. Hunderte waren in den Tagen, da Gabriella hier lag im Wohnzimmer, durch sein Haus gelaufen, hatten sich betrunken, geweint, geredet und waren wieder verschwunden. Gunner hatte schweigend in einer Ecke gesessen und versucht, Haltung zu bewahren, nicht zu

schreien. Sie nicht aus dem Haus zu werfen, die seine schlafende Frau anstarrten und anfassten.

Gunner hatte nicht geschrien, er hatte zu Boden gesehen und rückwärts gezählt. Die Beherrschung verlor er erst, als die Bestatter kamen, um seine Frau abzuholen. Wohin abholen? Warum? Wenn sie schon nicht mehr mit ihm redete, konnte sie zumindest hier liegen bleiben. Es war immer noch besser, mit einer schweigenden Gabriella zu leben als mit gar keiner.

Die Bestatter hatten sich durchgesetzt, vermutlich kannten sie Szenen wie die des am Boden liegenden, schreienden Gunners. Sie hatten Gabriella aus dem Haus getragen. Die Tür hatten sie offen gelassen.

Es war kalt und Nacht geworden, Gunner lag unverändert auf dem Boden und wusste nicht, was er als Nächstes tun sollte. Er war am Nächsten nicht interessiert. Wie konnte einer einfach von vorne beginnen, mit Frühstück und Morgenzeitung, nachdem er dreißig Jahre einen anderen Menschen neben sich gewusst hatte, einen, der nie egal geworden war, mit dem er jede Nacht einander haltend eingeschlafen war.

Sie hatten sich immer an den Händen gehalten, von Kind an, und die Angewohnheit nie aufgegeben. Beider Hände hatten gefroren, wenn sie einander nicht hielten.

Gunner war sehr viel länger in seinem Leben mit Gabriella zusammen gewesen als mit sich oder seinen Eltern. Er hatte keine Ahnung, warum er alleine weitermachen sollte. Das Leben war doch nur mit einem anderen Menschen zu ertragen. Mit dem man lachen konnte über den ganzen Mist, über andere Leute, die noch nicht gemerkt hatten, dass alles eine große alberne Komödie war. Menschen, die ihre Mitte finden wollten, sich selbst verwirklichen, Karriere machen, Besitz anhäufen. Wie albern das war. Wie rührend.

Und wie verloren Gunner mit sich.

Die Tür immer noch auf, der kalte, nasse Wind im Haus, das ihnen kein Glück gebracht hatte. Sie wohnten seit fünf Jahren hier, weil Gabriella sich ein Holzhaus gewünscht hatte, mit einem Garten. Was willst du mit einem Garten, hatte Gunner sie gefragt, es regnet die meiste Zeit, und wenn es nicht regnet, ist es kalt. Aber Gabriella wollte Erde, einen Baum, und sie wollte morgens barfuß in diesen Garten laufen. Das hatte sie dann getan, nachdem er ihr das Haus gekauft hatte, und er vermutete nun, dass dieses Barfußgelaufe Schuld war am Krebs und daran, dass er jetzt alleine war.

Gunner überlegte sich, das Haus anzuzünden. Doch das schien ihm eine zu geringe, zu gnädige Strafe. Er würde einfach gehen, die Tür offen lassen, das Haus würde langsam zugrunde gehen. Sehr langsam.

Frank
Berlin

Irgendwann war es nicht mehr unangenehm gewesen, abends zu wissen, was am nächsten Tag geschehen würde, vielmehr schätzte Frank unterdes die Gleichförmigkeit seines Daseins. Manchmal erinnerte er sich an früher wie an einen schlechten Film, den er vor langem gesehen hatte. An die fröstelnde Anstrengung, sein Leben aktiv zu gestalten. Dieses erniedrigende Gefühl, einen sonnigen Tag nicht zu Hause verbringen zu dürfen, weil eventuell draußen etwas passieren könnte. Sich mit Tausenden an den wenigen Grünplätzen versammeln zu müssen, die die Abwesenheit von Natur nur viel deutlicher machten. Vorbei an den ockerfarbenen Mehrfamilienhäusern, die weitgehend alles Behagliche in der Stadt vertrieben hatten, des Nachts unsicher in Bars stehen, voller Angst, dass einer ihn ansprechen könnte, was natürlich nicht passierte.

Frank wohnte in Berlin, da spricht keiner einen an, wenn es nicht darum geht, ihn auszurauben, und selbst dann begnügt man sich mit wenigen Worten. Es war nie etwas Außerordentliches geschehen in den Jahren der Unruhe. Keines der Versprechen, die das Leben ihm scheinbar gegeben hatte, war eingelöst worden. Die Menschen, die er in Bars kennenlernte, verloren unter Tags ihren Reiz. Doch meist waren sie einfach nur verschwunden, irgendwo in dieser großen Stadt. Frank konnte heute verstehen, dass Berlin gemeinhin als wenig anziehend galt, denn die Stadt war definitiv eine äußerst hässliche Angelegenheit. Keiner hätte geglaubt, dass dieser Klumpen eingezäunten Drecks jemals wieder so etwas wie eine Metropole werden konnte.

Nun war es eine, mit all den dazugehörigen Luxusläden, Kiezen, Parallelwelten, die sich nicht berührten. Es gab ein paar ästhetisch ansprechende Orte, doch hielten die sich immer so weit entfernt von einem selbst auf, dass man sie nie aufsuchte. Das macht man doch nicht, mal eben eine Stunde mit den öffentlichen Verkehrsmitteln, um ein letztes Bier zu trinken. So grenzten die Menschen mit zunehmendem Alter ihren Radius ein, gewöhnten sich an die Kneipen, Läden, Grünflecken in ihren Vierteln, die nicht größer waren als ein Dorf. Vermutlich sind Menschen von jeder Ansiedlung, die die Größe einer Kleinstadt überschreitet, überfordert.

Man kannte die Idioten im Viertel, wurde alt mit denen, die immer noch davon sprachen, alles zu ändern, doch wer bis dahin nicht weg war, wusste Frank, würde es wohl nie sein.

Franks ehemaliger Freund Peter, mit dem er eine Band hatte gründen wollen, was sie aufgegeben hatten, um in Bars zu stehen und darüber zu reden, eine Band zu gründen, war durch die halbe Welt gefahren und immer unglücklich. Nie stimmten die Orte mit den Bildern in seinem Kopf überein. Schweine. Momentan war er aus irgendwelchen Gründen in Sri Lanka, auch nicht froh.

Pia, Franks Nachbarin, mit der er manchmal angenehm schweigend auf dem Balkon gesessen hatte, hielt sich gerade in Myanmar auf und wollte dann weiter nach London. Helena, die dicke esoterische Frau, die Frank immer traf, wenn er niemanden treffen wollte, morgens beim Zeitungholen, abends im Wunsch, unbemerkt nach Hause zu gelangen, und die ihm immer von ihren neusten spirituellen Erlebnissen erzählen musste, war in Manaus, das war aber wohl auch nichts. Miki aus Tel Aviv, die lange als Bedienung um die Ecke gearbeitet hatte, lebte jetzt in Los Angeles und machte irgendwas beim Film.

Wahrscheinlich kellnerte sie.

Mit allen traf Frank sich im Internet und versprach ihnen, sie zu besuchen. Das vergaß er dann jeweils wieder, weil er dringend mit einem anderen Freund irgendwo auf der Welt reden musste, der in einer Krise steckte, weil irgendwas mit einem Visum, einer perfekten Wohnung, Papieren oder einer Arbeit nicht geklappt hatte.

Frank hatte wenige ältere Bekannte, die, wie er, in der Stadt geblieben waren, weil sie sich daran gewöhnt hatten oder wussten, dass Wohnen egal wurde, denn mit fortschreitendem Alter wusste man doch, dass es überall irgendwie aussah und es schwierig war, neu zu beginnen, mit über 40.

Was sollte ein unglamouröser Mensch wie er durch eine Großstadt laufen, da sich keiner für ihn interessierte?

Es wäre Frank nie eingefallen, Berlin als seine Heimat zu bezeichnen. Eine Heimat hatte Frank nie gehabt.

Die meisten seiner Bekannten hatten den Knall noch nicht gehört und warteten auf einen Ort, der nach ihnen verlangte. Irgendwas, das für sie bereitstünde und das sich um sie legen würde wie ein passender Mantel. Heimat findet man nicht im Internet oder durch verzweifeltes Herumgereise.

Heimat ist für Menschen, die in Bergdörfern aufgewachsen waren. Ganz reizend, man kennt alle, die Tiere, die Luft ist über jeden Zweifel erhaben, und statt ins Kino gehen alle Sonnenuntergang schauen.

Frank beobachtete, dass ihm ein kleiner Bauch wuchs. Allen wuchsen Bäuche. In all den Bäuchen all der alten Männer waren vielleicht Kinder, die bei ihrer Bestattung freigesetzt würden. Um dann Straßenkinder in Peru zu werden. Frank arbeitete in einem unattraktiven, mit alten Ikea-Möbeln und fluddrigen Ordnern zugestellten Büro, und es war wirklich egal, was er da tat. Er hatte den Gedanken, die Welt verändern zu können, schon vor langer Zeit aufgegeben. Wobei aufgeben ein zu aktives Wort war. Die Idee war eher sanft entschlafen. Frank hatte verstanden, dass nichts die Welt ändern würde, außer vielleicht etwas sehr Gewalttätiges, aber das war nicht sein Cup of Tea. Er war müde geworden, dies jedoch in einer angenehmen Art, wie einer schläfrig wird, im Sommer, auf einer weißen Liege, die in Italien in einem Garten steht. Ein Pferd wäre da auch. Tot.

Jeden Tag begab Frank sich mittags in ein Café, das sich neben seinem Büro aufhielt. Die alten Kunden waren über die Jahre verschwunden, verjagt worden von 35-jährigen Müttern, die alle wahnsinnig umweltbewusst und dämlich waren. Die Frauen tranken Milchkaffee, die Kinder terrorisierten die

Gäste, und die Mütter ignorierten das, um zu zeigen, dass sie unglaublich entspannte Mütter waren. Frank saß da und versuchte, die Kinder zu mögen, die kreischend um ihn herum tobten, Sachen in seinen Kaffee warfen und auf Hunde traten. Es fiel ihm leicht, wenn er sich selbst vergaß, und die Ruhe, die er haben wollte, und die Kinder ansah, die noch nicht wussten, was ihnen bevorstand. Die wenigen Jahre der Ahnungslosigkeit!

Frank war versöhnlich geworden im Alter, und sehr oft musste er weinen, wenn er Menschen beobachtete, die versuchten, ihr Leben niedlich herumzubringen. Da sangen sie in Laienchören, tanzten in Parkanlagen und trugen kleine Tiere herum. Frank bedauerte, dass er die Menschen früher so gehasst hatte, sein Leben war nicht angenehmer gewesen dadurch.

Jeden Tag gegen fünf schloss Frank sein Büro ab, ging auf dem Heimweg in den Supermarkt, kaufte Waren, die er sich zu einem Abendessen zusammenrühren würde, eine Zeitung und begab sich gerne in seine Wohnung. Er kochte, Musik lief, danach setzte er sich, wenn es aus Versehen warm war, auf den Balkon, las in einem Comic und wunderte sich, dass es irgendwann so einfach geworden war, zufrieden zu sein. Vielleicht hatte es mit der Abwesenheit von Erwartungen zu tun. Auf eine Liebe zum Beispiel wartete Frank schon lange nicht mehr. Alle seine Liebesgeschichten waren vor langer Zeit unerfreulich geendet. Dachte er an Frauen, dann fielen ihm heute eher die lauten, unangenehmen Momente ein. Und er wusste nicht mehr zu sagen, warum er immer mit irgendeinem Mädchen gestritten hatte und worüber.

Seit ungefähr zehn Jahren hatte er keine Geschichte mehr gehabt. Seit der Bauch da war, oder andersherum. Ab und zu, wenn Frühling war, hing er auf dem Balkon alten Gefühlen nach. Die Unendlichkeit, die man spürte, im Zustand unsinniger Verliebtheit, die würde es wohl nie mehr geben, dachte er und sah den Schwalben hinterher, die im Frühling so schön weinten, bevor der Regen kam. Nach solchen Momenten der Erinnerung auf dem Balkon verlangte ihm meist nach einem Spaziergang, und unbestimmt trauernd streifte er durch die vom Frühlingsregen gereinigten Straßen, nahm die Hässlichkeit der Großstadt, die ihm normalerweise nicht mehr auffiel, bewusst war. Reizende Knospen an Büschen, die Natur imitierten und zu deren Füßen Plastiktüten lagen, und Hundehaufen. Und dann suchte er so lange, bis ihm einfiel, dass man Liebe so nicht findet, nachts, im Frühling, auf Straßen, und so ging er wieder heim, legte sich auf sein Sofa, las einen Comic, hörte eine komplizierte Schallplatte und wurde wieder ruhig darüber. Nein, Liebe fände er wohl nicht mehr, und es wäre verschwendete Energie, das zu betrauern.

So verschlurfte Frank den Frühling in angenehmer Temperatur und strich jeden Abend einen Tag seines Lebens ab, bis zu jenem Moment, da alles von einer Sekunde zur anderen eine neue Richtung hätte bekommen können.

Es war wieder so ein Abend, mit seufzendem Stehen auf dem Balkon und Schwalben, anschließendem Spaziergang und einsetzendem Niederschlag. Unter den üblich verdächtig verschissenen Büschen hörte Frank ein lautes Wimmern. Er starrte den Busch an und sah einen winzigen Vogel. Aus dem Nest gefallen und zu doof zum Fliegen. Frank bemerkte, dass er nicht allein war. Eine Frau, vermutlich in seinem Alter, dachte Frank beim schnellen Scannen, starrte auch. »Ich habe keine Ahnung«, sagte sie, »was man mit Babyvögeln anstellt.« »Ist das wie mit Rehbabys, dass die Mutter sie nicht mehr mag, wenn ein Mensch sie angegrabscht hat?«, fragte Frank. Beide zuckten die Schultern und schauten unschlüssig das Vogeljunge an. »Vielleicht gehen wir einfach weg«, sagte die Frau, »die Mutter traut sich möglicherweise nicht heran sonst.«

Dann gingen beide ein paar Meter und blieben stehen, weil das Geschrei des Vogels nicht verstummte. »Selbst wenn es eine Mutter gäbe, wie sollte sie denn das Kind ins Nest zurückbringen, die haben selten kleine Rucksäcke dabei. Eher schon Koffer, das sieht man ja ab und an. Diese Vögel mit Koffer.«

Beide gingen zurück, Frank klaubte den Vogel unter dem Busch hervor, der dann seltsam zufrieden in seiner Hand hockte und nur noch ab und an schrie, vor Hunger. »Was essen kleine Vögel?«, fragte die Frau. Und Frank meinte: »Vorgekaute Würmer, wenn Sie so nett wären.« Die Frau hockte sich wieder vor den Busch und kam nach ein paar Sekunden mit einem Regenwurm zurück. Eine Mutter mit Kinderwagen schoss an ihnen vorbei, erregte sich kurz, dass der Bürgersteig nicht schnell genug für sie geräumt wurde. Ruth schaute die Frau, die aussah, als wäre sie ein ehemaliges Model für Versandhauskataloge, mit einem Ekel an, den man sonst nur besonders unattraktiven Tieren entgegenbringt.

»Ich kau den, glaube ich, doch nicht«, sagte sie. »Vielleicht hilft es, wenn wir ihn in den Mixer tun«, schlug Frank vor. Beide gingen, als hätten sie es besprochen, in seine Wohnung, sie zerstückelten ein Teil des Wurmes und steckten ihn in den Mund des Babyvogels. Hut ab, dachte Frank, eine Frau, die Würmer zerstückelt, trifft man nicht alle Tage.

Dann bauten sie ein warmes Nest aus Socken, der Vogel schlief ein, und sie setzten sich auf den Balkon mit einer Flasche Wein. Das macht man so unter älteren Menschen. Die schleppen immerzu Weinflaschen herum, vielleicht um sich erwachsen zu fühlen, denn das große Geheimnis des Lebens ist, dass kaum einer weiß, wie Erwachsensein geht. Die meisten schämen sich darum und beginnen so zu agieren, wie sie meinen, dass Erwachsene sich verhalten. Das war, was die Welt zu so einem öden Ort machte. All die Menschen, die nicht in Originaltönen reden, die sich verkleiden, wie Maschinen sprechen, langweilige Erwachsenenmaschinen.

Die Nacht begann leise zu regnen, Frank holte einen Schirm, den er in einer Hand hielt, während er mit der anderen einzelne Teile von Ruth wärmte. Sie redeten, tranken und schwiegen, und die Schwalben gingen schlafen.

Als der Morgen kam, sehr leicht, wusste Frank, dass er sich verliebt hatte, in einer Art, die nichts mehr mit den schnellen Hormontsunamis der Jugend zu tun hatte. Er wollte Ruth in seinem Leben wissen, ihr aus seinen Comics vorlesen, ihr seine Musik vorspielen, sie auf seinem Bauch zum Schlafen legen. Und als Ruth irgendwann gehen musste, weil es zu hell geworden war dafür, dass alles immer so weitergehen könnte, sagte sie: »Ich werde bald nach Tel Aviv ziehen. Zu meinem Freund. Wirst du für unseren Vogel sorgen?«

Der kleine Vogel war am dritten Tag tot.

Und Frank setzte sein Leben fort wie gewohnt.

Er lag auf dem Sofa, las Comics, ging in sein Büro, und abends saß er auf dem Balkon, wenn das Wetter danach war. Ab und an erinnerte er sich an Ruth und verstand nicht, warum sie nicht bei ihm geblieben war. Sie hätten zusammen hier sitzen können, der Vogel hätte fliegen gelernt, und es wäre ein schönes Leben gewesen, zu zweit.

Maria
Berlin

Penner, dachte Maria, und sah auf den Klumpen alten Fleisches, der ihr den Weg versperrte. Da hockten die alten Idioten, die keine Zukunft hatten, starrten hohl und versperrten
dem Jetztmenschen die Zufahrt zur Zukunft. Maria hasste
alte Menschen, sie hatte Mühe mit deren Geruch, sie verachtete deren Kramen in Geschichte.

Maria hasste ihre Vergangenheit, weil sie so belanglos war.
Nicht einmal einen Vater gab es, der sie missbraucht hätte, nur
irgendeinen, der alle Jahre ein Weihnachtspaket schickte. Sie
hatte eine alleinerziehende Mutter, die auch in Ordnung war,
und einen idiotischen jüngeren Bruder. Mehr war da nicht.
Kein Graf in der Familie, keine dunklen Geheimnisse, keine
Prothesen.

Maria fühlte sich betrogen und wusste nicht warum.

Es regnete, sie fror, das Kind wachte auf, sie wollte nach
Hause, der Feierabendverkehr setzte ein, Mütter wie sie hetz-
ten mit Kinderwagen durch die Straßen, um vor Ladenschluss
noch irgendeinen Mist zu erwerben, ihn auf den Wagen
zu häufen und zu Hause in den Bauch zu schaufeln. Durch
die Pfützen spritzten Autos, die Gesichter um sie waren so
deutsch, so schwer, so groß. Immer diese Störungen überall,
die brachten Maria aus dem Gleichgewicht, wie ein Kurzschluss im Gehirn, der sie wütend werden ließ. Sie musste
sich beherrschen, ihre Züge mussten sich entspannen und
schön werden, sie musste schön sein, um eine neue Wohnung
zu finden. Es war nicht so leicht, eine kindgerechte Wohnung in Berlin-Mitte zu finden. Eine kindgerechte Wohnung
musste schadstofffrei sein. Sie musste frei sein von Gefahren-
quellen.

Die Welt war eine einzige Gefahrenquelle, überall lauerten

Verletzungen, abgetrennte Gliedmaßen, Tupperwaredosen, Vergewaltiger, Terrorattentate, Giftgas.

Maria wusste nicht, warum sie so gereizt war, denn der Höhepunkt ihres Lebens fand JETZT statt. Sie war Mutter. Sie konnte stillen, wann und wo immer ihr danach war. An öffentlichen Plätzen, kein Problem, konnte sie das Kind wickeln, die schmutzigen Windeln wechseln, und es würde keiner daran Anstoß nehmen können, weil sie dafür Sorge getragen hatte, dass die verdammte Menschheit nicht ausstarb. Maria hasste so einiges. Aber am meisten hasste sie sich von innen.

Dieses fette Nichts, das immer mit ihr war, seit sie sich erinnern konnte, seit sie ein Mensch war und nicht mehr ein Gemüse. Mit sechs war es, dass sie von der Leere gefunden, von ihr infiziert worden war, an einem Sonntag, vermutlich unterwegs mit ihrer Mutter und ihrem dämlichen Bruder Poahl. Die Sonne war zu hell, sie waren im Zoo, und Maria schaute die Tiere an. Die Tiere schauten zurück, viel zu auffällig schauten die, wie die gierten und glubschten, wie ihre Zungen heraushingen und ihre Tatzen schabten. Maria starrte die Tiere an und wurde ganz schwer. In ihr war nichts. Außer dem übergroßen Wunsch, sich fallen zu lassen, sich nicht mehr bewegen zu müssen. Die Tiere hatten sie infiziert. Die Tiere waren schuld.

Es gab in den Jahren danach nichts, was Maria zu entzünden vermochte. Sie schleppte sich träge durch ihr Leben, und immer wirkte sie wie eine Eiswaffel, die zu Boden gefallen war.

Maria begann erst etwas zu fühlen, nachdem sie ihr Kind auf die Welt gebracht hatte. Sie wusste nicht, was es war, konnte die Veränderung nicht benennen, denn es ist so kleinteilig, was einen abgestorbenen zu einem lebendigen Menschen macht. Plötzliches Riechen und Schauen und Wut, die Maria willkommen hieß, denn es waren Gefühle, es war LEBENDIG-Sein.

Zum ersten Mal fragte sich Maria nicht, warum sie was als Nächstes tun musste, sondern sie ging auf im Augenblick, und jeder Augenblick hieß: nicht mehr allein sein und die erfüllende Wichtigkeit von Verantwortung spüren. Na, und all der Quatsch halt.

Verfickter Mist, dachte Maria und sah voller Verachtung das alte Paar an, das mit einem miesen kleinen Vogel am Straßenrand stand. Diese Idioten. Warum gingen die nicht sterben. Maria kam nach Hause. Stolperte über irgendein verschissenes Skateboard, und schon wieder ging es los, schoss es ihr vom Sternum in den Hals, in den Kopf, und trat gegen den Kinderwagen, bis er umfiel, das Scheißkind auf den Boden, Maria in ihr Zimmer, die Tür zugeschlagen, diese Wut, diese furchtbare, die sie manchmal wünschen ließ, die Leere würde zurückkommen.

Helena
Manaus

Helenas Haltung drückte nur unzureichend den Umfang ihres Unwohlseins aus. Sie saß auf einem schalenförmigen Plastiksessel in einer Betonhalle, die vielleicht ein Flughafen war, im Moment deutete nichts darauf hin. Drei Indios lagen in den Ecken, kein Café, kein Duty Free, kein Anzeichen für

Flugtätigkeit. Es konnte also sein, dass die Halle einfach eine Halle war und Helena die Jahre bis zu ihrem Ableben auf einem Plastikstuhl verbringen musste. Neben ihr am Boden lag mit offenem Mund Serra, den sie in Manaus kennengelernt hatte. Er schien ihr seltsam fremd, was erstaunlich war, bedachte man, dass die beiden sich immerhin schon einige Stunden kannten.

Helena hielt ihre Beine mit den Armen umklammert und suchte mit einem Ansatz von Wahn im Blick den Boden nach Kakerlaken ab. Wie konnte Serra schlafen, mit offenem Mund, da jeder wusste, dass Kakerlaken Menschenöffnungen liebten.

Sechs Stunden noch bis zum Abflug, und es war so eine Situation, die leider nicht zum Tod führen würde, sondern irgendetwas Schlimmeres war.

Brasilien ist großartig, hatten ihr Bekannte erzählt und Dutzende brasilianischer CDs aufgelegt, und ihr war übel geworden, denn das Tempo der Musik vertrug sich nicht mit ihrem eigenen. Ohne rechte Lust hatte sie dann eine Reise geplant, obwohl sie lieber nach Indien wollte, aber dort war sie schon gewesen, und außerdem hatte sie das Denguefieber, mit dem sie sich dort infiziert hatte, in unerfreulicher Erinnerung behalten.

Brasilien war ihr eigentlich nicht Dritte Welt genug, denn sie assoziierte Karneval damit und Zuckerhut und Playa. Kein Ort für sanften Tourismus.

Helena hasste den Winter in Berlin. Sie hasste auch den Sommer in Berlin, eigentlich hasste sie ihr Leben in Berlin oder sonst wo und war ständig auf der Suche nach etwas, was ihr sinnvoller erschien als sie selbst. Sie hatte Rückführungskurse gemacht und Tantra, Reiki, das volle Programm – sie redete von umfassender Liebe, und wenn sie mal einen Freund gehabt hatte, dann wollte sie an Problemen arbeiten, loslassen lernen und sich auseinandersetzen, so lange, bis der Freund weg war.

Ein Umstand, der meist sehr schnell eintrat.

Helena war kein schlechter Mensch, aber sie hatte Angst, es zu sein, und wollte darum besser werden als andere, tiefer irgendwie, und das hatte dazu geführt, dass sie außer nervös gar nichts mehr war. Immer begleitet von dem Gefühl, dass sie nicht genügte. Was irgendwie auch stimmte. Denn wem konnte eines genügen, das verspannt war und immer versucht, alles richtig zu machen.

Helena hatte außer Brasilien fast alle Länder bereist, über die ein Lonely Planet existierte.

Sie hatte gelächelt, wenn die Einheimischen sie beschimpften, wenn sie sagten, du hässliches Stück weiße Wurst, hatte sie genickt, die Hände vor der Brust gefaltet und sich mit den wenigen Sätzen, die sie vorher aus Reiseführern gelernt hatte, demütig bedankt.

Helena hatte den Vorsatz, wenn sie unterwegs war, zu leben wie die Eingeborenen, also hatte sie in Hängematten auf afrikanischen Flussschiffen geschlafen, in Lehmhütten in der Wüste und in Indien in den billigsten Herbergen. Sie hatte alle erhältlichen Infektionskrankheiten bekommen und sich nicht viele Freunde gemacht, denn wozu sollten Touristen gut sein, die kein Geld ausgaben. Helena hatte fast überall, wo sie gewesen war, eine Liebesgeschichte gehabt, und jedes Mal davon geträumt, mit dem entsprechenden Mann in seinem Land zu bleiben. Das wollten die Männer nie, sie wollten nach Deutschland, und zweimal hatte Helena einem Mann ein Flugticket geschickt. In Folge saß dann ein Taxifahrer aus Kenia in ihrer Wohnung, der sehr schnell das Reden einstellte und stattdessen Schnaps trank, das andere Mal traf es einen Mann aus Bangladesch, der für ein Sozialwerk arbeitete und in Berlin sofort depressiv wurde. Zu Hause arbeitete Helena in Kopierstuben, Kneipen, Discos, Reinigungsunternehmen, Gärtnereien, so lange, bis sie wieder das Geld für eine Reise zusammenhatte.

Nun war sie seit einer Woche in Brasilien, und es gefiel ihr überhaupt nicht. Brasilianern ging jede asiatische Sanftheit ab, könnte man sagen. Oder auch – sie hatten keinerlei Probleme zu zeigen, was Touristen für sie waren: Portemonnaies auf zwei Beinen. Helena hatte Angst gehabt, auf die Straße zu gehen, Angst, das billige Guesthouse in Manaus zu verlassen. Und als sie es dann doch tat eines Abends und durch eine Straße huschte, in der ungefähr 6.000 Ratten wohnten, war sie Serra in die Arme gelaufen, der schlecht Englisch sprach und ihr bedeutete, diese Straße schnell zu verlassen, weil jeder wusste, dass dort 6.000 Ratten wohnten. Er hatte sie in eine Bar gezogen und sie angesehen. Eigentlich hatten sie sich den ganzen Abend nur angesehen, weil sie kaum miteinander reden konnten. Serra hatte den Körper eines Jungen und ein faltenfreies Gesicht mit traurigen, braunen Augen.

Ein Indio, der sein Glück seit Jahren als Goldgräber suchte. Sie hatten sich nur umarmt in dieser ersten Nacht, doch das langte, dass Helena sich verliebte, es brauchte wenig, um ihre Sehnsucht zu wecken. Sie wälzte sich die ganze Nacht und sah sich mit Serra in einer einfachen Holzhütte wohnen, und ihre Liebe wäre groß genug, um das Leben zu füllen. Als der Morgen kam, war sie so unglücklich, dass sie meinte, aus dem Fenster fallen zu müssen, weil sie glaubte, ihn nie wiederzusehen, und noch drei Wochen in diesem Land, in dem sie sich nicht auf die Straße traute. Sie wollte die Ratten nicht sehen und auch nicht die Kakerlaken, die des Nachts in Pilgerzügen die Taue entlang in die Boote tigerten, die auf dem Amazonas verkehrten. Sie hatte geweint, als sie Serra vor dem Eingang des Hotels sitzen und auf sie warten sah. Er wollte sie mitnehmen zu seiner Goldmine.

Das war genau das Abenteuer, auf das Helena gewartet hatte.

Nun saß sie in einer Betonhalle, von der sie annahm, dass es sich um einen Flughafen handelte. Genaueres wusste man nicht. Serra hatte ihr noch gesagt, wann das Flugzeug gehen würde, und war dann, ohne lange zu zögern, eingeschlafen. Helena blickte die Kakerlaken an, die, wie man es Hühnern mit abgetrennten Köpfen nachsagte, hektisch durch die Halle rannten. Vielleicht hälfe es, dachte Helena, sich vorzustellen, es seien schwarz eingefärbte Küken, die da am Boden tollten, vielleicht hälfe es, zu denken, sie selbst sei nicht hier, sondern an einem sicheren Ort. Und dann begann sie nachzudenken, was das für einer sein könnte.

Michael
Berlin

Michael lag auf seiner Couch und hörte alte Brasilplatten, die er auf dem Flohmarkt gefunden hatte. Michael liebte Brasilmusik; und zu liegen, und ihr zu lauschen, schien ihm ein ausreichender Lebensinhalt. Es war ihm nicht gelungen, eine Frau zu finden, was sicher mit der Beinprothese zu tun hatte, die er trug. Wenn er sie trug, denn bis anhin hatte er sich eher an das Abhandensein seines Beines gewöhnt als an den erbärmlichen Fiberglasersatz. Michael hatte immer gewusst, dass er eines Tages sein Bein verlieren würde. Nun, eigentlich war es eher sein Fuß gewesen, den er ab und zu mit einer unbestimmten Trauer betrachtet hatte, wie etwas, das einem nicht gehört und wieder weggenommen würde. Als es dann bei einem Mopedunfall wirklich geschah, als seine Vespa unter die Tram schlitterte und er das Blut am anderen Ende seines Körpers sah, den seltsamen Winkel des Beines, den herausragenden Knochen, wusste er sofort, dass der Moment des Abschiednehmens gekommen war. Es war eine Erleichterung gewesen, das eintreten zu sehen, worauf er schon lange vorbereitet war. Die leere Stelle an seinem Körper war ihm selbstverständlicher erschienen als das vorher vorhandene Körperteil.

Es kam der Vorstellung, die Michael von seinem Leben hatte, sehr entgegen, dass er Invalidenrente bezog, die, wenn sie auch nicht üppig war, doch ausreichte, um auf der Couch zu liegen, Marihuana zu rauchen und Brasilplatten zu hören.

Die einzige Frau, die sich für ihn interessierte, war die Verrückte aus dem oberen Stock, die immer mit einem Kinderwagen vor seiner Tür stand, darin lag ein alter Teddybär, den sie in seiner Wohnung wickelte und stillte, weil sie ihn als den Vater des Bären bezeichnete. Normal.

Früher war die dicke Helena ab und zu zu ihm gekommen, sie liebte es, wenn er ihr Brasilmusik vorspielte. Ansonsten war Michael alleine und vegetierte in der Art vor sich hin, wie es zur gleichen Minute vermutlich 800 Millionen anderer Menschen taten. Wenn sie nicht zwingend für ihren Lebensunterhalt arbeiten mussten oder in Folge einer Geisteskrankheit einer Obsession nachhingen, waren die meisten Menschen nicht mehr als träges Fleisch, und es war ihnen wohl, herumzuliegen, zu stieren, etwas zu kauen und sich nicht besonders sauber zu halten.

Mit seiner abgebundenen Jogginghose und seinem T-Shirt, auf dem sich Essensreste der letzten vier Wochen aufhielten, hüpfte Michael durch seine Wohnung auf der Suche nach irgendeiner oralen Befriedigung. Essen, trinken, rauchen, austreten, um mehr war es ihm nie gegangen. Michael war ohne jede Anforderung groß geworden. Seine Eltern hatten ihn in ihren späten Jahren empfangen und sich so verhalten, wie es ältere, wohlhabende, gelangweilte Eltern oft tun: falsch. Alles in Michaels Jugend war kindgerecht, psychologisch durchdacht, Michael wurde nicht eine Sekunde sich selbst überlassen, seine Eltern gingen mit ihm zum Babyflötenspielen und Tanzen, zum Schwimmen, in Spielgruppen, Stillgruppen, seine Kleidung war schadstofffrei, das Spielzeug umweltverträglich, die Nahrung ausgewogen und die Getränke ungesüßt. Als seine Eltern starben bei einem Autounfall, vererbten sie ihm kaum etwas, weil sie all ihr Geld für seine kindgerechte Aufzucht und seine exzellente Ausbildung verwandt hatten.

Das nahm Michael seinen Eltern wirklich übel, dass sie einfach so gestorben waren, ohne sich Gedanken darüber zu machen, wer in Folge mit ihm spielen sollte. Ein Jahr nach ihrem Verrat verlor Michael sein Bein, nun, fünf Jahre später, war er eine freundliche übergewichtige Flasche, die das Haus selten verließ, dauernd stoned war und mit dem Sofa verschmolz.

Ab und an, in klaren Momenten, dachte Michael mit gelinder Sorge daran, dass er vielleicht noch 50 Jahre so weitermachen musste, in dieser Sozialwohnung, mit der Musik, mit den Joints, so auch an jenem Tag, von dem Michael weder sagen konnte, um welchen es sich handelte, noch, ob er bereits den Nachmittag erreicht hatte oder ob es noch früh am Morgen war. Ein Mann zu sein, ist auch nicht nur ein Zuckerschlecken, dachte Michael, ohne genau zu wissen, was er damit meinte. Er zündete sich einen großen Joint an, den er am Küchenfenster rauchte. Er merkte zu spät, dass er das

Gleichgewicht verlor, aus dem Fenster stürzte und ihm eine Schlagader in der Leiste aufriss, sodass er, als er aufwachte, auch das andere Bein verloren hatte.

Michael stand jedoch so stark unter Morphium, dass ihm das keine großen Sorgen bereitete.

Nach seiner Genesung und Rehabilitation kehrte er mit zwei Prothesen in seine Wohnung zurück. Er würde bald ins Erdgeschoss umziehen, solange würde er auf dem Sofa liegen und ein wenig Brasilmusik hören. In jener Nacht sah Michael die kleinen Tiere zum ersten Mal. Ein Rudel Hasen, Tapire und Biber, die von nun an jeden Abend kamen, um sich in Michaels Wohnung aufzuhalten. Es brauchte einige Zeit, bis Michael den Mut aufbrachte, die Tiere anzusprechen. »Entschuldigung«, sagte er, »aber das ist meine Wohnung, in der Sie sich aufhalten.« »Nichts für ungut«, antwortete einer der Hasen, »wir kommen, um sie abzuholen. Aber lassen Sie sich ruhig noch ein wenig Zeit.«

Ruth
Tel Aviv

Ruth saß in einer leeren Wohnung in Tel Aviv. Obwohl – richtig leer ginge anders. Es gab eine Matratze und ein paar weiße Schachteln von Ikea, eine Kaffeemaschine, einen Topf.

In einer Flasche steckten Äste. Völlig unbekannte Äste. Ruth hielt Äste neben Bambus für die einzig akzeptable Blumenform. Sehr reizend, das kleine Grün aus dunklen Zweigen – doch nun staken da Äste, deren Knospen fast wie dicke Insekten am Stamm saßen. Ein großes Gefühl der Unvertrautheit – Äste, die man nicht versteht.

Ruth saß in der leeren Wohnung in einem Zustand völliger Verwirrung. Die Nerven in ihrem Körper vibrierten dermaßen, dass der Körper vor lauter Entsetzen mit einer Art Koma antwortete. Nun, wissenschaftliche Erklärungen waren nie ihres gewesen, Ruth wusste nicht genau, ob Nerven wirklich vibrieren konnten.

Um sich zu beruhigen, überlegte sie, wann ihr schon mal ein ähnliches Gefühl von Verzweiflung begegnet war, dieser Zustand, da ein Selbstmord fast vorstellbarer schien als weiterzumachen.

Aber zum Selbstmord bräuchte es eine zielgerichtete Aktion, und die war genauso unvorstellbar, wie zu tun, was man als Mensch so tut. Essen, rumlaufen, lesen, Zeit herumbringen.

Sie erinnerte sich an dies eine Mal, zehn Jahre zuvor, als die große Leidenschaft ihres Lebens sie verlassen hatte in einem fremden Land. Da hatte sie sich so gefühlt, auf einem Hotelbett und völlig außerstande, sich irgendwohin zu bewegen. Damals hatte eine Freundin sie gerettet, die ihr am Telefon jeden weiteren Schritt vorgab, den Ruth zu tun hatte. Die Freundin war gestorben und eine neue nicht nachgewachsen.

Das Denken machte ihre Panik ein wenig dünnflüssiger. Fast atmete Ruth wieder normal, und gleich, gleich würde sie ein wenig rausgehen können, laufen, herumlaufen, sich ablenken, weitermachen. Macht man doch immer so...

Nimmt man einem Menschen Gewohnheiten und Bezugspunkte, bleibt nicht viel übrig. Ruth hatte es schon immer furchtbar anstrengend gefunden, sich in einer neuen Umgebung zurechtzufinden. Darum hasste sie auch Urlaube. Sie fühlte sich wie nicht vorhanden an Orten, da keiner sie benötigte. Die Lüge des fröhlichen Entdeckens und Spaßempfindens in unvertrautem Gelände erforderte von ihr eine derart große psychische Anstrengung, dass sie nach ein paar Tagen erschöpft in ihrem Hotelbett, wo auch immer es sich aufhielt, endete und Fernsehen sah, in ihr unverständlichen Sprachen, die Rollos heruntergelassen.

In der fast leeren Wohnung in Tel Aviv gab es keinen Fernseher. Von draußen das Geräusch von Dauerregen, der auf dickblättrige Pflanzen trifft. Feiertage waren in Israel genauso öde wie überall, wenn man keine große Familie hat oder kochen muss, weil man eine große Familie hat oder religiös ist und eine große Familie hat. Das jüdische neue Jahr begann, Jom Kippur, das Laubhüttenfest, ein toter Tag jagte den nächsten, einen Monat lang.

Ruth setzte sich vom leeren Zimmer auf den leeren Balkon, der Regen war leise und dünn geworden, und irgendwas erinnerte sie an irgendwas, aber was das war, das sie auf einmal so sehnsüchtig werden ließ, fiel ihr nicht ein.

Sie war jetzt seit einem Monat in der Stadt, hatte eine Wohnung gesucht, war mit Stadtplänen herumgeirrt, wollte Möbel kaufen und hatte nur Ikea gefunden.

Ruth hatte versucht, sich so schnell wie möglich auszukennen, damit sie ihr Leben wie gewohnt würde fortsetzen können.

Sie wusste unterdes, was Israelis mit Designerwohnung (Fenster mit Bleiglas und seltsam gelben Kacheln am Boden) und modern (die Fenster lassen sich bewegen), lebhaft (Hauptstraße, Busse, da war doch was mit den Bussen) meinten. Sie wusste, welche Stadtteile gingen (Zentrum) und welche gar nicht Bat-Yam (sah aus wie Rumänien), Bnei-Brak (sah aus wie in einer Synagoge), Yaffo (sah aus wie an einem Bahnhof in

Rumänien). Nun wohnte sie um die Ecke einer Hauptstraße mit Cafés, Läden, Restaurants, das ganze Zeug, und auf der anderen Seite hinter ein paar einsturzgefährdeten Bauhausgebäuden war das Meer.

Ruth hatte schnell gelernt, nicht zu freundlich zu sein, denn Freundlichsein in Tel Aviv ließ die Männer denken: ficken, ließ die Frauen denken: geisteskrank, oder: will mit meinem Mann ficken. Sie hatte gelernt, Autos mehr zu fürchten als Terroristen, es gab 6.000 Verkehrstote jedes Jahr, dagegen nur 200 Terrortote. Ruth hatte darüber nachgedacht, ob es die Anspannung war, die das Volk hier zu den beschissensten Autofahrern der Welt machte, oder ob sie alle schlechte Augen hatten. Die hohe Optikerdichte könnte darauf schließen lassen.

Unter Tags war Ruth herumgelaufen und über Straßen gehuscht wie durch Tretminenfelder, sie hatte versucht, Hundehaufen und Kakerlaken auszuweichen und der Hitze zu entkommen.

Bei Nacht war Tel Aviv kaum auszuhalten vor Gutaussehen. Der Verfall in Dunkel getaucht, Licht aus den Wohnungen auf Bäumen, von denen Schlingpflanzen lappten, der Geruch von fremd, alle Menschen schienen so viel interessanter als daheim, das Essen besser und das Meer vorhanden. Ab und zu, selten und nie, wenn sie es brauchte, rief einer ihrer Freunde an, die schon Jahre entfernt schienen, und Ruth hatte stets das Gefühl, sich rechtfertigen zu müssen. Die Freunde gaben sich besorgt, vielleicht weil ihnen sonst kein Thema einfiel oder weil sie ihre Wut darüber, dass Ruth in einem ihrer Meinung nach aufregenden Land saß, in einem neuen Leben, und sie alleine gelassen hatte, hinter etwas Akzeptiertem zu verstecken suchten.

Wie konnte sie denen daheim sagen, dass es eigentlich so war wie zu Hause, nur mit ein paar Schlingpflanzen? Ruth hatte keine Ahnung vom Alltag in Perth oder auf den Fidschi-

Inseln, aber sie vermutete, dass sich Alltage nirgends sonderlich verwegen ausnahmen.

Das, was die meisten durch die Medien auf den kleinsten Nenner gebracht von Israel wussten, war: Politik, Mauer, explodierende Busse. Da willst du wohnen, fragten die Freunde. Ist doch egal, dachte sie, irgendwann weiß man, dass man überall wohnen kann, wo es thailändisches Essen gibt und man sich als Frau nicht verschleiern muss, außer man hat Pech und wohnt da, wo es richtig scheiße ist, in Tschetschenien oder im Sudan, aber wie es dort ist, wusste sie auch nur aus den Medien. Leben wollen doch alle mehr oder weniger in derselben Art. Ruhe und was essen, eine Familie und ein nettes Fernsehprogramm. Wenn die Menschen Pech hatten und im Sudan oder in Tschetschenien lebten, wurde es ihnen nicht unbedingt leicht gemacht, ihre kleinen Ansprüche zu realisieren.

Ruth begann ein wenig abzustumpfen, wie die meisten hier. Was kann man sich täglich aufregen, in einem Land, in dem es in vielen Orten 18 Prozent Arbeitslose gab, in dem das Geld immer weniger wert war, die Wirtschaft zusammenbrach, das Bildungssystem, das eines der besten der Welt war, bachab ging, jeden Tag ein neuer Korruptionsfall bekannt wurde und die Angst passiv das Leben bestimmte. 3.838 Terroranschläge gab es im letzten Jahr, täglich wurden 40 Attentatsversuche vereitelt. Alltag ging da nur mit Verdrängen. Die Jungen waren am Strand, die schönen Kinder. Europäische und orientalische, afrikanische, indische Elternteile hatten Menschen auf die Welt gebracht, die es sonst nirgends zu geben schien, in dieser Fülle an gelungenen genetischen Kombinationen. Sie rannten am Strand rum, spielten Matkot (Pingpong ohne Tisch), flirteten und waren laut, denn das war Pflicht. Hier lief nichts ohne hupen, schreien, Türen knallen, Hundebellen – leise war für die anderen.

Ruth ging vom Meer, das seltsam grau schien, in eines der tausend Cafés, Leben gucken. Da waren schon wieder welche am Heiraten auf der gegenüberliegenden Straßenseite. Es gab nirgends so eine Dichte an Hochzeitsausstattern, und geheiratet wurde hier, als ob das Video, was man da drehte, wichtiger wäre als Liebe oder ähnliche Albernheiten.

Ruth arbeitete als Übersetzerin, und sie tat es schon seit langem ohne jede Euphorie. Vor 20 Jahren hatte sie für die Literatur gebrannt, nach dem richtigen Ausdruck gesucht, sie wollte die beste Übersetzerin der Welt werden. Heute erinnerte sie sich manchmal wehmütig an die Leidenschaft, die sie damals empfand.

Ruth brannte schon seit langem für nichts mehr. Vielleicht passierte das unweigerlich, wenn man älter und alles Wiederholung wurde. Ruth konnte von ihrer Arbeit leben, sie hatte einen festen Kundenkreis, und sie war routiniert geworden.

Die Leidenschaft allerdings war nicht mehr vorhanden.

Ruth wusste nicht genau, was sie mit den eventuell übrig bleibenden 40 Jahren noch anfangen sollte. Eine Beziehung wäre nicht schlecht, hatte sie gedacht, und wie alle, die noch nie eine richtige Beziehung gehabt hatten, davon geträumt, dass sich durch einen Menschen, der nicht sie war, ihr Leben ändern würde.

In Ruths Lieblingscafé buk eine alte Dame aus Polen Burekas, und ein paar übriggebliebene Jeckes, deutsche Juden, unterdes alle 180 Jahre alt, hielten dort täglich ihren Stammtisch. Ruth saß am Rande, um Rentner zu schauen. Die Alten in Israel waren vor allem niedlich. Damen mit bunten Haaren, Hüten, Handschuhen, geschminkten Lippen, die reizende, alte Herren streichelten. Einige von ihnen hatten noch Kibbuze gebaut und an eine gute Zukunft geglaubt. Manche glaubten gar nichts mehr. Immer wieder sah man die Alten in Wohnungen, die wie Gefängnisse schienen, da sangen sie komische

Lieder oder weinten. Die Geschichten mochte keiner hören. Wenn Ruth sich langweilte, genügte es, vor die Tür zu gehen, da war immer was, wenn nicht gerade Feiertag war. Die Supermärkte 24 Stunden geöffnet, Kinos und Bars, und laut war es – IMMER. Alle Tel Aviver sagten, dass Tel Aviv nicht Israel sei. Jerusalem war für die Orthodoxen, die Siedlungen für die Rechten. Tel Aviv, sagten Tel Aviver, sei die schönste Stadt der Welt. Und eben nicht Israel.

Immer wenn Ruth müde wurde von zu viel Lautstärke und davon, dass jeder nur an sich dachte und bloß nicht freundlich sein, wenn es auch unfreundlich geht, gab es einen, der Ruth denken ließ – vielleicht kann ich hier zu Hause sein.

Ein alter Mann, der Vogel spielte im Wind, ein dicker Mann, der seine Hose wechselte mitten auf der Straße, Fremde, die sie irgendwelches Zeug kosten ließen, im Restaurant, alte knutschende Pärchen. Immer wieder niedliche Sachen.

Es wurde Abend, draußen begann das neue Jahr, Familien, und das hieß: 30 Leute Minimum saßen zusammen und brüllten sich an wegen des Leise-kann-jeder. Ruth, ohne Großfamilie, lief durch die angenehm leeren Straßen ihres neuen Lebens und schaute in die Wohnungen, überall war es hell, überall wurde gebrüllt, und überall wollten sie, was Menschen überall wollen: viel essen, sich verlieben, ins Kino gehen, Musik hören und alt werden, um sich mit komischen Hüten auf dem Kopf an den Händchen zu halten. So einfach.

Und so schwierig, weil doch immer etwas dazwischenkommt. Eine Bombe, ein Krieg, blöde Nachbarn oder Männer, die weglaufen, ehe etwas begonnen hat.

In der Wohnung fiel Ruth auf, dass Jakobs Reisetasche verschwunden war, mit ihm, gestern, nachdem sie gestritten hatten, weil er diese Idee vom Leben in einem Kibbuz hatte, bei der sich ihr die Haare vor Ekel aufstellten. Sie wollte nicht in die Wüste gehen, um dort Ziegen zu melken.

Sie hatte sich alles anders vorgestellt.

Das Leben mit Jakob, den sie im Internet kennengelernt hatte, mit dem sie sich so wohlgefühlt hatte diesen einen Monat, als sie hier war im Sommer, diese drei Wochen, die er bei ihr war danach. Sie hatte gedacht, dass sie endlich einen gefunden hätte, um nicht mehr alleine in einem Leben zu sitzen, das nett war und so langweilig an manchen Sonntagen. Etwas ganz Neues noch einmal, bevor sie endgültig zu alt wäre, um etwas ändern zu wollen. Nun war sie alleine hier und ein wenig müde darum, denn das Alleinsein kannte sie. Wenn ihr Leben sich ändern sollte, müsste sie das wieder ohne fremdes Zutun erledigen. Wie unendlich anstrengend das war.

Ruth sah in den Regen, und ihr fiel der Mann ein, den sie eine Woche, bevor sie hierher gezogen war, kennengelernt hatte. Der so schön ruhig war und ihre Füße gewärmt hatte. Und sie musste lachen. So albern war das Leben, dass sie nie einen Mann gefunden hatte, und dann waren da auf einmal zwei, und schon waren beide wieder weg. Und ihr war klar auf einmal, dass sie hierbleiben würde. Jakob würde zurückkommen. Oder auch nicht. Und wenn nicht, würde sie einfach weitermachen wie immer, eben in einem anderen Land. Sie setzte sich mit ihrer Instantsuppe auf den Balkon, in den Regen, und schaute das Altersheim an, auf der Straßenseite gegenüber. Ihr fremde Lieder wurden gespielt, von einer Drei-Mann-Kapelle im Speisesaal, ein paar alte Frauen tanzten miteinander, und natürlich hatten sie merkwürdige Hüte auf. Die Damen lächelten. Von der Musik kamen nur ein paar Geigentöne klar an, bei Ruth, im Regen, auf dem Balkon.

Frau Katz
Ad-mea-vehesrim-Heim

Ihre Ausgelassenheit würde überbordender sein, wenn die
Augen nicht brennen wollten und sie nicht so unendlich müde wäre, dass sie direkt auf den Fußboden sinken und einschlafen hätte wollen.

Schlafentzug hat seltsame Folgen, er macht nicht müde in
dem Sinn, wie man es kennt, vor wohligem Schlaf, vielmehr
wird der dauernd Schlaflose gereizt, seine Sinne scheinen
wie überwach, und er reagiert empfindlich auf Helligkeit, Geräusche, Stimmen und Anliegen. Frau Katz tanzte lustlos mit
ihrer Zimmernachbarin, eine Rentnerband spielte Schlager
aus den 50er Jahren, und Frau Katz gähnte auffällig. Ich glaube,
ich ziehe mich dann mal zurück, sagte sie. Und ging auf ihr
Zimmer. Hier war sie seit sechs Jahren zu Hause, und wenn sie
ehrlich war, musste sie sagen, dass sie fast jeden Tag genossen
hatte, auch wenn sie nicht schlafen konnte.

Sie kannte es ja nicht anders.

Vielleicht hat jeder Mensch ein Lebensmotto, dem er sich
stellen muss.

Kurz nachdem sie vor 50 Jahren geheiratet hatte, war die
Mutter ihres Mannes zu ihnen gezogen. Ben, der ein großes
Herz hatte, fand es selbstverständlich, dass er seine Mutter
nach dem Tod des Vaters nicht alleine ließ. Was folgte, war das
normale Elend. Kaum erwähnenswert, die kleine private Hölle, die ihr Bens Mutter täglich bereitet hatte. Sie war nicht laut.
Nur böse. Und stand immer, wenn man sie nicht erwartete

(doch mit den Jahren erwartete man sie natürlich ständig), wie ein schwarzer Vogel neben einem. Sie redete mit leiser zischender Stimme und hatte außer Egoismus und Hass auf ihre Schwiegertochter kaum Charaktereigenschaften. Selbst die Kinder waren ihr egal, wenn sie sich unbeobachtet wähnte, trat sie nach ihnen oder erzählte ihnen Geschichten, von denen sie zu weinen begannen vor Angst.

Frau Katz' Schwiegermutter war sehr, sehr alt geworden und natürlich krank und bettlägerig die letzten zehn Jahre. Frau Katz hatte nie Zeit für sich. Nahm sie sich ein paar Minuten beim Einkaufen, in denen sie am Rande des Yaakon-Flusses saß und sich weit weg träumte, war die Gehässigkeit der Schwiegermutter umso größer, wenn sie zurückkehrte. Das Unangenehmste war, dass Frau Katz sich all die Jahre vorwarf, dass sie kein anderer Mensch war. Einer, der die Alte in die Schranken hätte weisen können, einer, der sich durchzusetzen gewusst hätte. Oder einer, der hätte schlafen können wie ihr Mann.

Frau Katz konnte nicht schlafen.

In der Nacht kamen die Kinder und die Schwiegermutter in ihr Schlafzimmer, mit Angst, Träumen, Durst oder anderen Anliegen. Das machte, dass Frau Katz den Schlaf fürchtete, weil sie wusste, dass sie auf jeden Fall erschrecken würde, irgendwann, jede Nacht.

Die Müdigkeit war das Thema ihres Lebens, und irgendwann konnte Frau Katz sich nicht mehr erinnern, wie es gewesen war, früher, als Kind, schlafen zu können, ohne gestört zu werden, an Schabbes bis in den späten Vormittag. Frau Katz hatte nicht sehr viel Freude am Leben, denn es war schwer, sich wohl in sich zu fühlen, wenn man dort nie anzutreffen war.

Ben war einige Wochen nach seiner Mutter gestorben, die Kinder in Amerika waren verheiratet, und ihr Jüngster bot ihr an, zu ihm zu ziehen. Das wäre das Letzte, das Frau Katz irgendjemandem antun wollte. Seitdem war sie im Heim. Sie liebte ihr Zimmer und die Ruhe darin. Noch immer entzückte es sie, einfach nur zu sitzen und aus dem Fenster zu schauen, für Stunden, ohne dass sie jemand rief, etwas wollte, etwas zu erledigen war. Ihr Raum wurde von einer reizenden jungen Russin gereinigt, der sie ein gutes Trinkgeld gab, das Essen fand pünktlich statt, und es blieb ihr überlassen, ob sie daran teilnehmen wollte. Zum ersten Mal in ihrem Leben konnte Frau Katz Entscheidungen treffen, ohne auf jemanden Rücksicht zu nehmen. Gereinigt und nach Seife duftend, öffnete sie die Schranktür, später, als sie fast alle Heimbewohner schlafend wusste. James Stewart zog sich die Hosen gerade und klopfte sich Staub aus dem Sakko, was Frau Katz immer ein wenig kränkte, denn es gab in ihrem Schrank keinen Staub. Dann setzte er sich auf ihr Bett, Frau Katz kochte Tee, und sie begannen zu plaudern, die ganze Nacht. Manchmal gab es kleine Zärtlichkeiten, mithin saß sie nur da, lehnte ihren Kopf an James' Schulter und schaute in die Nacht. Jeden Morgen, wenn die Sonne aufging, war James wieder verschwunden. Frau Katz hatte ihre letzte große Liebe gefunden, die sie glücklich machte. Und die sie immer dünner werden ließ vor Müdigkeit. Bis sie sich vielleicht eines Tages völlig aufgelöst hätte. Und endlich, endlich schlafen könnte.

Pia
Myanmar

Auf Wiedersehen, du Insel, du Stück Wurst. Auf Wiedersehen Moskitos, Meer und dämliche Palmen, dachte Pia und war in tiefem Maße erleichtert, weil sie am nächsten Tag abreisen würde.

So heiß war es, dass der Körper fror, weil er nicht wusste, wie er sich verhalten sollte. Nacht und 30 Grad.

Sich vergessen müsste man können, etwas nur können, denn so war einfach Nacht, und das Meer schlief, ein Mond stand oben, eventuell unten, es war nicht auszumachen. Hinter Pia brannten ein paar Wände. Oder etwas anderes machte Hitzewellen. In dem Wald hinter ihr, der so schwarz war wie das Meer vor ihr, lebten Anakondas, Tiger, Affen, Ameisenbären, Tiere, die es nur im Zoo gab und die hier zu Versuchszwecken freigelassen wurden. Pias Welt war nur Zoo, oder nur Fernsehen. Das Echte war, was sie suchten, was sie nicht kannten, die Reisenden. 30 Millionen letztes Jahr, die nichts wollten als weg, ohne nachzudenken, was dann kommen sollte, nach dem weg. Das war Tourismus, ein anderes Wort für was die Welt zum Untergehen bringen würde. Massenvölkerwanderung, Schlagseite, und das Ding würde auslaufen, wegen eiern.

Die Nacht war wie ein Mantel, zu früh dem Trockner entnommen. Gemacht zum Whiskeytrinken. Ventilator und einsame Reisende, malariakrank, Syphilis, weicher Schanker, im Arm eine Hure, noch einen Whiskey, Sam. Die Insel. Menschen mit Platzangst hatten auf Eilanden nichts zu suchen. Einer von 800 unbewohnten Erdhaufen im Mergui-Archipel in Burma, das jetzt anders hieß.

Pia war erst vorgestern gekommen und wäre am liebsten sofort wieder abgereist. In Ranong, im Süden Thailands, hatte

Graham auf Pia gewartet. Sie waren auf ein Luftkissen-Armee-boot gesprungen, zur Grenze nach Burma gefahren, das jetzt Twix hieß, hatten Pässe gegen einen Dolmetscher getauscht, und dann ab aufs Meer. Drei Stunden lang. Meer und Inseln. Ungefähr 36 Grad waren es und, als das Boot anlegte, auch schon dunkel geworden. Eine Mietinsel mit Einheimischen, die kochten, Feuer machten und den Sand fegten. Zwei Zelte, Teakholzmöbel – kurz: das Grauen für einen Menschen, der nicht gerne mit Fremden redete und Aktivurlaub zutiefst verabscheute.

Graham war früher bei den Soldaten. Nichts Genaues.

Nun war er ein Ein-Mann-Tourismusunternehmen, das gelangweilte Europäer und Amerikaner zum Kicktauchen in die sozialistische Militärdiktatur brachte. Pia hielt nichts von Elendsbesichtigungen und völkerkundlichen Studien. Da man eh nie alles sehen könnte in einem Leben, wollte sie sich lieber darauf beschränken zu verstehen, was sie umgab.

Diese Reise hatte ihr eine Freundin aufgeschwatzt. Pia traute sich nie zu widersprechen, darum war sie auch am liebsten alleine, denn nur so entfiel die Möglichkeit, dass sie von jemandem, den sie meinte, mögen zu müssen, unter emotionalen Druck gesetzt wurde.

Die Freundin war nun krank zu Hause, und Pia hockte alleine auf der Insel. Sie hasste es aufrichtig, Menschen sehen zu müssen, die sie nicht sehen wollte. Wenn schon Urlaub, dann zog Pia große, alte, italienische Palasthotels vor, mit Frühstück aufs Zimmer und der angenehmen Atmosphäre warmer Ignoranz, die Italiener herstellen konnten. Pia wollte so schnell wie möglich wieder weg hier, doch sie war jemand, der Angst vor allem hatte, so auch davor, mit bestimmtem Ton ihre Abreise anzukündigen.

Sie hatte früher versucht herauszufinden, woher diese Unsicherheit kam, es allen recht machen zu wollen, sich nicht

wehren zu können, doch sie hatte es aufgegeben, sich ergründen zu wollen. Es war so unendlich langweilig. Das Einzige, was sie heute wusste, war, dass es wenige Menschen gab, die die Größe hatten, anderen nicht ihren Willen und ihre Launen aufzuzwingen.

Das Abendessen übertraf alles, was sich Pia an Grauen zuvor hätte ausmalen können. Drei Bedienstete in Sarongs standen wie alberne Statuen hinter dem Tisch, an dem sie mit dem komplett humorfreien Graham saß, der jeden Satz mit: u know... begann. Er begann viele Sätze.

Graham redete über sich, sein Business, das Boot und über Hesse, den er mal gelesen hatte. Pia fiel vor Langeweile fast mit dem Gesicht in die schlecht zubereiteten Spaghetti.

In der ersten Nacht, die sie unbequem und schwitzend in ihrem Zelt zubrachte, dachte sie sich Ausreden aus. Graham, ich muss schnell nach Hause, weil ich träumte, meine Mutter läge im Sterben. Graham, ich muss sofort nach Hause, ich habe dieses Frauenleiden, und es ist in der Nacht wieder aufgebrochen, mein gesamter Uterus hängt mir aus dem Leib. Frauenleiden eigneten sich hervorragend als Ausreden, denn kein Mann würde je Genaueres wissen wollen.

Am Tag, der leider der ersten Nacht folgte – denn noch unangenehmer als Menschen sehen zu müssen, die sie nicht sehen wollte, war es Pia, Menschen am Morgen sehen zu müssen, die sie nicht sehen wollte –, besichtigte Pia eine Insel, was sollte sie auch tun sonst.

20 Stelzenhütten im Sand. 60 Leute, die so klein und dünn waren, dass sie als 30 Leute durchgehen könnten.

Alle rauchten. Die Frauen, die Männer, die Kinder, die Hunde. Mehr Hunde als Leutchen. Die Sorte, die üppigen Ratten glich. Die Einwohner des Nestes waren Seezigeuner. In der Nicht-Monsunzeit trieben sie monatelang auf Holzkähnen über das Meer, 15, 20 Personen auf einem Zehn-Meter-Boot, von einer Insel zur nächsten. Sie ankerten, die Männer tauchten nach Seegurken, die sich gut an Chinesen verkaufen ließen, die Frauen sammelten in den Korallenriffen Austern und Krebse. Wenn das Inselchen leer gegessen war, fuhren sie weiter zum nächsten. Die Seezigeuner stammten von einer der Inseln, die sie vor 300 Jahren verlassen hatten. Warum, wussten sie, die nicht wussten, was gestern oder morgen bedeutete, nicht zu sagen. Vor ein paar Jahren kam die Geschwindigkeit in ihr Leben. Sie entdeckten die Freude des Rauschs und des Geldes – das Dynamitfischen und das Heroinrauchen, und waren dabei, sich zügig auszurotten. Gerettet wurden sie von einem Mönch, der die verlotterte Bande versuchte zu redlichen Menschen zu machen. Er hatte eine Schule gegründet und wachte als buddhistischer Patron über das Dorf. Der Mönch zeigte voller Stolz seinen riesigen Fernseher, der mit Decken verziert in der Ecke seines Holzhauses stand. Leider gab es weder Strom noch Empfang auf der Insel, und so saß er des Abends vor dem schwarzen Gerät und erfreute sich daran.

Wofür, um Himmels willen, soll das nur gut sein, das Besichtigen fremder Leben, fragte sich Pia. Dass die Welt ungerecht war, wusste sie, dass sie kaum etwas daran ändern konnte, auch. Es würde sie ihrem Schicksal gegenüber nicht dankbarer machen, wenn sie sah, dass hier alte Frauen vor Häusern hockten und sich langweilten. Es half nichts, sich nach unten zu orientieren. Der Mensch musste sich mit seinem Umfeld messen und tunlichst gut abschneiden, um eine Zufriedenheit herstellen zu können.

Sie müssten dann los, sagte Graham, der Conquestador, und Pia kletterte in das Schlauchboot. Graham wollte Pia noch eine Bucht zeigen. Bucht, dachte Pia, scheiß der Hund drauf.

Die haben Panzerfäuste, sagte Graham und weckte Pia damit aus ihren Träumen. Sie dachte gerade an London, wo sie eine Wohnung gemietet hatte in ein paar Monaten. Sie wollte mal weg aus Berlin, ehe sie zu alt dafür wäre, ehe sie auf einmal in einem Pflegeheim erwachte und nicht wüsste, wie sie dahin gekommen sei. Dann war diese Reise dazwischengekommen, und darum hockte sie jetzt auf einer Insel in einer Gegend, die noch nicht einmal von Flugzeugen überflogen wurde, und fühlte sich als Scheißtourist. Sie haben Panzerfäuste, und die richten sie auf uns, wiederholte Graham. Wie meinen, erwiderte Pia und versuchte zu verstehen, was Graham meinte. Dann sah sie ungefähr 50 Meter entfernt einen Holzkahn, an dessen Rand einige schwerbewaffnete Männer in interessanten Uniformen standen. Ein brillanter Blackbox-Dialog, dachte Pia, bedauerlich allein, dass keine Blackbox an Bord war, dass das Bord aus Gummi und Luft bestand und dass eine Panzerfaust, abgefeuert auf ein vollgetanktes Luftkissenboot, vermutlich nicht einmal eine Blackbox übrig ließe. Und wenn, keiner würde sie suchen, denn sie waren am Ende der Welt.

Drogenmafia, Seepiraten, Militärdiktatur, keine Ahnung, für was die zehn schwerbewaffneten Asiaten auf dem Fischkutter kämpften, es war auf jeden Falle etwas anderes, als wofür Pia ihr Leben einsetzen würde. Graham fuhr den Bewaffneten langsam entgegen, denn zum Umkehren war es zu spät, da waren die Panzerfäuste vor. So war das also, wovon man ab und an einen Vierzeiler in der Presse las. Touristen als Geiseln genommen, zu Tode gekommen. Und die es lasen, dächten: Selbst Schuld, warum sind sie nicht zu Hause geblieben, die Deppen.

Die Boote touchierten einander, und drei junge Männer sprangen an Bord. Sie wirkten nervös, hatten verbrannte Gesichter, geweitete Augen, die Hände fahrig, darin Abzüge mit rostigen Gewehren dran. Pia sah die Männer an. Eher Jungs, 18-jährig, und wovor hatten die Angst? Oder las sie die Gesichter falsch? Sollten sie ausgeraubt werden? Pia dachte merkwürdigerweise an ihren iPod und wie furchtbar, wenn sie den stehlen würden und sie ohne Musik Graham ausgeliefert wäre. Komische Gedanken, wo vielleicht ein geraubter iPod noch das Harmloseste wäre, was passieren könnte – der burmesische Dolmetscher zitterte. Zitternde Dolmetscher und Stewardessen mit Angstschweiß auf der Stirn sind nichts, was angetan ist, die Laune des Beobachters zu heben.

Der Dolmetscher flüsterte: Das sind Karen.

Who the fuck ist Karen, dachte Pia, und der Dolmetscher erklärte es ihr leise. Die jungen Männer gehörten zur KNLA. Der Karen National Liberation Army. Sie wurden einst von den beiden minderjährigen Zwillingsbrüdern John und Luther angeführt, keiner wusste aber, ob die noch lebten. Pia erinnerte sich, von ihnen gelesen zu haben, nachdem sie ein thailändisches Krankenhaus besetzt hatten. Die Karen waren eine Minderheit in Myanmar, die sich bis heute weigerte, die Militärdiktatur anzuerkennen. Die Knaben, die auf dem Schlauchbootrand saßen und nervös rauchten, hatten KNLA-Embleme an den zerfransten T-Shirts. Die Karen diskutierten, der Dolmetscher übersetzte leise – es gab folgendes Problem: Wenn sie Pia und Graham fahren ließen mit dem Speedboot und Graham und Pia dem in der Nähe stationierten Militär funkten, wo die jungen Männer sich aufhielten, wären sie tot. Das Boot schaukelte leise, Tiere am Ufer sangen, Zeit, Abschied zu nehmen. Pia merkte auf einmal, wie gerne sie lebte. Sie konnte nicht klar denken, da war die Angst vor, doch Bilder rasten ihr durch den Kopf, Italien im Sommer, Sushi in Berlin, Herbst am Meer, Polizisten. Pia hätte nie geglaubt, einmal Sehnsucht nach Polizisten zu haben, sie sah eine U-Bahn und deutsche Zeitungen, Wintertage im Bett und den Geruch im Herbst am frühen Morgen.

Nach einer Stunde oder zwei war der Zeitpunkt für eine spontane Exekution überschritten. Die Karen überlegten, ob sie die Weißen nicht mit in ihr Lager nehmen sollten. Irgendwo im Dschungel, Stunden entfernt. Der Dolmetscher warf in die Diskussion ein, dass das nicht gehe, die ältere Dame wäre nicht für solche Strapazen geschaffen. Ältere Dame, dachte Pia, und war erstaunt, denn so hatte sie sich nie gesehen. Sie war Ende 50. Sie färbte ihre langen dunkelblonden Haare regelmäßig, ihre Zähne waren weiß und ihr Körper schlank. Sie fühlte sich nicht mehr jung, aber zwischen jung und alt gab es eine große Grauzone, die längste Zeit des Lebens, und darin hielt sich Pia auf.

Zumindest schien der Einwand geholfen zu haben, denn die Karen diskutierten weiter. Vielleicht waren es gut erzogene junge Männer, die Respekt vor älteren Damen hatten.

Nach der Todesangst, das konnte vermutlich jeder Verstorbene bestätigen, folgte eine große Gelassenheit. Besser hier sterben oder im Karenlager, als zu Hause von einem BMW überfahren zu werden. Ich habe alles gehabt, alles gesehen, warum nicht abtreten, bevor es schlimmer wird, mit der Haut, den Knochen, dachte Pia, und beim Gedanken an Knochen schaute sie die Karen an, die die schönsten Hände hatten, die sie je gesehen hatte. Zart mit kleinen Lederbändern als Ringe. War das jetzt das Stockholm- oder Helsinki-Syndrom?

Die Dunkelheit zog über der Andamanen-See auf, der Krach im nahen Dschungel setzte ein. Wie lange hatten sie jetzt auf dem Boot gesessen? Pia dachte, dass sie gerne Rebellin wäre. Mit den schönen jungen Männern in den Busch gehen. Doch dann dachte sie, dass es ihre Enkel sein könnten. Mist, wann war das nur passiert?

Nach einer weiteren Stunde schweigenden Schaukelns auf dem Boot kam Bewegung in die Runde. Alle Karen sprangen auf das Luftkissenboot mit ihren Panzerfäusten, Gewehren, Pistolen, und Pia hatte diese Art Panik, die man als Nicht-Geisel-Genommener kennt aus Flugzeugen, wenn die auf einmal heftige Bewegungen machten. Einer der Karen zeigte auf Pias Fotoapparat. Der Dolmetscher sagte: Sie wollen, dass wir Fotos machen und in Europa über sie berichten, sie sind keine Mörder. Die Erleichterung, die Pia empfand, ließ sie schwindeln. Mit Pia in ihrer Mitte posierten die kleinen Rebellen, alle lachten und wirkten sehr erleichtert. Die jungen Männer, dass sie niemanden umbringen mussten oder eine alte Dame in den Dschungel zu schleifen hätten, und Pia, weil sie nach Hause könnte, zu ihren Scheißpolizisten. Dann war alles vorbei. Das Schlauchboot entfernte sich, die Karen winkten.

Schweigend fuhren sie zurück auf die Teakholzinsel. Die Bediensteten sprangen durch den Busch, und Pia dachte: Das geht ja mal überhaupt nicht mehr. Sie sah für sich zwei Möglichkeiten: zu bleiben, und zwar für immer. Durch den Busch zu streifen, mit nackten Brüsten, Tiere aus der Decke zu schlagen, Salzwasser zu trinken und irre zu werden, nachdem sie versucht hätte, über das Wasser zu laufen. Oder sofort am Morgen abzureisen, wofür sie jetzt endlich einen Grund hatte.

Brian
Bangkok

Der Flug nach Genf war aus Gründen gestrichen worden.

Brian war nicht das, was man allgemein einen entspannten Kerl nannte. Er war von einem nervösen, hochintelligenten Kind zu einem nervösen, intelligenten Erwachsenen geworden, wobei man nicht klar benennen konnte, was Brian eigentlich erwachsen sein ließ. Er sah immer noch wie ein Kind aus, die Härchen wurden dünner am Hinterkopf, aber die Gesichtshaut war rosig und die Augen hinter der Brille ausnehmend groß. Es war nicht die Zugehörigkeit zu einer Altersgruppe, die Brian auszeichnete, sondern die völlige Unmöglichkeit, ihn überhaupt einer Gruppe zuzuordnen. Brian wirkte in jeder Gruppe von Menschen wie eine Pappfigur, die zufällig aufgestellt worden war. Bestimmt gab es Menschen wie ihn, vermutlich war Bill Gates so einer, aber triff mal Bill Gates nur zu dem Zweck, dich neben ihn stellen zu wollen, um zu belegen, dass es andere gibt, die sind wie man selber. Brian hatte ein Preisausschreiben in einer Computerzeitschrift gewonnen. Eine Weltreise. Brian war weder am Reisen noch an fremden Ländern oder gar Menschen interessiert, es strengte ihn über Gebühr an, denn er nahm zu viel wahr. Brians Blick war vergleichbar dem einer Fliege, oder wie heißen die Tiere, die in Spektren zerlegt wahrnahmen. Jede Sekunde 1.000 Informationen, da sollte man nicht verrückt werden. Ab und zu wünschte sich Brian, ein normaler junger Mann zu sein, der nach Spanien reiste und sich mit Sangria betrank. In einem dieser Anfälle hatte er den Preis angenommen, und das hatte er nun davon.

Zu Hause arbeitete Brian an der Entwicklung von Robotern. Das interessierte ihn, lastete ihn aber nicht im mindesten aus, weshalb er gerade noch ein Mikrobiologiestudium begonnen hatte. Wenn Studien nur nicht so extrem langweilig wären. Nun, jedenfalls stand Brian auf dem Flughafen in Bangkok und war völlig überfordert, denn Realität, wenn sie hieß Tickets umbuchen, Miete bezahlen, Ordner anlegen, mit Menschen an Auskunftsschaltern reden, war nicht die Welt, für die er kämpfte. Brian stand nervös zwinkernd in der Check-in-Halle und versuchte, sich zwischen Menschen, Koffern, Anzeigetafeln, fremden Sprachen, Licht, Polizeihunden und unglücklichen Lebensentwürfen zurechtzufinden, was ihm mäßig gelang.

Er stand inmitten all des normalen Flughafenwahnsinns und hatte eine Art Kurzschluss im Gehirn, der ihn völlig erstarrt und hyperventilierend zurückließ in seiner Hülle, während der Geist versuchte, irgendwohin zu fliegen.

Brian hatte bereits Hongkong gesehen, Japan, von Thailand sollte er weiter nach Genf, dann nach Amerika, und endlich dürfte er wieder nach Hause. Brian hatte gedacht, so eine Reise wäre doch mal eine gute Gelegenheit, um Frauen zu treffen. Daheim kannten ihn alle, er hatte den Ruf eines Sonderlings, eines Muttersöhnchens, was absurd war, denn seine Mutter war vor 18 Jahren gestorben. Jedenfalls gab es zu Hause kein vernünftiges Mädchen, das es sich leisten konnte, mit Brian dem Spinner gesehen zu werden.

Eine Frau hatte Brian bis jetzt noch nicht kennengelernt. In Hongkong hatte er allerdings einen Hund getroffen, den er sehr mochte. Der kleine Hund war aber nach einigen Stunden seiner Wege gegangen. Brian dachte oft darüber nach, was es sein konnte, dass es ihm unmöglich zu machen schien, Freunde zu finden. Es musste ja nicht gleich eine Frau sein, ein Freund hätte bereits gelangt. Er würde sehr gerne mit einem Freund auf einer Parkbank sitzen von Zeit zu Zeit. Er wusste nicht genau, was man mit einem anderen Menschen machen sollte, aber er wünschte sich einen. In seinen Phantasien stellte er sich seinen Freund vor wie sich selber. Er wüsste, über was er mit sich reden und worüber er mit sich lachen würde. Eine Frau wäre in seiner Phantasie auch wie er. Sie trüge eine Brille, sie würden auf einer Bank sitzen und angeregt über physikalische oder sonstige Probleme reden. Es gab so viel, worüber Brian gerne reden würde. Unterdes hatte er sich aus seiner Erstarrung gelöst, hatte umgebucht und musste nun zwölf Stunden auf dem Flughafen herumbringen. Er machte sich auf die Suche nach dem Stundenhotel, das es geben sollte. Daybeds, das klang sehr verlockend. Vielleicht konnte er im Dunkeln liegen und seinen Kopf von dem Ansturm von Informationen entspannen. Brian lief ungefähr eine Stunde durch den Flughafen, immer neue Gänge taten sich auf, immer leerer wurde es, und dann sah er ihn. In einem Gang hatte sich ein Mann eingerichtet, mit einem Spirituskocher, einer Decke, Büchern, einem Pingpongspiel. Der Mann sah aus wie ein Hitlerjunge. Warum denke ich Hitlerjunge, fragte sich Brian, aber er konnte nicht umhin, den jungen Mann anzustarren, der nicht wie ein Penner wirkte. Blonde Haare, vorne lang ins Gesicht fallend, Seitenscheitel, im Nacken ausrasiert, hellblaues Hemd, beige Knickerbocker, derbe Schuhe, sehr gepflegt. Brian war es gewohnt, viele Informationen aufzunehmen, das Problem war nur, dass er durch seine Weltfremdheit viele der Informationen nicht einzuordnen wusste. Obwohl er sehr schüchtern war, machte seine Neugier Brian mitunter zum ungehobelten Gaffer. Er stierte den jungen Mann an, bis der Brian bemerkte und nach weiteren zehn Minuten zu sich winkte.

Brian setzte sich neben den Mann, der auch sofort zu sprechen begann. Interessant, dachte sich Brian immer wieder, wie schnell Menschen zu reden beginnen. Und welch große Menge unnützer Informationen sie mitteilen.

In dem Fall erfuhr Brian, dass der Mann ein Konzeptkünstler aus Frankfurt war, der – inspiriert von einem tatsächlichen

Fall –, einem Mann, der jahrelang in einem Flughafen lebte, weil er keine Papiere hatte und nicht in seine Heimat zurück und in das neue Land nicht einreisen konnte, hier hockte. Er mache das also jetzt auch, als Performance, seit zwei Wochen sei er schon hier. »Interessant«, sagte Brian, »schaut denn jemand zu, während sie Ihre Performance machen?« »Nein«, sagte der junge Mann, »ich muss ja unentdeckt bleiben.« Das leuchtete Brian ein. Er überlegte kurz, ob es den Versuch lohnte, sich den jungen Mann zum Freund zu machen. Er entschied sich jedoch dagegen, er fand den jungen Mann nicht wert, sein Freund zu sein. Der Künstler forderte Brian nachdrücklich zum Bleiben auf. Brian sagte: »Entschuldigen Sie, ich muss dringend los.« Und dann ging er, suchte sein Stundenhotel und hatte das gute Gefühl eines Mannes, der nicht auf jede Freundschaft angewiesen war.

Jakob
Neot-Smadar

Eigentlich hätte er umkehren müssen, als er das DING sah. Alter Schwede, dachte Jakob, da sind sie aber mit jemandem so richtig durchgegangen.

Das DING, es Gebäude zu nennen, wäre too much, war eine Mischung aus Moschee, Ferienheim in Ostdeutschland und

Waldorfschule, mit einem Penisturm, Geländern aus Del-
finen, Ornamenten und ausufernd wie eine Krake. Es stand
auf einem staubigen Platz und leuchtete bedrohlich in der
pinkfarbenen Wüstenabendsonne wie der letzte orgiastische
Schuss aus tausend Esoterikgliedern. Gleich wird das Ding
losmarschieren, die Delfine werden sich in Clowns verwan-
deln, und dann gnade Gott. Jakob zuckte zusammen, und fast
hätte er geschrien, denn eine Hand legte sich ihm auf die
Schulter: »Schön, nicht wahr«, sagte eine Frau mit diesem
Steiner-Schüler-Lächeln, hinter dem man immer Psychopa-
then vermutet, und das meist zu Recht. »Das haben wir in
den letzten dreizehn Jahren selber gebaut.« Nee, ist klar, dachte Jakob und hatte Angst vor der Frau.

Die Frau hieß Anad, was sicher so etwas wie DAS LICHT
oder DIE ERLEUCHTUNG bedeutete, war Mitte 40 und auf
eine ungeschminkte Art nicht schön. Sie sah irgendwie aus
wie ein Pferd, dachte Jakob, und ihr Geruch war sauer. Sie
würde für dieses Jahr Jakobs Ansprechpartnerin sein. Sagte
sie, und Jakob dachte: Man muss ja nicht immer wen ansprechen. Anad führte ihn durch den Kibbuz – viel Staub, Oliven-
bäume, kleine Lehmhäuser oder Zeug, das aussah wie Lehm,
und immer wieder verstörte Menschen auf Fahrrädern – in
einen Wohnwagen, der o.k. war für einen Wohnwagen.

»Wir sehen uns um 18 Uhr beim Abendessen, ich hole dich
ab«, sagte Anad und verschwand. So ein beschissen selbst-
gerechter Gang, dachte Jakob, als er seine völlig unpassen-
de Garderobe in einen Schrank ordnete. Kein Fernseher im
Wohnwagen, kein Kühlschrank, nur ein Wasserkocher und
Teebeutel. Er setzte sich aufs Bett und hatte eine unbestimmte Angst, vor die Tür zu treten. Unklares Zögern kannte er
nicht von sich, er war keiner, der überlegte, bevor er handelte.
Die Frau in der Wohnung in Tel Aviv, ob sie wohl gerade genauso auf dem Bett saß, unfähig zu handeln? Es war selten,

dass Jakob sich über andere Menschen und deren Gemütszustand Gedanken machte. Warum er die Frau verlassen hatte, nachdem sie für ihn in ein fremdes Land gekommen war, hätte er nicht zu sagen gewusst. Das waren halt so – Impulse.

Die Bilder, die er vor seiner Ankunft hier gehabt hatte, bestanden aus lachenden Menschen, satten Feldern, Scherzen im Heu, kleinen Tieren und tiefer Müdigkeit am Abend.

Nun waren da nur ein Steingeschwür, radelnde Psychos und eine verzweifelte Unwissenheit. Was sollte er mit sich tun, wenn es ihm hier nicht gefallen würde?

Genau in diese Frage klopfte es an der Tür. Anad stand in einen Strickpullover, der aussah, wie aus Dackeln gewoben, gewickelt im Dunkel. Es gab keine Beleuchtung im Kibbuz. »Wir haben uns gegen Beleuchtung entschieden, weil wir die Tageszeiten respektieren«, sagte Anad und klammerte sich so an Jakobs Arm, dass er an nichts anderes mehr denken konnte, als an das unangenehme Gefühl, das dieser fremde Körperteil in ihm auslöste. Jakobs Angst steigerte sich nach Betreten des Speisesaales zur Panik. Ungefähr 50 Yetis saßen an einer U-förmigen Tafel, schwiegen und aßen sehr bewusst grünes Zeug. Ab und an stand einer auf, ging zu einem Wasserkocher und wählte mit fast religiösem Ernst irgendein Scheißkraut aus, das er mit Wasser übergoss, um es dann in spitzen kleinen Schlucken zu trinken. Anad neben Jakob nahm mit fast ritischen Bewegungen Grünzeug aus einer Schüssel, brach es zweimal durch und schnitt es dann in kleine Stücke. Stunden brauchte sie, bis sie die Gabel zum Mund führte und die Augen schloss und es dann in so einer Ich-genieße-den-Fraß-jetzt-voll-bewusst-Manier kaute. Kein Ton war zu hören, nur Flüstern und Schneiden und Schlucken. Alles schmeckte unerträglich gesund und ungewürzt. »Ich versuche, in den zwei Jahren, in denen ich Koch bin, mein Ego zu bekämpfen. Sich mit besonders brillanten Kochkünsten hervortun zu wollen ist Egoboosting. Speisen müssen nicht speziell schmecken, nur nahrhaft müssen sie sein«, sollte der Koch Jakob später einmal erklären.

War eine Platte leer, wurde sie von einem an der Tafel Sitzenden fordernd in die Luft gehalten und von dem jeweilig zuständigen Servicepersonal gegen eine volle ausgetauscht. Jeder wurde mal bedient und bediente, erklärte Anad, alle zwei Jahre wechselte man den Job hier, um keine schlechten Gefühle entstehen zu lassen.

Jakob würgte ein wenig Stängel herunter und saß dann still, um sich seine neuen Kameraden anzusehen. Alle hatten schaufelige Hände, und auch die Gesichter glichen sich. Eine wettergegerbte, aufrechte Art sprach aus den Gesichtszügen, und ein kleiner klugscheißerischer Zug hatte sich bei allen um den Mund eingeschlichen. Frauen und Männer hatten sich auf eine geschlechtslose, neutrale Mitte geeinigt. Auf dem Weg durch die Dunkelheit zurück in den Wohnwagen erklärte Anad, dass die Mahlzeiten Sentenzen der Stille im geschwätzigen Alltag waren. Is klar, dachte Jakob.

Bevor die Arbeit begann, morgens um sechs, würden sich alle auf eine schweigende halbe Stunde und einen Kaffee hier treffen, sie würde Jakob dann zu der ihm zugeteilten Arbeit bringen. Weg war Anad und Jakob alleine in seinem inzwischen eiskalten Wohnwagen, in dem nur ein paar kindskopfgroße Kakerlaken herumtollten. Schlechter als er in jener Nacht kann kein Mensch schlafen. Jakob fragte sich, ob es nicht eine völlig idiotische Idee gewesen war hierherzukommen. Es mochte ihm nicht mehr einfallen, was genau er hatte finden wollen. Es hatte mit einem großen Überdruss und einer lähmenden Langeweile zu tun, gestand er sich ein, und auch die Frau, mit der er sich noch vor zwei Wochen ein Leben hatte vorstellen können, würde daran nichts geändert haben. Halt eine Frau. Er hatte Tausende gehabt, und sie langweilten ihn.

Wenn das Experiment Kibbuz fehlschlüge, könnte er sich umbringen. Das war eine Idee, die Jakob schließlich einschlafen ließ.

Die erste Woche verging für Jakob mit Müdigkeit und dem unangenehmen Gefühl, das sich einstellte, wenn man als Neuer in eine zusammengewachsene Gruppe kommt. Keine Ahnung zu haben von der Geschichte zwischen den Leuten, von den kleinen Anspielungen, die Gesichter nicht lesen zu können war, wie als Mensch unter Ameisenbären zu leben. Jakob stand um halb sechs auf, saß mit den anderen schweigend im Frühstücksraum bei unerträglich schlechtem Kaffee und ging dann zur Arbeit. Er war für dieses Jahr den Ziegen zugeteilt. Das hieß, die Dinger melken, füttern, die Ställe sauber machen, Futter herankarren und wenig Pausen. Jakob arbeitete mit drei anderen Kibbuzniks zusammen, einer jungen Volontärin, wie er erst seit kurzem da, und zwei Männern, Ende 40, die wenig redeten und markant rauchten. Fragen, die er stellte, wurden in einer Art beantwortet, die keine Diskussion zuließen. »Warum gibt es denn keinen Fernseher hier?« »Wir haben uns dagegen entschieden, weil wir glauben, dass die Bilder im Fernsehen nichts mit unserer Realität zu tun haben.« Was sollte man dazu noch sagen?

Jeden Dienstag gab es eine Versammlung für alle Mitglieder in einem Rundbau, den Jakob nur leer gesehen hatte. Es hatte ihn an irgendetwas erinnert, die amphitheaterähnlichen Sitzbänke, der offene Kamin in der Mitte – er konnte sich nicht erinnern, an was.

Am Dienstag, während die Erwachsenen sich berieten, saß er mit den Aspiranten vor dem Speiseraum und fühlte zum ersten Mal so etwas wie Verbundenheit. Die beiden waren zwar Anfang 20, und er musste ihnen mit seinen 45 wie ein Rentner vorkommen, aber es waren nette junge Leute, die wie er von einem neuen Leben träumten. »Stell dir vor, hier gab es nichts«, sagte das junge Mädchen, »alles war Wüste und Sand. Jeder Baum, der künstliche See, die Olivenhaine, das haben sie alles der Wüste abgerungen.« Toll, dachte Jakob, warum sind sie nicht gerade an einen Ort gegangen, wo es schon Bäume gab. Aber er wollte den heiligen Eifer des Gespräches nicht zerstören, so schwieg er. Der Junge war ihm am ersten Abend aufgefallen, als sie sich nach dem Mittag vorstellen mussten. Hallo, ich bin Rob, und ich will hier herausfinden, was es heißt, ein Mensch zu sein, hatte der Junge Rob gesagt. Jakob hatte gedacht, wie rührend. Und war ein wenig erschrocken, als er bemerkte, dass die 60 Altkibbuzniks beifällig mit den Köpfen nickten. Ich glaube, ich bringe mich um, wenn sie mich nach dem Jahr nicht hierbleiben lassen, sagte das eifrige junge Mädchen, ihre Wangen glühten in der Abendsonne. Ich bringe mich um, wenn es hier so furchtbar bleibt, wie es begonnen hat, dachte Jakob.

Die erste Woche ging für ihn damit zu Ende, dass er sich nicht zu Hause fühlte, aber auch nicht mehr so befremdlich alleine.

In der zweiten Woche verstand er ein wenig das undurchschaubare Ordnungssystem.

Besucher wurden nicht geduldet. Keiner verließ den Kibbuz, um auswärts zu essen oder mal in einer Bar abzuhängen. Sehr schnell begriff Jakob, dass es Fragen gab, die man einfach nicht stellte. Zum Beispiel jene nach den Grabhügeln neben den Orangenbäumen. Keiner hatte je einen Partner von außerhalb in den Kibbuz gebracht. Man paarte sich untereinander. Wenn einer einen Menschen sucht, wird er ihn hier finden, hatte Anad ihm erklärt und ihn dabei eine Idee zu lange angeschaut.

Die Arbeit spürte Jakob kaum mehr. Er war gerne bei den Tieren, die Zeit ging sehr schnell herum, und tatsächlich stellte sich am Abend dieses Glücksgefühl ein, dass er sich so gewünscht hatte. Befriedigt von körperlicher Arbeit im Freien einzuschlafen, etwas Besseres gab es kaum. An die Frau, die vielleicht auf ihn warten mochte in Tel Aviv, dachte er nur noch, wenn er sich sehr anstrengte. Mit jedem Tag wurde sie unwirklicher, und vermutlich war er nicht sehr in sie verliebt gewesen. Er hatte sich eher zwei Optionen für seine Zukunft freigehalten – das Leben im Kibbuz und das Leben mit einer Frau, alles nur etwas anders, als er es bis anhin gekannt hatte. Der Kibbuz hatte gewonnen, eben vermutlich, weil die Frau in seinem Alter war und man das sah.

Er gewöhnte sich in der dritten Woche an das Schweigen im Speisesaal, er konnte die Gesichter unterscheiden, sich ein paar Namen merken, er hatte sich mit fast allen ein wenig unterhalten, mit manchen sogar gute Gespräche geführt. Alle sprachen vom Menschsein, der Selbstbestimmung, dem Einssein mit der Natur und vom Guru, der voriges Jahr gestorben war, doch wenn das Wort Guru gefallen war, schwiegen sie schnell. Jakob hatte sich an die merkwürdigen Samstagstänze gewöhnt, da jeder, der wollte, Musik machen konnte, und alle anderen schweigend mit sich selber tanzten, entfesselt irgendwie.

In der vierten Woche hatte Jakob das erste Mal Angst, dass er nicht bleiben dürfte. Er hatte sich daran gewöhnt, dass alles so angenehm geregelt war. Das Leben in der Gemeinschaft, das Abhandensein von Geld, die Tänze, die Gespräche. Wie bei allen hing über Jakobs Bett unterdes auch ein Plakat, auf das er alle seine schlechten Eigenschaften geschrieben hatte, um daran zu arbeiten.

ICH BIN:

EGOISTISCH

UNGEDULDIG

GIERIG

UNZUFRIEDEN

UNGENÜGEND

FEIGE

MASSLOS

UNRUHIG

UNAUSGEGLICHEN

SEXUELL

Was er mit dem letzten Punkt genau meinte, hätte Jakob nicht zu sagen gewusst. Doch schien ihm Sex, so wie er ihn früher verstanden hatte, viel zu unrein in dieser esoterisch klaren Umgebung. Er fand es normal, dass man alle Probleme stundenlang in der Gruppe besprach. Normal, dass er in der fünften Woche in den Gruppengesprächen aufstand und allen mitteilte, wenn er einen schlechten Gedanken gehabt hatte.

»Ich habe gestern gedacht, das Anad manchmal aussieht wie ein Pferd.«

»Warum hattest du diese Assoziation?«

»Ich weiß nicht, manchmal, wenn sie ihr Grünzeug kaut, sieht sie aus wie ein Pferd. Ein nettes.«

»Anad, fühlst du dich verletzt durch Jakobs Gedanken?«

»Nein, eigentlich nicht, ich finde Pferde wunderschöne Geschöpfe, und ich danke Jakob für seine Offenheit.«

So Zeug halt.

In der sechsten Woche befremdete ihn nicht mehr, dass keiner in der Gruppe Geld besaß und dass, wollte ein Kibbuzmitglied zu Besuch nach Hause, darüber abgestimmt wurde, ob dem Wunsch stattzugeben sei.

Er hatte auch keine Angst mehr in der sechsten Woche, dass er aus dem Kibbuz nicht mehr wegkäme, so wie am Anfang, als er besorgt die nächtlichen Wachen am Gatter betrachtet hatte und sich absurderweise eingesperrt fühlte unter Wahnsinnigen. Nun, in der sechsten Woche, fühlte er sich nur noch beschützt. Wenn er aufgenommen würde, wenn er aufgenommen würde. Würde er wie alle anderen alle zwei Jahre das

Haus tauschen, den Job wechseln? Welch wunderbares System, um keine Hierarchie und kein Privatbesitzgefühl aufkommen zu lassen. Er merkte, dass er denen, die er als Führung der Gruppe ausgemacht hatte, gefallen wollte. Das waren sechs der Gründungsmitglieder, alles ehemalige russische Naturwissenschaftler, die leise den Ton angaben, die um Rat gefragt wurden, deren Ton ein wenig bestimmter klang.

In der siebten Woche war Jakob auf einmal unerklärlich glücklich, irgendwann kam das, als er eine kleine Ziege mit der Flasche fütterte und die Sonne schon so hell wurde, dass er ahnen konnte, was hier im Sommer los war, wenn es mittags 45 Grad wären. Jakob fühlte sich aufgehoben, aller Fragen entledigt, ganz im Moment mit der Ziege, den Kollegen, die ihm zulächelten. Er wollte ein guter Mensch werden. Er wollte für sein Essen arbeiten, der Wüste Leben abtrotzen. Den gesamten Tag lächelte Jakob. Er konnte sich sein Leben in den Bars von Tel Aviv nicht mehr vorstellen. Die rastlose Suche nach irgendetwas, das er nie gefunden hatte. In der Nacht, in jener ersten komplett glücklichen Nacht seines Lebens, ging er noch ein wenig spazieren, durch die Dunkelheit. Angst hatte er schon lange nicht mehr, und er hatte gelernt, sich an den Sternen zu orientieren, und er sah im Versammlungsgebäude Licht.

Richtig, das Dienstagsmeeting. Neugierig sah er durch Fenster in den Versammlungsraum. Er vermeinte, die junge Frau am Boden liegen zu sehen, die mit ihm als Volontärin hier begonnen hatte. Er meinte ein Murmeln zu hören, doch später in seinem Bett war er sich nicht mehr sicher. Gegen Mitternacht öffnete sich seine Tür leise, und fast unheimlich sanft glitt Anad neben ihn ins Bett. Und auch das erschien ihm irgendwie richtig.

Helena
Creporiso

Helena und Serra waren in ein absurd überladenes Sportflug-
zeug gestiegen, das den Namen Sport nicht wirklich verdiente.
Rostflecken malten Expressives auf das Gehäuse, das Flugzeug quälte sich fast in Gehgeschwindigkeit in den Himmel.
Oben angekommen, schien es sich nur mäßig wohlzufühlen.
Immer wieder sackte es einige Meter ab, und unten zwischen
den Bäumen der kleine Fluss hieß Piranha. Nach ungefähr
zwei Stunden Flug über etwas, das aussah wie eine Land-
karte Brasiliens, mit ewigen Grünflächen, Flüssen und ab und
an Rauch, der nicht in Landkarten verzeichnet war, landeten
sie auf einer staubigen Straße und kamen kurz vor den ersten
Holzhütten zu stehen. Die Straße war eine Schneise im Busch.
Nach Verlassen des stickigen Flugzeuges nahm es Helena den
Atem, wie in eine Waschküche treten war es, und sie fühlte, wie ihr Gesicht aussehen musste. Rot und nassglänzend.
Obgleich sie sich sonst selten um ihr Äußeres Gedanken
machte, war ihr das Bild unangenehm klar, das sie bieten
musste. Eine übergewichtige Frau mit rotgefärbtem Haar und
weißen Beinen in Shorts, über denen sich ihr Oberkörper
wölbte.

Ungefähr 50 Holzbuden links und rechts der Straße, da wurde verkauft, was Goldgräber zum Leben brauchten: Schnaps

und Wasserpumpen, Reis, Rum und Bier. Die Kassen waren Goldwagen auf Sperrholztheken, die Währung: Nuggets.

Hinter den Häusern lag der anfallende Müll und trug nicht zu einer Verbesserung der Luft bei.

Viele Männer, klein, mit lederner Haut und auffallend vielen Goldzähnen, lehnten an den Buden und betrachteten Helena von oben bis unten. Serra lief mit wiegendem Schritt ein wenig vor ihr, und sein Körper strahlte auf einmal etwas aus, was ihr nicht gefiel. Es gibt Situationen, da man umkehren sollte, aber es nicht tut, aus Trägheit oder weil man nicht auf sich hört. Helena hörte nie auf sich, weil es sie nicht gab, und so lief sie hinter Serra her, wie etwas, das sich bewegt, wenn man es unter einem Mülltonnendeckel findet.

Am Ende der Straße lag ein langer Holzkahn mit Außenbordmotor, der Geräte, Lebensmittel und Menschen aufnahm, bis er sich kaum mehr rühren konnte. Helena hockte an den Rand des Bootes gedrängt, die Holzplanke schnitt in ihren Unterschenkel, und sie blickte verstört auf die tiefen Dellen darin. Sie schaute Serra an und vergaß, dass sie hatte umkehren wollen, dachte sich, dass sie vielleicht zu einem Leben im Dschungel gemacht war, sie musste es nur wollen.

Das Boot legte ab, schabte auf Sand, wollte nicht los, schwankte. Ob es hier Krokodile gab oder nur Piranhas, fragte sich Helena, und was war eigentlich unangenehmer?

Das ist also der Regenwald, dachte Helena und war ein bisschen enttäuscht, weil sie sich den Regenwald irgendwie grüner und aufgeräumter vorgestellt hatte. Stückweit auch mit mehr Regen. Das Ding hier war heiß und staubig.

Sie hielten an Holzrutschen mit dazugehörigen Hütten, die abenteuerliche Namen trugen »Burg der Träume«, »Hoffnung eins«, »Schicksal«, das waren also die Goldgräbercamps, und auch die hatte sich Helena romantischer vorgestellt. Bei jedem

Halt fühlte sich Helena an den einzigen Pauschalurlaub erinnert, den sie gemacht hatte in Mallorca, da immer, wenn der Bus anhielt, sie sich gewünscht hatte: Hoffentlich ist dieser hässliche Klotz nicht mein Hotel. Der Ort, an den sie mit Serra fuhr, musste doch etwas Besonderes sein. Ein idyllischer Platz auf einer Lichtung, mit kleinen, properen Holzbungalows. Alles, was sie sah, waren Slumhütten und Holzkreuze. Viele Malariatote, sagte Serra, und Arbeitsunfälle und Schießereien. Helena schloss die Augen und fragte sich, wie sie wieder zurückkommen würde und wohin zurück. Nach fünf Stunden auf dem Fluss, auf dem kein Wind wehte, über den sich die Hitze wie eine Glocke gestülpt hatte, hielt das Boot. Es war bis auf Serra und Helena leer. Die letzte Goldgräberstation vor der Unendlichkeit des Dschungels hieße Batoa, sagte Serra und winkte ungefähr 20 Männern und drei Frauen zu, die am Ufer warteten. Frauen lebten nur im Lager, wenn sie Prostituierte waren und sich am Wochenende auf einem ihrer Einsätze in einen Goldgräber verliebt hatten. Selbst für eine Hure aus Manaus, deren Leben kein Spaziergang war, hatte der Dschungel nicht viel Reizvolles.

Was für eine triste Geschichte, war das Erste, das Helena dachte, als sie schwerfällig und unter dem Kichern der Anwesenden aus dem Kahn hopste. Wie ein Walross, dachte sie. Und versuchte, nicht zu enttäuscht auf die kleine Siedlung zu schauen, die sich kaum von dem unterschied, was sie unterwegs gesehen hatte. Eine in der grellen Sonne liegende Staubpiste, Müll und Slumhütten links und rechts, eine Rutsche zum Goldfördern.

Alle Minen, die sie auf der Fahrt gesehen hatten, gehörten einem Mann mit dem Namen Gaulsa. Er war der Erste, der sich hierher durchgeschlagen hatte, bei Bodenproben Gold fand und das Land zu seinem Besitz erklärte, den er später mit der Pistole und einem Maschinengewehr verteidigte.

Mine für Mine hatte er sich in den Dschungel gegraben, und wie viele Männer er bei der Verteidigung seines Besitzes getötet hatte, wusste keiner genau. Aber Gaulsa war ein guter Mann, sagte Serra und erzählte von seinem Vorgänger, dem damaligen Chef des Dschungels, den sie Rambo nannten. Er hatte an die 200 Goldgräber erschossen, bis er eines Nachts betrunken erschlagen wurde. Gaulsa war ein fairer Boss: 70 Prozent von allem, was die Männer fanden, für ihn, der Rest für die Arbeiter.

Der Rest langte gerade zum Überleben und für die Huren am Wochenende. Reich war hier noch keiner geworden, noch nicht einmal Gaulsa, der im nächsten kleinen Ort in einem Holzhaus wohnte, wenn auch mit Fernseher, und doch träumten alle vom großen Glück. Sie erzählten sich immer wieder die Geschichte des Goldgräbers, der einen Sechs-Kilo-Klumpen barg. Und wie er nach Manaus gereist war und zwei Taxis orderte. Eines für sich und das andere für seinen Hut.

Helena folgte Serra durch eine Schneise kleiner, brauner Sackratten – hatte sie gerade Sackratten gedacht? –, halbnackte Männer, deren Alter zwischen 60 und 100 zu liegen schien (später erfuhr Helena, dass die meisten erst um die 30 waren und kaum einer 50 wurde), eine kleine Anhöhe hinauf, staubiges Kraut, Müll und Hühner, Rauch von Feuern und Geruch von Bohnen. Oben stand eine Hütte, vier Bambusstangen mit einer Plastikplane, einer offenen Feuerstelle und Hängematten. Wir sind zu Hause, sagte Serra. Helena hockte sich entmutigt auf eine alte Bierkiste und starrte auf ihre Beine. Nichts Erfreuliches hier.

Helena wusste doch, dass es einen höheren Sinn geben musste, irgendwo. Kein Ego mehr zu haben. Das war, was Helena so verbissen zu erreichen suchte.

Serra hatte sich umgezogen, nun war auch er halbnackt und

setzte sich zu ihren Füßen. Er versuchte Helena zu erklären, dass er sich nichts weiter wünschte im Leben als eine Gitarre, aber das hörte sie nicht, weil sie schwitzte. Weil sie heimwollte, weil ihr unbehaglich wurde, als sie bemerkte, dass ein Goldgräber nach dem anderen zu ihrer Hütte kam, sich hinhockte und sie anstarrte. Helena fragte sich, ob drei Frauen eigentlich genug wären für zwanzig Männer. Und dann traf ihr Blick den eines Mannes, und sie begann, allen in die Augen zu sehen. Einem nach dem anderen. Sie merkte, ohne es klar benennen zu können, dass man den Leuten hier nichts vormachen konnte. Die Goldgräber, meist ehemalige Strafgefangene, Dealer, Drogensüchtige, mochten einen oder nicht, und wenn nicht, wurde es ungemütlich.

Einer nach dem anderen nickte und verließ die Hütte. Helena war aufgenommen. Serra wirkte erleichtert, machte ihr einen Kaffee, der durch zu viel gesüßte Kondensmilch fast ungenießbar war, und küsste sie danach. Helena vergaß ihr Unwohlsein, ihren Wunsch, nach Hause zu gehen, die Hitze, die Tiere, die sie im Busch hörte, und wollte ganz einfach nur mit Serra irgendwo liegen. Doch dafür war keine Zeit. Serras 24-Stunden-Schicht begann, und Helena begleitete ihn zu seinem Arbeitsplatz. Serra stieg in ein zehn Meter tiefes Loch zu vier anderen Kameraden. Das Gold befand sich in einer Erdschicht, etwa zwei Meter unter der Oberfläche. Drei Männer trugen die Erdschicht mit Wasserspritzen ab. Der Wasserstrahl war so stark, dass die Männer sich auf den Schlauch legen mussten, um ihn zu halten.

Der Schlamm sammelte sich am Boden, wurde mit Pumpen angesaugt, nach oben geleitet, dann über eine Holzrutsche, die Draga, in den Fluss geleitet. Weil Gold schwerer war als Schlamm, blieb es in der Draga liegen. Alle zwei Tage wurde die Pumpe abgestellt und die Draga geleert. Dann lag Goldstaub auf dem Boden der Rutsche, der mit Quecksilber gebunden wurde. Das überschüssige Quecksilber wurde in den Fluss befördert, davon starben Fische, und das ökologische System kollabierte, was aber keinen weiter interessierte. Umweltschutz und Mitgefühl waren ein Luxus, den sich nur die leisten konnten, die schon alles hatten.

Mit Glück wurde in 48 Stunden ein Kilo Gold gefördert. Pro Gramm elf Dollar. 70 Prozent für den Boss, der bei der Öffnung der Draga immer dabei war. Nach einem Tag Pause arbeiteten sie weiter und tranken viel Rum dazu, weil sie es sonst nicht aushielten, den Lärm, den Schlamm, die Hitze, und so fiel immer wieder einer in die offenen Motoren, wurde von herabrutschender Erde erstickt oder vom Wasserstrahl erschlagen.

Helena ging zurück zu ihrer Hütte, legte sich in die Hängematte und starrte an die blaue Plastikplane. Die drückende Hitze ließ sie fast ohnmächtig werden, und die Absurdität ihrer Liebe schwappte in kleinen Erkenntniswellen in ihr Hirn. Irgendwann schlief sie ein, wachte wieder auf und fiel erneut in einen Schlaf, aus dem sie erst in der Dämmerung aufschreckte. Serra stand vor ihr und schaute sie an, als sähe er eine kostbare Statue. Er hatte ein weißes Hemd an und roch nach zu viel billigem Toilettenwasser.

Es war Wochenende. Die Männer hatten sich schön gemacht. Komm, wir gehen in die Stadt, sagte Serra, und sie folgte ihm und den anderen Männern eine Stunde durch den Dschungel, bis sie zu einem erleuchteten Platz kamen. Helena verstand auf einmal, warum die Goldgräber es hier aushielten, in dem, was ihr die Hölle schien. Das war das perfekte Männerland. Alkohol und harte Arbeit und einmal in der Woche Saloon spielen. »Trinken wir ein Bier«, sagte Serra. »Ein sehr kaltes«, sagte ein anderer.

Die Huren, die aus der Stadt eingeflogen worden waren, winkten den Männern zu. Doch die mussten zuerst trinken.

In der Ecke der einzigen Bar, ein Tresen in einer Holzhütte, lag ein Mann am Boden, der Pablo Neruda rezitierte. Das war Pedro, der in São Paolo eine Autowerkstatt gehabt hatte. Keiner wusste mehr, außer dass er nun der beste Mechaniker im Amazonas war, aber leider war er ein Säufer geworden, wie fast alle hier. Sie würden nie wieder in einer Stadt leben können. Das Abenteuer, das Leben ohne Steuer, Gesetz und Polizei gab kein Mann freiwillig wieder auf. Sie alle lebten einen seltsamen Traum, bis sie im Busch zu liegen kamen, unter kleinen Holzkreuzen.

Ein paar der Männer gingen in eine Disco, um sich mit Programm-Mädchen, wie die Prostituierten hier hießen, zu vergnügen. Der Rest blieb in der Bar und redete. »War 'ne harte Woche.« »Ja, es ist gut, Bier zu trinken nach so einer Woche.« »Pete ist tot.« »Oh fuck!« »Wann?« »Vorgestern, ist in die Maschine geraten. Lass uns auf ihn trinken.« Als alle betrunken waren, traten sie den Heimweg an. Serra die ganze Zeit neben Helena, wie eine große Katze schmiegte er sich an sie, und Helena, etwas abgekühlt in der Nacht, etwas benommen von Bier und Dunkelheit, fühlte sich schwerelos in jenem Moment.

Im Busch flüchtete eine Schlange vor der Gruppe. Surucucu Bico de Jaca. Tötet in Minuten. Doch das war Helena egal, denn in jenem Moment zu sterben wäre in Ordnung gewesen.

Die kommenden Tage, vielleicht Wochen oder Jahre, flossen zusammen in Hitze, Langeweile und Trägheit. Helena hatte Freundschaft mit den anderen Frauen geschlossen, sie kochten zusammen, saßen in der Hängematte, langweilten sich und schwitzten, kämmten sich die Haare und schwammen im quecksilberverseuchten Fluss.

Serra war arbeiten oder müde, er schaute sie melancholisch an, als ob er das Gefühl hatte, sie würde nicht mehr lange bei ihm sein. Umso trauriger wurde Helena, wenn er versuchte, es ihr nett zu machen. Er hatte Milch besorgt für ihren Kaffee, massierte ihr die Schultern, und wenn sie sich aufregte, weil sie nicht mit ihm über die Beziehung diskutieren konnte, sah er sie mit einem Blick an, der immer ein wenig wie Weinen wirkte.

Eines Nachts fuhr Serra mit ihr eine Stunde flussabwärts zum Haus von Luci, der Medizinfrau, weil er dachte, dass Helena vielleicht Freude an einer anderen Intellektuellen haben würde. Luci hatte sich ein großes Holzhaus bauen lassen, das auf einer Lichtung stand. So hatte sich Helena ihr Dschungelleben vorgestellt! Ein paar Indios huschten herum, kochten und huldigten einer kleinen betrunkenen Frau. Luci – die Königin der Goldgräber. Sie entband Kinder und flickte angeschossene Goldgräber zusammen. Sie verlängerte das Leben Malariakranker und sprach in einem Ton, der keinen Widerspruch duldete. Serra ist ein feiner Mann, sagte sie. Tu ihm nicht weh, er ist sensibel. Helena schämte sich ein wenig, ohne dass sie gewusst hätte, warum. Luci hatte Medizin studiert, in Manaus, und den falschen Mann geheiratet. Der hatte sich von ihr getrennt und die gemeinsame Tochter zu sich genommen. Dann war ihr alles egal gewesen. Sie ging in den Dschungel. Vor ein paar Jahren kam ihre Tochter in den Busch, um sie zu besuchen. Sie bekam Malaria und starb. Seitdem trank Luci.

Sie lud Serra und Helena ein, bei ihr zu übernachten, doch als Helena das Zimmer sah, in dem der Boden vor Kakerlaken zu leben schien, traten sie die Rückfahrt an. In jener Nacht merkte Helena, dass sie nicht mehr in Serra verliebt war. Sie mochte seinen süßlichen Geruch nicht mehr, und sein Körper war zu warm und fremd. Am nächsten Morgen stand Helena am Fluss und wartete auf das Boot, als Serra arbeitete. Die drei Frauen kamen, um sie zu umarmen. Einer von Serras

Freunden fragte sie, ob sie bleiben würde, wenn er ihr Goldzähne schenken würde, sie könnten sie gleich einsetzen. Helena schämte sich, sie schüttelte den Kopf, und so standen die vier nur und winkten ihr nach, als sie im Boot das Lager verließ.

Sie saß später in einer überladenen Cessna, die sich kaum vom Boden bewegte. Darum konnte Helena das Camp gut erkennen aus der Luft. Unten machten die Goldgräber weiter wie immer. Sie suchten nach Träumen. Sie vertrieben die Indianer, machten die Flüsse schmutzig und den Regenwald kaputt. Sie soffen und erschossen sich, und Helena glaubte, Serra zu erkennen, der da stand und in den Himmel sah. Sie nahm sich fest vor, ihm eine Gitarre zu schicken, sobald sie wieder in Berlin war, denn auf einmal war ihr das wieder eingefallen, was sie am Anfang kaum hören wollte. Dass er doch nur eine Gitarre wollte in seinem Leben. Und dann vergaß sie ihn und dachte an ihre Wohnung daheim und ob jemand ihre Post aus dem Kasten genommen hatte.

Tal
Rammat beit Schemmesh

Die Straße war leer und staubig, so High-Noon-Zeug, gleich kämen zwei Cowboys, und vermutlich wären sie schwul.

Tal ging zurück in ihre Wohnung, sie war sicher, dass sie gerade von 300 Augen beobachtet worden war. Das Leben mit Gott war nicht das Problem, die Menschen waren es, die es einem schwer machten.

Tal war ein normales Großstadtmädchen gewesen. Aufgewachsen mit dem Meer und mit dem Armeedienst, den keiner richtig mochte, weil wenn man Pech hatte, war gerade wieder mal ein Krieg, und dann fehlten einem Arme und Beine. Doch auch ohne Krieg war es kein Spaziergang, mit 18 einem Mob tobender Palästinenser gegenüberzutreten. Tal war jung gewesen und durchgeknallt, wie alle nach dem Armeedienst. Sie ging jede Nacht mit ihrer älteren Schwester Miki in Bars und wachte fast jeden Morgen neben irgendwem auf, sie machte Schulden, nahm Drogen, verließ Tel Aviv nie, was sollte sie woanders. Der Rest des Landes war Jerusalem, das ging gar nicht mit seinem Koscherquatsch und den Explosionen und den Orthodoxen. Mea-Shearim, alter Schwede, als sie bei der Armee war, hatte sie sich mal dahin verirrt. Ein Golem-Viertel, direkt aus dem 16. Jahrhundert importiert. Kein TV, kein Radio, keine Zeitungen, Frauen mit Perücken und Männer mit Mänteln, 10.000 Kinder und Spaß – gar nicht. Was soll man sonst ansehen in diesem Land? Den Norden mit seinen Esoterik-Orten, den Süden mit dem Elat-Ballermann. Tal war nie rausgekommen und suchte nach irgendwas. Nach einer Idee, nach Liebe, einem Guru, und fand Rabbi Lubowitsch. Es hätte auch Osho sein können, oder Krishna, es war aber der gute alte Lubowitscher, der auf vielen Plakaten immer noch lebendig schien, ein verschmitzter Mann mit Bart und Hut, der Bücher mit Weisheiten zu allen Lebensfragen gefüllt hat und dessen Anhänger weltweit aktiv waren. Tal ging in die Synagoge, traf andere Lubowitsch-Fans und fand, was sie lange gesucht hatte: jemanden, der ihr sagte, wie sie zu leben hätte.

Ob drolliger Herr oder nicht, letztlich verbarg sich hinter Lubowitschs Lehre nichts weiter als Religion, und Tal begann sich fast unmerklich zu verändern. Ihre Röcke wurden länger, das Haar mit einem Tuch bedeckt, Shabbes eingehalten, und aus den anfänglichen einmaligen Synagogenbesuchen wurden fünf Andachtsgänge in der Woche.

In dieser Anfangszeit ihrer Verwandlung lernte Tal Moti kennen, einen hochbegabten, leicht verstörten Computer-mann aus Russland, den vor allem eines auszeichnete: Er lieb-te Tal bis zum Wahnsinn. Eine so schöne Frau stand ihm ei-gentlich nicht zu, wusste er, und Tal wusste, dass sie heiraten und Kinder bekommen musste, wenn sie den Lehren Gottes folgen wollte. Sie hatte nur eine große Liebe gehabt bis zu jenem Zeitpunkt, Jakob, der so schön war, dass sie ihn im-mer nur anstarren musste und kaum etwas sagen konnte vor Angst, dass er davonlaufen, sich auflösen würde, wenn man ihn mit der Realität plumper Worte belästigte.

Vermutlich hatte er sie darum auch nach einem Jahr ver-lassen.

Moti, der eine schöne, junge, schlanke Frau geheiratet hatte, fand schon bald eine zu Hause vor, die betete, die Lehren des Lubowitschers las und sich mehr und mehr verhüllte. Die ers-ten beiden Kinder waren kurz hintereinander geboren worden.

Tal hatte 20 Kilo zugenommen, die sie auch nie mehr ver-lieren würde, denn unterdes war ihr Ziel, bis zu ihrem 40. Ge-burtstag sieben Kinder zu bekommen. Moti ging arbeiten, in der engen Wohnung zwei kleine Kinder und eine Frau, die koscher kochte, die unzufrieden war über die kleine Woh-nung und über das nicht religiöse Umfeld in Tel Aviv.

Dann zogen sie nach Rammat beit Shemmesh. Das war ja sowieso fast alles Wüste. Außer am Meer, da war es eben Wüste am Meer. Im gelben Sand waren Siedlungen entstan-den, wie deutsche Reihenhäuser, nur in groß und mit koscheren Küchen. Über die baumfreien Straßen huschten als Raben verkleidete religiöse Männer und als Teebeutel verkleidete religiöse Frauen. Die Sonne war hell, alles zu kalt. Ein Wind wehte von irgendeiner umliegenden Wüste Sand über die Straßen, die trotz der Huscher leer wirkten. Zwei Lebensmittelläden, fertig. In den Wohnungen: Neonlicht, kein Radio, kein Fernsehen, das war das Böse, das bringt das Übel, leider wahr, und da saßen sie nun, in dieser großen Wohnung mit einer Riesenterrasse, die man nur nutzen konnte, um die Kinder dort spielen zu lassen, denn sonnen tat sich hier natürlich keiner, im Liegestuhl liegen, rundherum hohe Häuser mit Augen darin. Die streng religiöse Nachbarschaft hatte Tal und ihre Familie nicht im Mindesten freundlich und mit offenen Armen empfangen: Hallöchen, schön, dass du Teil unserer großen vermummten Familie bist ... nichts dergleichen. Wie alle unterdrückten Menschen neigten die Frauen in der Nachbarschaft zu Neid und Hass, zu Häme, und warteten auf etwas, auf das sie herabschauen konnten. Tal und ihre Familie bot sich da hervorragend an. Religiös werden zählt nicht, religiös wurde man geboren. Tal war eine minderwertige Religiöse.

Die Frauen ignorierten sie und verboten ihren Kindern, mit Tals Kindern zu spielen, und die Männer nahmen Frauen sowieso nicht wahr. Sie hatten ernsthaftere Dinge zu tun, zu beten, zu studieren, und Frauen, was soll man zu denen sagen, wo doch schon eines der Gebete damit beginnt, dass der Mann Gott dankt, dass er keine Frau geworden ist.

Tal saß in der großen Wohnung, sie suchte Halt in Lubowitschs Worten und freute sich an ihren Kindern. Musste sie auf die Straße zum Einkaufen, kostete sie das viel Überwindung. Das Tuscheln der anderen Frauen, die abfälligen Blicke, das Ausbleiben der Worte, die an sie hätten gerichtet sein können, legten sich wie feiner Nebel auf Tal.

Eines Wochenendes war eine neunjährige Nichte zu Besuch, es war heiß, das Mädchen trug einen kurzen Rock und zeigte sich auf der Terrasse, die Augen der anderen Häuser öffneten sich, Wasser wurde auf die Kleine geschüttet, Hure wurde ihr zugerufen, Schlampe, Nutte. Die Nichte fuhr weinend weg. Und Tal musste bleiben. Sie gebar ihr drittes Kind, ihr Körper war nur noch eine Maschine, die nicht gewartet wurde, weil keine Zeit blieb für irgendetwas. Sie hatte überall Schmerzen, doch es war ihre Aufgabe, Kinder zu haben, zu beten, koscher zu kochen, glücklich zu sein. Einkaufen ging sie in jener halben Stunde, nach Einbruch der Dunkelheit, da kaum einer auf der Straße war. Ihr Mann kam meist nachts, dann war er müde, dann küsste er die Kinder, dann sah er seine Frau an, voll Liebe, die für ihn immer noch die Schönste war, auch wenn sie ihren Umfang verdreifacht hatte in den letzten Jahren. Ihr zuliebe trug er jetzt ständig die Kippa, ging hier im Ort in die Synagoge, redete mit anderen Männern, die ihm ihre Missbilligung nur subtil zeigten. Für Moti war alles in Ordnung, solange seine schöne Frau nur zufrieden war. Ab und an fragte sich Tal, ob sie glücklich war, und sie musste sich immer noch sagen: Ja, viel mehr als früher, da ihr das Wort Glück nicht einmal eingefallen wäre, wo es für sie keine Regeln gab und keine Leitfäden, keine Gesetze. Zu viel Freiheit bekommt den Menschen nicht, sagte sich Tal und schloss die Tür, nahm ihren kleinen Sohn auf den Arm und fühlte sich vollständig. Ein Teil im Ganzen, das nach einem höheren Prinzip funktioniert.

Serra
Creporiso

Für eine kurze Zeit hatte Serra sich besonders gefühlt. Er hatte eine Frau gehabt, die ihn liebte, glaubte er, so völlig anders, als die Frauen hier einen liebten. Brasilianische Frauen waren pragmatisch. Ein Mann musste nichts außer Geld haben. Für eine brasilianische Frau war Serra sehr unattraktiv. Er war Indio, und er war Goldgräber.

Die Frau, die ihn geliebt hatte, mit der er nicht reden konnte, war anders gewesen. Liebe schien für sie ein Luxus, den man sich gönnen konnte. Sie hatte ihn stundenlang gestreichelt, ihn nie nach Geld gefragt, und seine Kollegen hatten ihn um sie beneidet. Eine stattliche weiße Frau. Wie ein schöner Elefant war sie gewesen und nun wieder weg und Serra noch einsamer als vorher.

Er arbeitete 24 Stunden, dann hatte er zwölf Stunden frei. Die zwölf Stunden waren kein Problem, Serra lag in der Hängematte und schlief, er ließ sich von Moskitos zerstechen dabei und träumte von weißen Frauen. Dann wachte er auf, es war immer zu heiß, er trank Rum und ging zu seiner Schicht. Serra musste den Alkoholkonsum steigern, damit die betäubende Wirkung anhielt. Die Hitze, der Schlamm, die Einsamkeit, die Sinnlosigkeit, das ging nur taub. Serra glaubte schon lange nicht mehr an das große Geld. Er hatte sich eingerichtet in seinem Leben, das aus Arbeit, Hitze, Schlafen und dem Dschungel bestand. Er konnte sich kein anderes mehr vorstellen. Serra hatte noch nie ein Leben gesehen, das er sich für sich hätte vorstellen können. Er kam aus Manaus, dort lebten die meisten

Leute wie er in einer slumähnlichen Siedlung, und ab und zu kam man mal in die Viertel der Reichen, da sah das natürlich mal anders aus, aber es war so entfernt von Serras Welt, dass er sich nicht mit den Reichen verglich. Serra war aufgewachsen unter Menschen, die nicht neugierig waren. Ein seltsam genügsames Volk war das, es verlangte sie nicht nach Fernreisen, es interessierte sie nicht, die Umgebung zu erkunden, sie waren zu sehr mit dem, was sie umgab, beschäftigt – mit den Nachbarn, mit dem Essen, das einen hohen Stellenwert hatte, mit den Gaunern auf dem Markt. Serra kannte keinen Hunger, keine Existenzangst, es gab viele, die lebten wie er, und viele, die schlechter lebten.

Serra dachte nicht über sich nach, nicht über Lebensentwürfe, nicht über Philosophien. Er konnte kaum lesen, nicht schreiben, und das machte ihn nicht unbedingt zu einem unglücklichen Menschen. Traurig war er öfter, wenn er in den Himmel sah und nicht verstand, was ihn so schwer sein ließ.

Vermutlich würde es ihm mit einer Frau, die sein Leben teilte, besser gehen, dachte Serra, und er wusste, dass er kaum mehr eine finden würde, wenn er hierbliebe. Die Prostituierten mochte er nicht, sie waren ihm zu wenig romantisch, und weggehen konnte er nicht – wohin hätte er gehen sollen.

Serra trank Rum. Er war ein kleiner Mann, und es brauchte nicht viel, um ihn in einen sehr gedämpften Zustand zu versetzen.

Den Wasserschlauch in der Schlammgrube hielt er wie schlafend, er stierte in die Wasserpfützen, die Sonne brannte, und er dachte an die Gitarre, die er gerne gehabt hätte. Die er nie haben würde. Die Frau, die ihn streichelte. Die er nie haben würde. Und dann schlief Serra ein. Von oben war er nur ein Indio auf einem Wasserschlauch, im Dschungel, im Amazonas, der einmal einen Traum hatte.

Miki
Los Angeles, Venice Beach

Abends hatte Miki oft dieses Gefühl, das nur stattfindet, wenn
Menschen sich in der Natur aufhalten. Dieses freundliche
Sich-Auflösen im Nichts, das warm ist, ohne Körper und
Ego.

Miki hatte früher geglaubt, dass man diesen Zustand mit
Verliebtsein erreichen würde, also hatte sie sich verliebt, sehr
oft und meist unglücklich, hatte für Liebe gehalten, was Zustand war, gelitten und gedacht, dass es sich um den einen
Menschen handelte und nicht um die Sehnsucht nach Mutter, Vater oder sonst wem, der nicht weglaufen würde, wenn
man krank und traurig wäre. Ein-, zweimal hatte es funktioniert, das Auflösungsspiel. Obwohl Miki heute wusste,
dass es nicht an der Verliebtheit gelegen haben konnte, denn
sie erinnerte sich an die Orte des vollkommenen Glücks –
Portofino und Tessin (goldfarben), jedoch nicht mehr an die
dazugehörigen Männer. Sie waren aus ihrer Biographie verschwunden, sie wusste nicht einmal mehr zu sagen, wohin.
Vermutlich hatten sich die Sachen erledigt, wie es eben immer
passierte: Eines Morgens wacht einer von beiden auf, sieht
den anderen an und wird von dieser tiefen Müdigkeit erfasst,

die nur mit endenden Liebesgeschichten einhergeht, oder mit dem Überqueren eines Platzes in Rumänien, mittags, im August...

Miki war erleichtert, dass sie nicht mehr an Liebe glaubte. Sie fühlte sich gut unterhalten mit sich und ihrem kleinen Haus, direkt an der Uferpromenade. Im Obergeschoss wohnte ein Schwarzer, der bedauerlicherweise Bongos spielte, ab und zu damit Geld verdiente, was er zu gleichen Teilen für die Miete und Hasch ausgab. Dass sie sich nie albern vorkommen, die Leute, wenn sie ihre Klischees so ungebrochen auslebten.

Miki hatte das Gefühl, dass sie, wenn schon nicht ein wertvolles, so doch ein entspanntes Leben führte, weil sie nicht mehr glaubte, die Erwartungen anderer erfüllen zu müssen.

Miki war unklar über 40, sah aus wie Mitte 30, und ihr Äußeres, das sie cremte und liebevoll zu Bett legte, ließ sie so viel verdienen, dass sie jedes Jahr eine angenehme Summe sparen konnte. Irgendwann würde sie etwas machen mit dem Geld, irgendwohin gehen, aber wenn sie darüber nachdachte, irgendwohin zu gehen, fiel ihr nicht viel ein. Vielleicht würde sie einfach bleiben, sich mit Büchern ein angenehmes Leben machen, denn viel brauchte es nicht, hatte Miki herausgefunden, um zufrieden zu sein, wenn man ein Haus in Venice Beach, Bücher und Sushi als wenig bezeichnen mochte.

Miki beobachtete, wie die Sonne unter- und die Freaks nach Hause gingen. Das war ihr Lieblingsmoment. Bleiben zu können, wo andere weg mussten.

Ein anderer Lieblingsmoment war, sehr früh am Morgen mit einem Kaffee aus dem rückwärtigen Küchenfenster in die Wohnung zweier junger Banker zu schauen, die verwirrt, wie Menschen sind, wenn sie zu früh aufstehen müssen, an einem Küchentisch saßen und ihren Kaffee sehr sorgsam tranken, dass er nur nicht ihre weißen Hemden und Krawatten beflecke. Miki sah den Idioten zu, und wenn beide das Haus verließen, um in ihren BMW-Geländewagen zu steigen, legte sie sich wieder hin mit dem guten Gefühl, ihr Geld mit einem Bruchteil dessen verdienen zu können, was die beiden an Lebenszeit investieren mussten.

Nach Einbruch der Dunkelheit ging Miki zu Bett, das auf einem Holzpodest stand. Über ihre Füße hinweg sah sie aufs Meer, das machte Krach, und Miki dachte an Tsunamis, bis sie einschlief und von kleinen Tieren träumte, die sie reanimieren musste. Hamster oder so etwas, die kleinen Hamstertatzen immer vor der Brust kreuzend.

Sehr früh stand sie auf und fuhr ins Valley, dessen staubige Hitze sie unangenehm fand. Sie hasste die protzigen Häuser, die Filmproduzenten sich gekauft hatten, nur um dann herauszufinden, dass es im Valley heiß und öde war und dass sie eigentlich lieber in ihren Wohnungen in den Hollywood Hills saßen. Die leerstehenden Häuser wurden an die Studios vermietet. Miki hatte zwei Szenen mit Leon und Steven St. Croix, zwei älteren Kollegen, und Miki war froh darum. Seit es Viagra gab, war es keine Kunst mehr, Pornodarsteller zu werden. Viele Idioten dachten, dass bezahlter Verkehr doch eine tolle Sache wäre. Ihnen fehlte jedes Bewusstsein für den Familiensinn der Branche, für die Regeln und den Umgang mit den Darstellerinnen. Mit Michael, einem Neuen aus Deutschland, würde Miki nur ein Vorgespräch für morgen führen müssen. Miki hatte Einfluss in der Branche, und ihr Urteil wurde geschätzt.

Miki überprüfte, ob jeder Zentimeter ihrer Haut gepflegt wirkte. Das war eine der Regeln – quäle den Partner nie mit Gerüchen oder mangelnder Hygiene. Sich dergestalt gründlich gereinigt mit Kondom zu begegnen, hatte nicht einmal die Intimität eines Händedrucks. Die wenigsten wussten, dass Sex vor der Kamera angenehmer war als das Berühren einer Halte-

stange im öffentlichen Nahverkehr. Miki stieg in die 18 Zentimeter hohen Plexiglas-Pumps, in ein Dienstmädchenkleid,
immer wieder waren es Dienstmädchen, Krankenschwestern
oder Businessfrauentrikotagen, dachte Miki und gähnte. Sie
wünschte sich einmal einen Film in Hasen- oder Elchkostü-
men.

Es waren bereits 35 Grad, das Licht etwas zu hell für ihr
Alter, und Joel masturbierte, um ihr die Arbeit zu erleichtern.
Er war klein, wie fast alle älteren Pornodarsteller mit großen
Genitalien, und musste während der gesamten Szene auf
Zehenspitzen stehen. Die Filmcrew, die Cateringfrau, die
Maskenbildnerin, die Beleuchter, die Tonleute, ungefähr 30
Leute standen um den Pool und um Joel und Miki, die nun
ihre Arbeit begannen. Sie wusste, wie sie zu schauen hatte, 80
Prozent der Zuschauer wurden am stärksten vom devoten
Augenausdruck der Darstellerinnen erregt, sie wusste, wie zu
betteln, sie wusste, wie sie ihren Körper für die Kamera zu
drapieren hatte und wann eine Aufnahme geglückt war. Wäh-
rend die Kamera ihr Gesicht in Nahaufnahme zeigte, dachte
Miki immer an etwas, das sie versonnen und ein wenig dumm
aussehen ließ – meistens an ihre Schwester.

Tal war immer die Schönere gewesen, und bereits als Kind
hatte sie sich als etwas Besseres gefühlt. Vielleicht machte
Miki darum, was sie machte, selbsterfüllende Prophezeiung,
aber vermutlich tat sie, was sie tat, nur, weil es sich so ergeben
hatte. Miki war nicht der Typ, der sich mit tiefen Gedanken
über sich selbst aufhielt. Es langweilte sie, wenn sie schon täglich mit sich zusammen sein musste, auch noch über sich
nachzudenken.

Miki stellte sich vor, ihre Schwester stünde am anderen
Ufer des Pools, mit ihrer Perücke, dem langen Synthetikrock,
der weißen Bluse und drei bis acht Kindern auf dem Arm. Das
Stöhnen, das ihr bei dieser Vorstellung entfuhr, war so auf-

richtig, dass Mike spontan klatschte. Mike ist o.k., dachte Miki, auch wenn sie die Art Filme, die er meistens drehte, ein wenig unappetitlich fand. Mike war spezialisiert auf Randgruppenthemen.

Miki arbeitete in der Kategorie gemäßigte Randgruppenfilme, das hieß: unrasierte, unoperierte Frauen über 35 hatten Sex mit übergewichtigen, zwergwüchsigen, alten oder amputierten Männern. Es gab eine Zielgruppe für diese Filme: der kleine, aber immerhin beträchtliche Teil der Männer, der sich nicht mit trainierten Darstellern mit prächtigen Genitalien identifizieren konnte. Miki hüllte sich in einen Morgenmantel, die Crew packte die Geräte ein, und Joel auch, dessen perfekter Körper und fein gebautes Glied fast vergessen ließen, dass er eine Gesichtsprothese trug, die er für den Dreh absetzte. Sein Deutscher Schäferhund hatte ihm aus Gründen Nase, Auge und Wangen abgekaut, als Joel einmal betrunken gewesen war... Den Hund hatte er immer noch. So was kann ja jedem mal passieren, sagte Joel und tätschelte das deutschstämmige Tier, das ihn zu jedem Dreh begleitete. Miki sah das Vieh immer mit ein wenig Ekel an und fragte sich, ob er die Teile seines Herrchens gefressen hatte und ob es auch für Hunde ein Internetforum gab, wo sie Menschen suchten, die sich ganz oder teilweise fressen lassen wollten. Ob sie Tiefkühltruhen benutzten? Miki hatte noch eine Einstellung auf dem Marmortisch im Esszimmer, sie hasste Marmortische, die kalt waren und schmerzten, einen Blowjob mit Steven (beinamputiert, 25 Zentimeter) im Jacuzzi und einen Come Shot mit beiden Männern im Schlafzimmer. Dann war sie fertig und einer von zehn Pornofilmen, die pro Tag in der Stadt gedreht wurden, beendet. Michael, der Deutsche, der gerne Pornodarsteller werden wollte, hatte zwei schlechtsitzende Beinprothesen, und Miki meinte, ihn von irgendwoher zu kennen, es interessierte sie aber zu wenig herauszufinden, woher. Er kam definitiv nicht für den Job in Betracht, denn er hatte ein spektakuläres mentales Problem.

Miki trank noch einen Kaffee mit Brenda, die gerade für ihre Aufnahmen eingetroffen war. Brenda war drogensüchtig gewesen, als sie begann, die Filmgesellschaft bezahlte ihr den Entzug, neue Zähne, und zum Dank arbeitete sie nun freiwillig im Aidstestzentrum der Branche. Miki kannte nur Leute aus dem Geschäft, allen anderen war ihr Beruf suspekt. Was merkwürdig daran sein sollte, kurzfristig Kontakt mit einem Stück in Plastik gewickelten Fleisches zu haben, leuchtete Miki nicht ein. Die klinisch professionelle Arbeitsatmosphäre hatte sie erstaunt, als sie damals als Kabelträgerin zu einem Pornodreh gekommen war. Sie hatte die Darstellerin gefragt, ob ihr der Verkehr Spaß machen würde. Spaß?, hatte die Frau erstaunt gefragt. Miki sprach von Gefühlen und Orgasmen, und die Darstellerin fand Miki rührend. Weißt du, wie blödsinnig ein echter Orgasmus vor der Kamera aussehen würde, hatte sie erwidert.

Miki war damals Mitte 30, sie war eines dieser Rucksackkinder, die man überall fand auf der Welt, mit dem LONELY PLANET in der Hand und Batikröcken. Sie war in Los Angeles gelandet, weil egal, und auf einmal hatte sie sich als Pornodarstellerin vor der Kamera wiedergefunden. So was passiert. Nach einem Jahr hatte sie das Haus gefunden, in dem sie jetzt noch wohnte, und irgendwann waren zehn Jahre vorbei gewesen, ohne dass Miki sagen konnte, was genau sie getan hatte in all der Zeit.

Ihr Leben war ein großer Come Shot, vom Sonnenuntergang beleuchtet.

Kein wirklich schlechtes Leben, dachte Miki an jenem Abend, als sie wieder nach Hause fuhr. Vielleicht passiert ja noch einmal etwas Großartiges, dachte sie, aber wenn nicht, dann ist das auch nicht weiter tragisch.

Peter
Unawatuna, Sri Lanka

Die hatten wieder zu Bongos getanzt. Im Garten von Peters
Guesthouse. Er hatte die einheimische Band kommen lassen,
Sitar, Flöte, das ganze Zeug. Und die Gäste – 20 Frauen, zehn
Männer, alle in dominant orangefarbenen Sarongs, alle ohne
BH, Männer wie Frauen – saßen und lauschten so ergriffen, als
ob sie sonst erschossen würden.

Wie die nur aussahen, so ein Frust im Gesicht und so aggressiv, worauf nur? Die Frauen kannten sogar die Texte der
Lieder, speziell wenn die sich um Om oder Buddha drehten, sangen leise murmelnd mit, die Hände gefaltet oder eine
Hand ans Herz gedrückt. Im Anschluss an das Konzert gab es
dann noch das Bongo-Spezial, und fast ängstlich hatte Peter
auf das Unvermeidliche gewartet: die zu Bongos tanzenden
Frauen. Und wie Kakerlaken in der Nacht kamen sie, so un-
ausrottbar. Wiegten sich in ihren Batikröcken. Kein Mensch
in Sri Lanka würde diesen Dreck anziehen. Warum hielt sich
das Zeug nur seit fast 40 Jahren? Batikmuster, orange, gelb,
als Rock um den Hintern geschlungen, oben aus Baumwol-
le, so lappiges Zeug, und dann tanzen, als ob es kein Morgen
gäbe.

Als alle endlich weg waren, beseelt vom Einssein mit den Klängen und der warmen Nacht, machte Peter seine persönliche Karmareinigung. Er setzte sich Kopfhörer auf und tanzte mit der Wand Pogo zu Death-Metal-Musik. Diese Shanti-Kacke verspannte ihn zusehends.

Sie hatten am Tisch gesessen, Curry gegessen und Früchte und Fisch und von allem zu viel und über das Glück vor sich hin geredet. Jeder nur an seiner Meinung interessiert, die nicht seine Meinung war, sondern zusammengelesen, vorgedacht, vorformuliert. Das Glück mal wieder. In Deutschland respektive der Schweiz respektive Dänemark, Holland, den USA waren die Leute immer schlechtgelaunt. Wie einfach und herzensgut die Leutchen in Sri Lanka waren, die strahlenden Kinderaugen, der Familienzusammenhalt – Peter musste sich bemühen, freundlich zu lächeln, wenn er solchen Mist hörte.

Die Gäste, von denen Peter unerfreulicherweise lebte, begannen jeden neuen Tag mit Yoga-Training und Sonnengruß. Sie verplemperten ihre Lebenszeit mit Sitzungen beim Heiler oder ließen sich für fünf Dollar stundenlang von Einheimischen massieren und bedankten sich danach mit einem Gebetsgruß und 30 Cent Trinkgeld. Sie quatschten unentwegt über die Liebe, die sie geben wollten, und gingen abends Spaghetti essen. Peter hatte am Nachmittag einen seiner Arbeiter im öffentlichen Krankenhaus besucht, davon war ihm immer noch schlecht. Die Krankenhäuser zeigen dir, was ein Land auf die Leben seiner Leute gibt. In dem Fall: einen Scheiß. Da lagen sie, tausend vielleicht, in einer Art offenen Verwesungsfabrik. Bettenreihen, ohne Fenster, ohne Türen, Hunde tummelten sich, offene Wunden gärten, und gleich neben den Kranken die Leichenhalle – das Prinzip der kurzen Wege.

Früher als aufrechter Anarcho hatte Peter geglaubt, dass alle Menschen, außer Kapitalisten, die ja aber eh keine Menschen waren, im Kern dasselbe wollten. Hier kamen ihm Zweifel. Er verstand weniger, je länger er hier war.

Wo er noch nicht einmal wusste, ob er hier sein wollte. Er war da so reingerasselt. Ein Urlaub in Sri Lanka, das kann ja jedem mal passieren, dann hatte er sich in Colombo in ein reiches Mädchen aus gutem Hause verliebt, das von einem eigenen Hotel träumte, vielleicht hatte sie gerade im Fernsehen die Hilton Sisters gesehen. Wie ein Kind in einem Einkaufsladen war sie in Unawatuna in einem Garten herumgesprungen, in dem ein altes Kolonialhaus leerstand. Das will ich, das will ich, hatte sie gesagt und es sich gekauft. Es war eine glückliche Zeit gewesen. Sie hatten das Haus umbauen lassen, Stoffe gekauft und Möbel, viel gelacht, und als die ersten Gäste kamen, hatte sie ihn verlassen und sich ein neues Spielzeug geholt.

Peter saß im Anschluss verstört im Hotel, das Mädchen hatte es ihm großzügig überlassen, und wusste weder, was er in dem Land wollte, noch, was zu Hause auf ihn gewartet hätte.

So beschloss er, noch einige Zeit zu bleiben.

Unterdes waren neun Jahre draus geworden, und das Hotel hatte sich zum Sri-Lanka-Place-to-Be in der Esoterikszene entwickelt. Peter hatte Geschick im Umgang mit verzweifelten Frauen. Er trug, um sie glücklich zu machen, immer weiße Kleidung und seine langen Haare offen, er begrüßte jeden mit über dem Chakra gefalteten Händen, und sein Hass wuchs mit jedem Tag.

Die meisten rutschen wohl einfach so in ein Leben, dachte Peter oft, wenn er abends schwitzend in seinem Zimmer saß und nicht wusste, warum. Die Tage vergingen mit Arbeit. Er musste sich um die Angestellten kümmern, die Abrechnungen, die Gäste – aber am Abend brach er neuerdings regelmäßig in seiner Wohnung zusammen und erging sich für Minuten in obszönen Beschimpfungen.

Vor dem Hotel lag die kleine Dorfstraße, daneben das Meer. Vielleicht hatte Mallorca auch mal so ausgesehen, vor 30 Jahren, oder diese anderen Scheißorte, Teneriffa, Costa Blanca – ein Touristenrestaurant mit schlechtem Essen neben dem anderen, Holzmasken, Postkarten, Sonnenmittel, der ganze Trash.

Wer seinen Urlaub in Ländern verbrachte, die ärmer waren als sein Heimatland, offenbarte ein starkes charakterliches Defizit. Peter hatte nichts gegen die Reichen, die im Dschungel in Designhotels hockten und sich zu benehmen wussten, sie ließen viel Geld im Land, fuhren vorsichtig in klimatisierten Jeeps herum und beobachteten im äußersten Fall Vögel. Das schadete niemandem. Die Krätze waren die anderen, die Sparer, die Feilscher, die Wir-wollen-leben-wie-die-Einheimischen-Fraktion. Sie verdarben das Klima, die Moral, die Welt. Globalisierung jetzt!

Wenn Peter nur wüsste, wie es anders gehen könnte. Zu sagen, ihr lieben, kleinen Eingeborenen, bleibt mal unschuldig, oder das, was wir darunter verstehen wollen, mit Teufelsaustreibungstänzen und Buddhismus, schön in den Hütten über dem offenem Feuer, weil das ist so romantisch, das kann es nicht sein. So verteilt man eben Cola und Turnschuhe und regt sich auf, dass alle Turnschuhe trugen, und wie das roch in der Hitze. Alle reich machen, das wäre was, nicht Schweizreich, für den Beginn würde ja Portugal-reich langen. Alle mit Dach über dem Kopf, Elektroherden und kleinen Fahrrädern.

Peter war früher links gewesen, Kommunismus, Mao, Häuserbesetzen, Atomkraftwerksdemos – das volle Programm. Heute war ihm klar, dass er nur hatte anders sein wollen und dass Mao auch keine Lösung gewesen war. Er war so ein 8oer Gammelmensch. Gejobbt und BAföG und keine Ahnung, weil dafür war ja später noch Zeit. Und dann natürlich reisen, man muss ja die Welt sehen, trampen durch Europa, Interrail, auf Bahnhöfen schlafen, Mädchen treffen, die Gitarre spielten und Rastazöpfe hatten mit Ratten auf den Schultern, die King Kong hießen. Das Alter hatte ihn wie alle, die er kannte, überrascht. Mit fast 40 saß Peter immer noch in Kreuzberg mit Ofenheizung.

Nun saß er hier, weil er sich in ein Mädchen verliebt hatte, das viel zu schön für ihn gewesen war.

Susanti klopfte an die Tür.

Susanti war Peters Personal Slave. Er hatte sie gerettet, als sie halbtot nach einem Verkehrsunfall an der Straße gelegen hatte. Peter hatte sie in ein Privatkrankenhaus gebracht, und nachdem sie wieder gesund war, hatte sie für ihn zu arbeiten begonnen.

Peter hatte ihr mit der Zeit Englisch beigebracht und immer mehr Aufgaben übertragen. Inzwischen wohnte sie in einer Art gehobener Hundehütte auf dem Hotelgrundstück mit ihrem Mann, der Fahrten für Peter erledigte, und ihrer dreijährigen Tochter. Peter hatte ihr das Haus finanziert, auch wenn es nur zehn Quadratmeter waren, er ernährte ihre ganze Familie, und dafür war sie ihm verpflichtet. Irgendwie. Dachte er.

Peter ließ sich noch einen Tee bringen, den er mit Rum mischte, dann schickte er Susanti in den Feierabend, es war ja auch schon elf. Nach dem Alkohol wurde Peter so romantisch wie jede Nacht nach dem Alkohol. Er dachte an zu Hause, das Siebertal im Harz, wo alles in den 70ern stehengeblieben war und man jeden kannte. Er sehnte sich nach langen Wintern und einem Dorfkonsum, nach Gaststätten, die es selbst im neuen Jahrtausend noch nicht geschafft hatten, italienischen Cappuccino zu servieren. Die machten da Schlagsahne drauf. Peter sehnte sich nach all dem.

Draußen waren es wieder über 30 Grad, er starrte aus dem Fenster, da war Schwarz. Er legte eine DVD ein, auf der Miki, seine alte Liebe, in einem anspruchsvollen Film spielte. Was ist nur aus uns geworden, dachte Peter, und als ihm vor Traurigkeit nichts mehr einfiel, trank er so viel Rum, dass er endlich weinen konnte.

Pia
Flughafen

Pia war am Flughafen Bangkok gestrandet. Die Erleichterung über die gelungene Flucht ließ sie schweben. Sie hatte fast das Gefühl, ihr Leben läge vor ihr, neu und wie ein Geschenk, vergessend, dass nichts anders war als zuvor, dass sie sich auf einem Flughafen befand. Wie Millionen täglich, immer zwischen irgendwas, wartend. Pia saß mit einem Kaffee auf einer Bank, frei von jedem Impuls, handeln zu wollen. Die Flugziele, die an der Abflugtafel standen, klangen furchtbar: Kuala Lumpur, Lombok, Abu Dhabi, Lima. Um Himmels willen, wer will denn nach Lima? Ich jedenfalls nicht, sagte ein junger Mann, der neben Pia saß und aussah wie ein Computerhacker Schnell stellte sich heraus, dass beide eigentlich nirgendwohin wollten. Der junge Mann hatte ein Ticket nach Genf, das klang kultiviert und erträglich, es klang nach Zuhause. Verrückt, sagte der junge Mann, der Brian hieß, welche unglaublichen Probleme wir haben. Wir sitzen auf einem flotten internationalen Flughafen und wollen die Welt nicht kennenlernen.

Wie kam es eigentlich zu diesem großen Missverständnis? Wann entstand die aberwitzige Idee des Individuums, ein Individuum zu sein? Mit allen dazugehörigen absurden Individuumsansprüchen. Glücklich sein zu wollen, nur mal als eines genannt? Wann begann dieses Ahnen des Einzelnen, mehr zu sein als andere? War in der Steinzeit alles noch in Ordnung, oder ging es da schon los? Der Rudelälteste, die Urform des neuzeitlichen Egowahns? Keine Ahnung, das wissen Soziologen bestimmt besser. Die meisten wissen alles besser. Auch so eine Unsitte. Eine eigene Meinung haben. Fing das in den 60ern an? Zusammen mit dem Therapiewahn? Ich muss meine Bedürfnisse erkennen, formulieren, und es verletzt mich total, wenn du mich ignorierst? Aufmerksamkeit will jeder für seine ungemein interessante Persönlichkeit. Seien Sie ehrlich – denken Sie, einzigartig zu sein? Mehr zu wissen als die meisten anderen? Besser auszusehen, ein spannenderes Leben zu haben/verdient zu haben? In jedem steckt ein ungesunder Größenwahn. Vielleicht kann man den mit Evolution erklären und damit, dass der Mensch leider dieses Gehirn hat, mit drei Windungen mehr, und es nicht ertragen kann zu erkennen, dass er sich in seiner Zusammensetzung, seinem Intellekt, seinem Äußeren und seinen mittelmäßigen Ideen nicht ein Prozent von Millionen anderer Leute unterscheidet. Wär ihm das klar, DEM INDIVIDUUM, dann stürzte es in eine Krise. Aber wie der Größenwahn das so mit sich bringt, eine richtig gesunde Sache ist es halt nicht, oder wie wäre es sonst zu erklären, dass trotz der vermeintlichen eigenen Überlegenheit Millionen widerspruchslos einzelne Kameraden als unbedingt überlegen akzeptieren? Ein paar alte Männer verkleiden sich mit roten Umhängen, und Millionen jubeln ihnen auf dem Petersplatz zu. 600 Bedienstete arbeiten für die Royal Family, sie warten bei unbeabsichtigten Begegnungen, bis sie von der Queen angesprochen werden, senken das Haupt, fallen in einen Hofknicks, weil das Tradition ist und das ja so einen Halt gibt? Millionen weinen, wenn Lady Di, eine durchschnittlich aussehende Dame mit durchschnittlicher Intelligenz und unterdurchschnittlichen Leistungen zur Steigerung des Gemeinwohls verendet. Als wüssten wir um unsere Nichtigkeit, sind wir bereit, Macht- und Wissensdarsteller unhinterfragt zu akzeptieren. Als lauerte das Wissen um unsere Belanglosigkeit tief unten, versteckt unter einem Laubhaufen aufgehäufter Überheblichkeit. Die zunehmende Einsamkeit des Menschen der Jetztzeit beruht zu großem Maße in der individuellen Überschätzung des eigenen Marktwertes. Des Sozialstatus und des Aussehens. Die vermeintliche Überlegenheit, geboren aus übermäßigem Medienkonsum, Therapiesitzungen und dem Umstand, dass es scheinbar nicht mehr viel bedarf, um zu einem Star zu werden, führt zu einer Stagnation der eigenen Entwicklung. Dummheit ist die Akzeptanz des Status quo, das vermeintliche Wissen um die eigene Perfektion. Das hilft niemandem. Der Gemeinschaft nicht, dem Einzelnen schon gar nicht. Er wird aufwachen, der Größenwahnsinnige, in einer mäßig attraktiven Wohnung, mit einem mäßig interessanten Beruf und einem uninteressanten Leben, erwachen, alt sein und sich betrogen fühlend sterben. Und dieser Punkt kommt immer. Egal ob Genie oder eingebildete Ausnahmeerscheinung, die meisten von uns werden nur noch 20 bis 30 Sommer erleben. Wow, ist das knapp, und das Leben hat nicht gehalten, was die meisten sich vom ihm versprochen haben. Was für eine Ungerechtigkeit. Der Mensch ist mehr, als er zu wissen glaubt, könnte jedoch meinen: Der Mensch ist ein austauschbares Teil einer großen Masse. Der außerordentlich dilettantische Wahlspruch der 70er Jahre: Kein Mensch ist wie der andere, ein fataler Irrtum. Es ist eher ernüchternd zu sehen, wie wir alle einander gleichen, in unseren kleinen Träumen und Sehnsüchten, in unseren Ideen und dem Aussehen, wenn wir das akzeptierten, uns als Teilchen eines großen Ganzen begriffen, mit einer sehr begrenzten Haltbarkeitsdauer, könnten wir erleichtert aufatmen, dankbar sein, irgendeinen Menschen zum Teilen der Nichtigkeit zu finden, ein Dach, eine Decke, ein Buch, wir könnten uns gestatten, uns nicht zu wichtig zu nehmen, und die Welt wäre ein erfreulicherer Ort.

Pia hatte den Kopf auf Brians Schoß gelegt, auf dem Fernseh-Monitor lief ein Bericht über Frauenfußball in Peru. In zehn Stunden würden sie in ein Flugzeug nach Genf steigen. Vielleicht sollten sie einfach zusammenbleiben, sie und der merkwürdige Brian, dachte Pia, ehe sie einschlief.

Juana
Marko

Juana war 36 und sah aus wie 56. Bis vor kurzem hatte sie außer ihren Kindern, es waren fünf, der Arbeit und der ständigen Müdigkeit nichts gekannt. Juana war nicht dumm, nicht dumpf, und sie sah, was ihr Leben war: ein ständiges anstrengendes Arbeiten, um zu überleben. Um Kinder in das gleiche Dasein zu setzen. Aber warum nur?

Juana lebte mit ihrem Mann in einem Haus ohne Strom in den Anden, sie hatten eine Kuh, ein paar Hühner und Schafe, ein kleines Stück Land, auf dem sie Kartoffeln und Saubohnen zogen. Jeden Morgen gab es Kartoffeln, jeden Abend Saubohnensuppe.

Juana war vier Jahre in die Schule gegangen, wie alle hier, dann war der Spaß zu Ende, denn für eine weiterführende Schule in der Kreisstadt gab es kein Geld.

Sie hatte sehr früh geheiratet, wie alle hier, sich mit ihrem Mann ein Lehmhaus gebaut, ihre Kinder machten Hausaufgaben im Licht der Petroleumlampe, und Juana besserte Kleider aus oder wob Stoffe bis Mitternacht. Dann schliefen sie auf dem Boden, zu acht.

Am Morgen stand Juana um sechs auf, versorgte die Kinder, schickte sie in die Schule, das Jüngste kam in ein Tragetuch, dann stieg sie in der dünnen Höhenluft und der Kälte barfuß eine Stunde auf zu dem kleinen Acker. Juana hatte nie gelacht in den letzten 20 Jahren, bis sie das Fußballspiel entdeckte. Der Bürgermeister der Kreisstadt war persönlich zu all den entlegenen Bauernhöfen der Quechua-Indianer gefahren und hatte die Frauen aufgefordert, am Sonntag auf ein Stück flachen Rasen zu kommen, zwei Stunden von Juanas Haus entfernt. Weil es eine Einladung des Bürgermeisters war, hatte sich Juanas Mann nicht widersetzt, doch er hatte den Termin mit gewisser Sorge nahen sehen. Am nächsten Sonntag war Juana dann losgelaufen mit ihrer unpraktischen Tracht, den Röcken, dem Hut, und hatte zehn andere Frauen getroffen und einen freiwilligen Trainer aus der Kreisstadt. Seitdem spielte Juana Fußball. Seitdem lachte sie einmal in der Woche. Die Frauen jagten den Ball mit großer Ernsthaftigkeit. Sie mussten kein Konditionstraining machen, denn eine bessere Kondition als die Bergbauern in den Anden konnte auch keine Fußballnationalmannschaft erreichen.

Nach einigen Wochen Training hatten sie ihr erstes Freundschaftsspiel, zu dem sie einen halben Tag lang liefen. Das ging nun jedes Wochenende so, ein Spiel irgendwo, mit wunderbaren Siegerprämien. Meerschweinchen zum Grillen, Hühner, Saatkartoffeln, und die Frauen wurden immer besser. Der Bürgermeister wusste, sollte es irgendeinen Fortschritt geben bei den Bergbauern, so konnte der nur über die Frauen passieren. Auf die Männer konnte man noch tausend Jahre warten. Sie arbeiteten ohnehin viel weniger als die Frauen und fürchteten sich vor Veränderungen. Die Frauen, die kaum lesen oder schreiben konnten, hatten ein wenig die Welt gesehen. Auf Lastwagen waren sie an Orte gereist, die ihre Männer nie betreten hatten, sie hatten andere Frauen kennengelernt, sie hatten gespielt, gewonnen, sie hatten geredet und gefeiert. Irgendwann hatten sich auch die Männer mit ihren fußballspielenden Frauen abgefunden, denn die waren so viel zufriedener auf einmal, besser gelaunt und sie lächelten manchmal. Juana träumte nun von ihrem nächsten großen Spiel, in Lima, der Hauptstadt, von der wahnwitzige Dinge berichtet wurden. Von Hochhäusern war die Rede, von Restaurants und Fernsehapparaten. Irgendwann würde Juana ihre bunte, malerische, unbequeme Tracht ablegen, sie würde Jeans tragen und T-Shirts, sie würde mehr wollen, und Touristen aus dem Westen würden bedauern, dass es wieder ein Fotomotiv weniger gab. Und in hundert Jahren würden Juanas Kinder vielleicht studiert haben, und alle würden in Hochhäusern leben, mit Strom, und würden an der Börse spekulieren und abends Sushi essen. Doch bis es so weit wäre, müsste Juana noch viel Fußball spielen, am Tag müde sein und frieren und sich ab und zu fragen, was das eigentlich für ein beschissenes Leben war. Jetzt, wo sie eine Ahnung hatte, wie es anders gehen könnte.

Peter
Unawatuna, Sri Lanka

Peter schlief immer schlecht.

Die Nächte waren zu heiß und zu laut, und einige Moskitos fanden mit Sicherheit den Weg unter sein Netz. Peter hatte begonnen, die Nächte zu fürchten.

Susanti brachte den Kaffee. Der schmeckte furchtbar wie gehabt, da konnte er ihr noch so oft erklären, wie man Kaffee zubereitet. In mancher Hinsicht waren die Leute hier schon ein wenig einfältig. Der Kaffee war ein großer Dreck, sagte Peter zu Susanti, die daraufhin lächelte. Manchmal würde er ihr gerne eine reinhauen. Nicht sehr, nicht dass sie blutete, nur einfach, dass sie zu lächeln aufhören mochte. Wie kann man da hausen, in diesem einen Raum, zu dritt, fragte sich Peter manchmal, wenn er sie in ihre Hundehütte verschwinden sah, doch er wusste, dass man die Leute hier nicht zu sehr verwöhnen durfte. Hätte er ihr ein großes Haus geschenkt, hätte sie ein größeres gewollt und Angestellte aus dem Dorf, die sie schlechter behandeln würde, als ein sentimentaler Westler es je fertigbringen würde, und die anderen im Dorf wären neidisch gewesen. Neid war das Hauptproblem in Sri Lanka. Schlimmer als in Deutschland war das, und maßloser. Wurde ein neues Haus gebaut, standen immer Vogelscheuchen davor, um neidische Blicke abzuwenden.

Alles voller Vogelscheuchen hier.

Mit verschwollenen Augen ging Peter zum Schwimmen. Das war die einzig erträgliche Zeit, sehr früh am Morgen, bevor alles zu kochen begänne, und er musste sich wieder einmal eingestehen, dass er das Meer nicht mochte. Es sagte ihm einfach nichts. Das Wasser war zu warm und salzig, es verklebte die Haut und brachte keinerlei interessante Erfahrung mit sich.

Peter saß am Strand und konnte sich nicht entschließen, ins Wasser zu gehen, es war so seltsam entfernt. Keine Vögel zu hören, keine Insekten. Peter hatte plötzlich ein Gefühl, als liefe man nachts alleine durch eine unbewohnte Schlachtereigegend und sähe plötzlich den Schatten eines drei Meter großen Biebers an der Wand.

Er ließ das mal sein mit dem Schwimmen und ging zurück in sein Hotel. Drei seiner Angestellten waren bereits da, und die vier Gäste schliefen noch. Peter hatte gerade begonnen, die Einkaufsliste des Tages zu schreiben, als er das Wasser sah, dass in den Garten floss. Nicht brachial, sondern stetig, schlammig drang es durch die Einfahrtstür. Peter dachte an eine geplatzte Wasserleitung, dachte – Wasserleitung, was für ein Quatsch, und dann rannte er los, klopfte an die Türen der beiden belegten Gästezimmer, das Wasser reichte Peter unterdes bis zum Knie. Er trieb die Menschen den Berg hoch, durch den Busch, das Wasser, eine Brühe aus Schlamm, Treibholz, Plastikteilen, Tellern, verfolgte die Gruppe, je höher sie stiegen, das Wasser hielt mit. Eine der Frauen aus dem Hotel, gestern hatte sie noch so seriös zu den Bongoklängen getanzt, geriet in Panik. Sie begann zu schreien und klammerte sich an eine Palme. Das Wasser stieg. Peter dachte kurz, dass das Hotel jetzt bis zur oberen Kante der Fenster unter Wasser stehen musste. Peter versuchte, die Frau von der Palme zu pflücken, die anderen hasteten den Berg hinauf, das Wasser stand der Frau schon bis zum Kinn, und Peter schrie auf sie ein, versuchte ihre Hände zu lösen, und dann gab er auf, der Weg drohte unter seinen Füßen wegzurutschen, die Frau verstummte, Peter rannte. Als die Truppe auf dem höchsten Punkt des Felsens angekommen war, konnten sie sehen, wie das Wasser wieder abfloss. Die drei Touristen bluteten, wo kam das Blut her, die Angestellten beteten. Peter schaute erstaunt sein Bein an, das offen war, man sah ein Stück weißen Knochens. Kein Blut. Nach einigen Minuten hörten sie ein mächtiges Rauschen. Das Wasser kam zurück. Viel schneller jetzt, keine Schreie mehr. Ein dumpfer Lärm, Bäume, die umfielen, Holz, das barst.

Sie saßen zitternd Stunden auf dem Hügel, Hitze und Schmerzen und keine Ahnung, ob sie die Einzigen waren auf der Welt, die überlebt hatten. Peter schaute sich die Gruppe an und dachte, mit denen bis zum Ende meines Lebens? Ein dicker Mann aus Australien wischte sich hektisch den Schweiß von der Stirn, wohl, damit er die klaffende Wunde auf seinem Bauch nicht beobachten musste. Eine dürre Frau aus Deutschland, deren Batiksarong das Einzige war, was sie noch trug – wo war nur ihr Oberteil geblieben? –, und eine kleine drahtige Schweizerin, deren Körper von Muskeln entstellt war, klarer Fall von zu viel Hatha-Yoga. Die Angestellten waren unverletzt und unterhielten sich leise. Nach ein paar Stunden ging einer nachzuschauen, was vom Dorf übergeblieben wäre, und er kam so bleich zurück, wie es einem braunen Menschen nur möglich war. Überall Tote, berichtete er, die Straßen gibt es nicht mehr, die Brücken nicht, es ist nur noch Schlamm da, überall Schlamm mit Toten, und dann fing er an zu weinen, das Haus seiner Familie hatte er nicht gesehen. Peter entschied, dass sie über die andere Seite des Hügels versuchen sollten, zu einem Privatkrankenhaus zu gelangen, denn sie brauchten Wasser, und die Wunden mussten versorgt werden. Langsam begannen sie den Abstieg durch den Dschungel, bis sie zu dem kamen, was das Wasser übrig gelassen hatte:

ein Chaos aus Dreck, Autoteilen, Schlamm, verwundeten, schreienden Menschen und furchtbarem Gestank. Nach drei Stunden kamen sie zum Eingang des Krankenhauses, der von ungefähr 500 Menschen belagert war. Eine Frau saß dort mit einem Bein, das zur Hälfte abgerissen war, Kinder lagen apathisch im Schmutz, von einem Fenster im Krankenhaus beobachtete eine Schwester das Geschehen und öffnete die Tür nicht. Keiner hier sah aus, als ob er Geld bei sich hätte, um die Behandlung zu bezahlen. Peter blickte zu seinem Fuß, und der Knochen bohrte sich durch die Haut, dann wurde er ohnmächtig.

Bella
Genf

Bella war 56 und hatte nicht einen Tag in ihrem Leben für irgendwen gearbeitet.

In ihren Kreisen wurde viel Sorgfalt auf die Ausbildung eines jungen Menschen verwandt – Bella beherrschte sechs Fremdsprachen fließend, aber Arbeit war als Lebensprogramm nicht vorgesehen. Ihr Großvater war mit einer Stahlfabrik und Aufträgen der Hitlerregierung reich geworden, die nachfolgenden Generationen hatten es bis heute nicht geschafft, seine Firmen in den Bankrott zu treiben, obwohl sie

nichts unversucht gelassen hatten. Es war immer noch mehr Geld vorhanden, als die Großfamilie mit ausufernden Lebenshaltungskosten je würde vernichten können. Bella bedauerte manchmal, dass sie so unpraktisch war. Immer wenn sie von engagierten Politikerinnen oder Konzernchefinnen hörte, fühlte sie sich für Sekunden unzulänglich und verfluchte die Zeit, in der sie groß geworden war. Sie konnte nichts außer feiern. Die Feiern in Genf waren der Arbeitsplatz der Menschen, die aufgewachsen waren wie sie. Man schob sich Immobiliendeals zu, machte Lokalpolitik, Charity, man sammelte Geld und fädelte Yacht- und Waffendeals ein. Bella handelte mit Luxusvillen. Das erforderte Kenntnis des Marktes und gute Kontakte zum Jetset. Kein Zuckerschlecken.

Bella erwachte gegen Mittag in ihrer in den 50er Jahren erbauten Villa, die sie mit dem Personal und vielen Tieren teilte. Ihr fiel auf, dass es in der Villa roch, wie sie es aus ihrer Kindheit vom Besuch bei alten Tanten erinnerte: schweres Parfüm, alte Möbel, teure, alte Stoffe, Putzmittel und verfallender Mensch. Bella mochte ihr Leben, aber sie machte sich keine Illusionen über ihre Einsamkeit. Eines Tages würden ihre Angestellten sie mit dem Rollstuhl in den See stoßen, da war sie sich sicher. Solche Geschichten passierten immer wieder, wenn alleinstehende Reiche nur ihr Personal um sich hatten. Bellas Tage waren ausgefüllt, sie spielte mit ihren Tieren, las, sie machte sich schön für den Abend. Sie hatte selten Gäste, weil sie keinen in ihr Haus lassen wollte, das nach alter Dame roch. Früher war immer Besuch da gewesen, und einen Abend ohne großes Essen gab es kaum. Doch nun waren viele der alten Freunde tot, weggezogen, verwitwet, schwierig geworden, und mit der neuen Jetset-Generation, die aus Arabern und Models bestand, wollte Bella keinen Kontakt. Genf war nicht mehr das, was es mal war. Alles war ein wenig zu primitiv geworden.

Natürlich hätte Bella einen der reichen Witwer in ihrem Umfeld heiraten können, wenn die gewollt hätten. Die reichen Witwer zogen wie alle Männer junge Damen vor, die sie auch immer fanden. Einen jungen Mann müsste man haben, dachte sich Bella an jenem Tag, als sie beim Frühstück saß, im Speisezimmer, ihre Tiere kamen, gesellten sich zu ihr an den Tisch, und Bella war recht zufrieden, wenn auch irgendwie unbestimmt gelangweilt. Am frühen Abend stieg Bella in ihren Jeep, vielleicht würde sie in der Stadt irgendetwas finden, um sich von ihrer Stimmung abzulenken. Sie schoss aus der Einfahrt, und als sie den jungen Mann bemerkte, der gerade in jenem Moment die Straße überqueren musste, war es bereits zu spät. Bella stieg aus dem Jeep, der junge Mann lag am Boden und schien benommen. Bella sprach ihn an, sein Name war Brian, er musste Mitte 20 sein. Er schien in einem Maße verletzt, das auf keine schnelle Genesung schließen ließ. Und Bella wusste, dass ihre Chance gekommen war. Sie würde ihre nähere Zukunft nicht alleine verbringen, so viel war mal klar.

Helena
Bombay, Indien

Zum ersten Mal in ihrem Leben kamen Helena Bedenken, ob
es wirklich sinnvoll und lehrreich wahr, in der Welt herum-
zureisen, da die zu 90 Prozent aus Dreck bestand.

Dreck in einem Ausmaß, dass Europa ihr gerade erschien
wie frisch einer Badewanne entstiegen. Helena lag schweiß-
nass in dem wohl stinkendsten Hotelzimmer der Welt. Völlig
verwirrt von dem, was sie vor dem stinkendsten Hotelzimmer
der Welt vorgefunden hatte. Es sah aus, als hätte die Stadt gerade einen schweren Krieg hinter sich gebracht.

Warum waren die Straßen überall aufgerissen, warum
wohnten Tausende in Häusern, in denen die Wände und Decken fehlten, warum lagen sie auf der Straße, legten ihre Babys auf der Straße zum Schlafen, und vor allem – woher kam
der Dreck? Der klebte über allem. Nicht so ein Stäubchen war
das, sondern eine Kruste aus verrotteten Speisen, Schmutz,
Pisse, Rost, toten Ratten und Zeug.

In der Kruste bewegte sich ständig etwas, Ziegen, Tiere,
Insekten, Menschen, es war egal. Das Leben von keinem schien
etwas zu bedeuten. 15 Millionen in einer Stadt – wenn jede
Nacht 1.000 starben, wo kamen die hin? Starben die Babys,
die nackt auf die Straße gelegt wurden? Und die Alten, wie alt
konnte man hier werden, und wozu, wovon träumen, wenn
man sich noch nicht einmal ein Ticket für einen Bollywood-
Film leisten konnte? Plötzlich kamen sie Helena lächerlich
vor – all die von ihrem Dasein gelangweilten Europäer, die
wegen der Spiritualität hierherkamen, und all die Sai Babas
und Baghwans, die nur so inflationär vorhanden waren, um
die Millionen bei Laune zu halten, ihnen ein besseres Leben zu
versprechen. WAS HABEN WIR HIER ZU SUCHEN? Warum ist
die Welt so ein dreckiger Ort, und warum wollen die Men-

schen nicht wissen, dass die Welt so ein verschissener Ort ist? Im Fernsehen, immerhin hatte es das in diesem Dreckloch von Hotelzimmer, lief ein Bericht darüber, wie Fabriken in Saudi-Arabien Tonnenweise blaue, ungesund wirkende Chemikalien ins Grundwasser leiten – egal. Und was hat das mit Allah zu tun, und warum ist Amerika daran schuld, wenn die Menschen Schweine sind, einen Dreck auf das Leben anderer geben? Wer sich für seine eigenen Landsleute so wenig interessiert, schnallt sich auch Bomben um den Bauch und scheißt auf das Leben Fremder. Helena wollte nur weg im Moment, auf einen anderen Planeten am besten. Aber vielleicht hatte sie auch einfach nur einen Jetlag, vielleicht war sie zu alt, um in solch stinkigen Hotels zu übernachten. Man konnte von Menschen nicht zu viel erwarten. Das hatte Helena gelernt. Sie sah sich selbst gerne als rein. Sie glaubte von sich, dass sie ein aufrichtiger, guter Mensch sei, und war immer wieder überrascht, wie unvollkommen die meisten sich verhielten.

Aus dem Fenster sah sie auf die Fassade eines hohen Wohnhauses, aber was für ein Mist war das denn? Gelbes Licht in Wohnschachteln, der Balkon vergittert voller Dreck, Lappenzeug, zogen die das an, unter dem Haus ein Müllhaufen, darauf latschten Ziegen rum und Ratten. Bombay war wie viele Städte Indiens: ein Meisterstück nicht vorhandener Städteplanung. Die Hälfte der 15 Millionen Einwohner lebte illegal hier. Die meisten hatten Arbeit, waren Tagelöhner, Wäscher, Putzfrauen, sie strömten vom Land, wo es keine Jobs gab, keine Ärzte, wenig Wasser, keinen Strom, in die Städte. Eine Wohnung zu mieten war jedoch unerschwinglich, weil die Gesetze Mieter so sehr schützten, dass kein Wohnungsbesitzer vermieten wollte, und wenn, dann nur gegen Mietsicherheiten, die nur die zahlen konnten, die sich auch eine Wohnung kaufen könnten. Die, die nicht gemeinsam mit 5 Millionen täglich pendeln wollten, fanden einen Platz irgendwo in der Straße, unter Brücken, unter einer Plastikplane, denn ein Platz im größten Slum Asiens, Dharavi, kostete das Fünffache dessen, was ein Tagelöhner im Monat verdiente. Hierarchie der Armut. Von der Wellblechhütte zur Plastikplane zum Tuch auf der Straße. Die Städteplanung hatte versagt, die Politik hatte versagt, alle hatten versagt, und nun lebten in Indien 480 Millionen in totaler Armut. Der Verkehr in Bombay kollabierte, die Durchschnittsgeschwindigkeit auf den Straßen 10 km/h, und dazwischen quälte sich Helena, ihr Gesicht wieder einmal knallrot, natürlich wurde sie angesprochen. Kennt man ja die Sprüche von den bettelnden Kindern in Bombay. Aber so? Helena wurde angestarrt, angepfiffen, angesprochen, sie sollte kaufen, geben, kommen, guten Tag sagen. Aber das wollte sie nicht. Sie wollte einfach nur irgendetwas Schönes finden in der Stadt, das musste es doch geben. Helena ließ sich mit einem Taxi herumfahren, wurde angestarrt im Taxi, erstickte im Taxi, wenn sie das Fenster öffnete, staken Hände im Taxi mit Ketten, Blumen, Zeitungen oder mit nichts und wollten sie einfach nur anfassen, die Hände. Stundenlang schlich das Taxi unter Dauerhupen durch die Stadt, sie ließ sich ins Reichenviertel fahren. Hier wohnten die Bollywood-Stars, da musste es doch besser aussehen, da war der Strand. Der Strand war voll. Helena fiel auf, als hätte sie einen Elefanten auf ihrer Schulter sitzen. Angestarrt, angebettelt – das ganze Programm. Ins Wasser ging keiner, das Wasser war zu schmutzig. Helena stand vor dem Haus des berühmtesten Bollywood-Schauspielers, Amitabh Bachan. Er war der Erste und bislang Einzige des Landes, der sich seine Wachsfigur bei Madame Tussaud erarbeitet hatte. Sein Haus sah aus wie ein ehemaliges Kongresszentrum in der DDR. Gegenüber des Starhauses – ein Slum. Die Straße aufgerissen, und Abwasser quoll aus einer defekten Leitung. Helena war klar: Wenn so die berühmtesten Leute der Stadt wohnten, gab es nichts Schönes an diesem Ort. Sie musste verschwinden, und zwar schnell. Helena hatte Angst, irgendetwas zu essen, denn seit ihrer Ankunft war ihr schlecht, und sie hatte Durchfall. Ihr einziger Gedanke war: Weg, ich muss weg. Und sie quälte sich erneut durch den Verkehr, der dieses Wort nicht verdiente, in ihr Hotelzimmer. Wonach roch das nur, so sauer und chemisch und durchdringend? Ihr Blick fiel auf den Ort, da ihr Gepäck hätte stehen sollen. Diese Panik, die einer empfindet an einem weitentfernten Ort, da er niemanden kennt und wo er nicht hingehört und wo er nicht weg kann so einfach beraubt, die Sachen abhanden, findet sich auf der Panikrangliste ganz weit oben, neben der Panik, in einem Flugzeug zu sitzen und auf ein brennendes Triebwerk zu schauen.

Susanti
Unawatuna, Sri Lanka

Susanti beugte sich über Peter, der vor dem Eingang zur Leichenhalle lag. Öffentliches Krankenhaus, nach dem Tsunami. Mahlzeit. Susanti hatte Mühe gehabt, ihn hier zu finden, überall gab es Notkrankenstationen, Privatkrankenhäuser, Schulhallen, und selbst dieses Krankenhaus, wo sie ihn letztlich gefunden hatte, glich etwas, in dem eine Bombe explodiert war. Die Menschen lagen stöhnend in den Gängen, in den Toiletten, leises Wimmern, lautes Schreien, Weinen, Zusammenbrüche. In jedem Bett hielten sich mindestens zwei Patienten auf – sie alle litten an Infektionen durch kontaminiertes Wasser, entzündeten Wunden, abgerissenen Gliedmaßen, Bauchwunden, Schädelverletzungen, Traumen, Vergiftungen, lebensbedrohlichen Schocks, Komas. Peter mit seiner stark eiternden Fußwunde und dem hohen Fieber war da eher ein leichter Fall, außerdem ein Ausländer, der kein Geld bei sich hatte und kein Wort der Landessprache verstand. Das qualifizierte ihn noch nicht einmal für einen Platz auf einem Korridor. Die Kranken lagen in den Innenhöfen, auf dem Rasen, und immer wieder wurden Tote weggetragen, was Peter hätte stören können, wenn er bei Besinnung gewesen wäre. So aber lag er in einem freundlichen Delirium, spürte weder den absurden Gestank noch die 36 Grad Mittagshitze.

Susanti hatte die unerfreulichsten Wochen ihres Lebens hinter sich. Nun, vielleicht war es noch widerwärtiger gewesen damals, mit fünf, als ihre Eltern sie auf die Straße setzten, weil sie sie nicht mehr ernähren konnten. Susanti hatte Pflegeeltern gefunden, die sie aufnahmen und ihr einen Platz unter der Spüle in ihrer Küche gaben. Sie durfte diesen Platz nur nach Aufforderung verlassen, und die kam sehr oft. Susanti musste sauber machen, Geschirr spülen, die Dame des Hauses ankleiden, einkaufen, in der Küche helfen, die Tiere füttern, ansonsten hatte sie unsichtbar zu sein. Der Hausherr trat sie sehr gerne, so wie man eben ein Insekt tritt, das sich unter der Spüle aufhält. Susanti hatte schnell gelernt und war ausgesprochen ruhig geworden. Nachts lag sie unter ihrer Spüle, es roch nach Küchenabfällen, Kakerlaken spazierten über Susanti, und die schwor sich: Ich werde erwachsen. Dann werde ich hier weggehen und als reiche Frau wiederkommen. Ich

werde vor der Tür stehen, in einem Wagen und euch ansehen, einfach nur ansehen.

Als der Tsunami kam, war Susanti mit ihrem Mann in der Stadt beim Einkaufen gewesen. Sie waren nass geworden, doch die Wucht der Welle hatte sie verschont. Sie waren zurückgekommen und hatten mit den Aufräumarbeiten begonnen, die Leichen in Massengräber gelegt, hatten, was zu gebrauchen war, aus den Hotels genommen, und das war viel. Was sollten all die Touristen noch mit ihrem Geld und dem Schmuck und den Tickets. Sie würden, sofern sie überlebt hatten, in ihre Länder ausgeflogen und vermutlich vom Reiseveranstalter entschädigt. Hier nützte das Geld mehr. Susanti hatte den Wiederaufbau des Hotels betrieben. Das alte Kolonialhaus war nur stark verschmutzt und voller Schlamm. Solide Grundmauern. Dann hatte sie sich auf die Suche nach Peter gemacht, denn sie ahnte, dass er noch lebte. Diese Sorte grobknochiger Ausländer starb nicht so schnell. Sie hatte ihn aus dem Krankenhaus geholt, ihm ein angenehmes Lager in dem Haus bereitet, das sie für ihre künftigen Angestellten errichtet hatte. Eine zehn Quadratmeter große Hütte. Susanti pflegte Peter aufmerksam, aber ohne übertriebenes Mitgefühl. Sie fütterte ihn, wusch ihn, reinigte seine Wunde, und nach einigen Wochen war Peter fieberfrei, und seine Wunde begann sich zu schließen. Er wartete jeden Tag auf Susantis Besuche, und die ließ sich Zeit. Sie hatte zu tun, mit dem Hotel, den Angestellten, dem neuen Wagen, den sie gekauft hatte. Ihr Mann hatte sich seinen Traum von einem guten Restaurant ohne Spaghetti erfüllt und war äußerst beschäftigt. So lag Peter, der noch nicht in der Lage war zu laufen, in dem kleinen Angestelltenhaus. An dem Tag, als Susanti ihm half, die ersten unsicheren Schritte zu gehen, als er sah, wie die Angestellten sie ehrfürchtig grüßten, verstand er. Peter organisierte über die Botschaft seine Rückreise. Susanti brachte ihn zum Flug-

hafen, mit einem neuen, großen BMW-Allrad-Antrieb-Wa-
gen. Peter war auf 50 Kilo abgemagert, er konnte nicht richtig
auftreten, hinkte an zwei Stöcken, und er wirkte verwirrt.
Susanti winkte ihm nach. Dann fuhr sie mit dem PKW in das
Notlager, wo ihre ehemalige Pflegefamilie jetzt lebte. Sie stand
mit laufendem Motor vor der Tür. Und schaute. Schaute einfach nur, ohne zu lächeln. Dann gab sie Gas und fuhr in ihr
neues Zuhause.

Frank
Berlin

Die Wochen waren für Frank vergangen wie eine Aneinander-
reihung von wohlschmeckenden Broten. Nichts Besonderes.
Seit einigen Wochen, um genauer zu sein, seit einem Abend
im Frühling hatte er das Gefühl, nicht mehr ganz so ausgegli-
chen zu sein, wie er es von sich gewöhnt war. Eine kleine Unzufriedenheit war da, wenn er alles machte, wie er es immer
machte. Um 21 Uhr in die Badewanne, mit heißer Milch, danach ins Bett, noch ein wenig lesen und so weiter. Seit einigen
Wochen war etwas in ihm, was sich bei all diesen Handlun-
gen beobachtete, die er sonst so genoss. Frank liebte Rituale.
Sie halfen ihm, Details wahrzunehmen. Was er wahrnahm,
war eine merkwürdige Unruhe. Vielleicht war es Reiselust,

dachte Frank, als er eines folgenschweren Abends einen Dokumentarfilm über Shanghai sah. Das Paris des Ostens. Großartige Nachtaufnahmen, Wolkenkratzer, Bars, die aussahen wie alte Opiumhöhlen, nur mit hübschen, jungen Frauen darin, das war die Zukunft, und sie fand jetzt statt. Hatten sie in dem Dokumentarfilm erzählt, und Frank saß eine halbe Stunde später verwirrt an seinem Computer. Er hatte einen Flug gebucht und ein Hotelzimmer. Hengshai-Möller-Villa, 14 Tage Shanghai. Frank starrte entsetzt auf den Bildschirm. Da lag die Reisebestätigung in seiner Mailbox. Das, dachte Frank, hätte nicht passieren dürfen. Früher hätte man in ein Reisebüro gehen müssen, sich beraten lassen, und selbst wenn man das überlebt hätte, würde man sagen, ja, sehr schön, ich schlafe mal darüber und melde mich, was man nie getan hätte. Nun war die Sache gelaufen. Frank hasste es, zu verreisen, und es war ihm das letzte Mal vor sechs Jahren passiert, dass er sich dazu hatte hinreißen lassen, einen seiner weltgewandten Freunde irgendwo zu besuchen. Frank dachte voller Abscheu an einen Elf-Stunden-Flug. Er dachte an Reiseführer, die er nicht verstanden hatte, und Lokale, die er nicht kannte, an Wäsche, die nicht frisch gewaschen war, und wurde von einer beeindruckenden Traurigkeit befallen.

Die Woche bis zu seinem Abflug befand Frank sich in einer Art Koma. Er saß apathisch in seinem Büro, zu Hause verließ er den Pyjama nicht, er schaute mit schwerem Blick auf die Straße, und nie war ihm Berlin in seiner Hässlichkeit so freundlich erschienen.

Bereits auf dem Weg zum Flughafen wurde Frank übel, als er an das Flugzeug dachte. All die Kilometer Luft unter ihm, die Enge, den Geruch anderer Menschen. Er war kurz davor, wieder umzukehren, heimzugehen, sich vor den Fernseher zu setzen, doch dann dachte er, dass er sich bewegen müsse. Dass die Schönheit seiner Wohnung eine sehr subjektive sei und der Verlauf seines Lebens voraussehbar. Aber war es nicht wunderbar, sein Leben voraussehen zu können? Ehe er diese Frage befriedigend geklärt hatte, saß er auch schon an einem Fensterplatz, eine Chinesin neben ihm, deren riesiger Kopf Frank Angst machte. Und dann handelte Frank, ohne darüber nachzudenken. Er riss seine Tasche aus dem Fach und hastete aus dem Flugzeug. Durch alle Sicherheitssperren schien er zu schweben, sein Herz raste, und er dachte sich, dass man viel öfter Flugzeuge verlassen sollte. Allein dieser Moment der Euphorie war die 1.000 Euro Flugpreis wert. Tickets buchen und sie verfallen lassen wohnte unbedingt Grandezza inne. Frank fühlte sich so verwegen, dass er in Versuchung war, über ein Geländer zu springen, in dieser forschen Bankermanier, die man in Filmen mithin sah. Doch Banker trugen wegen ihrer Inkontinenz Windeln, die einen Aufprall dämpfen würden, fiel ihm in letzter Sekunde ein.

Im Taxi begann Frank vor Erleichterung zu weinen. Er stellte fest, dass er nur zu Hause so ruhig und in sich ruhend funktionierte. Verließ er seine gewohnte Umgebung, wurde er nervös, unsicher und ängstlich. Vermutlich bin ich doch eher ein Fluchttier, eine Antilope oder dergleichen, statt des freundlichen Bären, als den ich mich gerne sähe, dachte er. Frank taumelte vor Erleichterung, als er seinen Hausflur betrat, beinah fiel er über den Jungen aus dem Stock unter ihm, der so unscheinbar war, dass er immer wieder vergaß, wie er hieß. Poahl. Das war Poahl. Er hätte den Jungen küssen mögen, einfach dafür, dass er kein Chinese war.

In seiner Wohnung tat Frank all das, was er sich in seinen panischen Sekunden vor dem Abflug vorgestellt hatte. Er bestellte sich ein thailändisches Gericht, stieg in die Badewanne, legte eine CD von Charles Trenet ein und stellte sich vor, er wäre jetzt im Flugzeug, eingezwängt neben der Chinesin, und würde landen, zerknautscht irgendwann, in einer riesigen Stadt, die er nicht kannte. Und dann müsste er sich 14 Tage lang dazu zwingen, das Hotel zu verlassen, um verrückte Dinge zu erleben. Der Abend kam, die Erregung ließ nach. Frank lag in seinem Bett, es war frisch bezogen und duftete freundlich, draußen ging ein leiser Regen, und mit ihm kam eine kleine Traurigkeit. O.k. Nach Shanghai musste er jetzt nicht, er würde also einfach so weitermachen, wie immer.

Paul
Berlin

Der Junge schreckte aus dem Bett, seine verrückte Schwester war nach Hause gekommen und hatte wieder einen Tobsuchtsanfall. Sie schob ständig einen Kinderwagen mit einem Teddybären darin herum. Und das mit Mitte 30. Peinlich.

Der Junge hatte keine Ahnung, warum er aufwachen sollte, doch weiterschlafen würde auch nicht funktionieren. Ein kompletter Tag. Neu und unsinnig lag er vor dem Bett, man konnte ihn sich ansehen und zurückschrecken, es war: ein Sonntag!

Das waren die Schlimmsten. Millionen, die die Woche widerwillig verbracht hatten, im besten Falle nicht darüber nachgedacht, saßen zu Hause und machten Schwingungen, die übertrugen sich in die Atmosphäre, verdichteten sie zu einem riesigen Seufzer, und die Welt hielt die Luft an.

Gleich würde irgendwo in der Wohnung ein Staubsauger seine Arbeit beginnen, vermutlich ohne menschliches Zutun, nur so, um Lärm zu machen und das unbedingte Gefühl der Heimatlosigkeit zu erzeugen. Dann Kaffeegeruch, auch nicht gut, wie die das nur trinken können, die da oben, das Zeug ist bitter, es ist LANGWEILIG.

Der Junge dachte nicht: Ist das langweilig? Er hatte nur so eine Ahnung. Er befand sich in einem Alter, da er sich kein Ende vorstellen konnte und das bedauerte.

Das Gefühl, ein Mensch zu sein, war ihm neu, und er kannte den noch nicht, den Menschen, der er sein sollte.

Des Jungen Zimmer war rührend, wenn man nasse Dackel mochte. Es bestand aus Socken. Männern, auch noch nicht ausgewachsenen, fehlt der Blick für Ordnung und Harmonie. Wie Hunde keine Farben sehen können ist das, und ihnen nicht vorzuwerfen. Sie könnten inmitten aufgetürmter leerer Pizzaschachteln sitzen, eine Made macht ihren Weg, und sich wohlfühlen, natürlich im Rahmen ihrer Möglichkeiten, das heißt: leer sein.

Der Junge stellte seine Füße auf einen verrückt gewordenen Teppich vor seinem Bett. Gehäkelt, eventuell aus den zerrissenen Kleidern seiner Mutter. Ob sie auch an Jim Morrisons Grab gewesen war?

Die Zeiten, zu denen Kinder sich ihre Eltern nie anders als bekleidet in Ledersesseln vorstellen konnten, waren bedauerlicherweise vorbei. Keiner mochte doch seine Mutter betrunken urinierend an Jims Grab wissen. Sie wollten nicht mehr alt werden, die Alten. Sie trugen dieselben Trikotagen und gingen in dieselben Konzerte wie ihre Kinder. Doch sie täuschten niemanden damit. Sie konnten ihre Bäuche zeigen und sich liften und fit sein, aber ihre Aura war ALT. Nie würde er so alt werden wie seine Mutter, das war dem Jungen klar. Sie war von einem anderen Planeten, so fern. Er wusste nicht, worum es Menschen wie ihr ging. Was sie dachten. Ob sie Gefühle hatten. Weil er so stark fühlte und nicht wusste, was, dachte er, der Einzige zu sein auf der Welt, dem es so ginge, so aufgewühlt.

Fern, auf dem Teppich, lagen zwei unzubereitete Bratwürste, das waren des Jungen Füße, vermutlich, und während er die ansah, sie bewegte, um sicherzugehen, dass sie ihm gehörten, überlegte er, warum sie ihm gehörten und ob es einen Ort gäbe, der alles ändern würde. Einen Ort, da er aus dem Bett spränge und wüsste, was zu tun sei. Einen Ort, da er unbedingt ohne seine Füße wäre.

Der Ort mochte ihm nicht einfallen, ohne Füße konnte er sich nicht vorstellen, doch ein Zustand kam ihm, und der war: erwachsen zu sein, natürlich völlig anders als seine Mutter, war klar, und weit weg damit. Zeitlupe, schwerelos, das Licht golden und langsam eine Quelle umrunden, an der Kitze äsen...

Der Junge hieß Paul. Poahl nannte ihn seine Mutter. Ob sie an Poahl McCartney gedacht hatte bei seiner Geburt, fragte er sich lieber nicht, das wäre zu erbärmlich. Pauls Mutter war versehentlich schwanger geworden, vermutlich infolge eines Geschlechtsverkehrs – im Verlauf der Schwangerschaft hatte sie 20 Kilo zugenommen, und in der Nacht hatte sie geträumt, immer wieder, dass sie nach Verstecken für das Baby suchte, um es unbemerkt verschwinden zu lassen. Zum Glück hatte sie sich später an den Jungen gewöhnt.

Die Kindheit war Paul nur wenig entfernt, ihr Geruch noch in manchen Ecken und ihm fremd. Er legte dann schnell eine Socke darauf. Paul erinnerte sich ungern an früher. Was es da auch zu erinnern gäbe. Das übliche grün-rot-goldene Kindheitserinnerungsprogramm. Unglück wegen irgendwas und sich ausgeliefert fühlen, ohne das Wissen um den Zustand, und Wut darum und Angst und Feste mit Essen und Geschenken, Angst und Freunde, die nicht da waren, Feinde, um die man Bögen machen musste, und Angst und Unholde unter dem Bett.

»Was machen Sie unter meinem Bett?«

»Ach, Ihr Bett ist das? Wüsst' ich aber.«

»Mein Bett, ja.«

»Hat das nicht vielleicht Ihre Mutter gekauft, das Bett mit dem Scheißbezug mit den Scheißmonden? Ist es nicht gleichsam so, dass Ihnen gar nichts gehört? Und was haben Sie da übrigens für einen albernen Pyjama an?«

Schweigen. Schlucken. Abgang.

Gegen Unholde gewinnt man nie.

Dann war Paul gewachsen, die Hormone, die Gliedmaßen und was dazugehört, die Unholde verschwanden, sie mochten den Geruch der Pubertät nicht, und irgendwann war Paul traurig geworden. Er hätte nicht zu sagen gewusst, was ihn traurig machte. Weil er noch nicht richtig zu denken in der Lage war, weil er noch nicht viel gesehen hatte, und was er sah, war immer das erste Mal und ihm GELB. Alles, was er sich vorstellen konnte unter seinem Leben, machte ihm ANGST. Er wollte keines der Leben, die er sah. Er wollte so nicht werden, wie er meinte, dass Erwachsene waren: ohne Mitleid. Das Leben schien ihm ein offenes Meer, er in der Mitte und wusste nicht, ob es ein Ufer gäbe. Seitdem erwachte er schwer an Sonntagen.

Der Staubsauger fing an zu arbeiten (wie man die hassen konnte, die Menschen, die, sobald sie Zeit hätten, um Bücher zu lesen oder etwas zu häkeln, Krach machen mussten. Staubsaugen, bohren, Wagen reinigen, Rasen mähen und sich laut räuspern dabei, hochziehen, ausspucken, niesen, dass alles bebte), und die Füße lagen immer noch auf dem Läufer, und draußen schien immer noch die Sonne, und es war Sommer, immer noch, seit Monaten, und der war an Sonntagen besonders schlecht auszuhalten. Sonntag mit Regen und Schnee ging. Hieß im Bett bleiben und irgendetwas lesen, was anstrengend war. Musil oder Kant oder Bulgakow, egal, Hauptsache, es tat weh. Wenn es eine Entwicklung gibt in einem Leben, so kann es nur die zur Einfachheit sein. Das dachte Paul nicht, Paul dachte: Ich werde etwas unternehmen. Vielleicht war da ein Traum, vielleicht ein Gefühl, er sah das Zelt unter dem Schreibtisch, und er sah sich darin. In dem Zelt liegen und schlafen, vorher im See baden. (Wie ein dünnes Tuch liegt das fade Licht des Sommerabends über dem See. Es war absolut still. Noch nicht mal Insekten. Die waren beim Yoga. Das Wasser war so ruhig, das es die Berge spiegelte, dass sie wirkten wie Höhlen unter dem Wasser. Der Geruch von Seewasser im Sommer, und dann kam die Nacht, wie von einem leisen Lied begleitet, wurde dem Licht die Farbe entzogen, Sterne tauchten auf, und es begann lebendig zu werden, die Feuchtigkeit in der Luft legte sich auf die Haut, Grillen sangen um ihr Leben, der Verfall war nur eine Ahnung und so weiter.) Paul wurde es romantisch, und er vergaß sich für einen Moment. Seine Mutter war irgendwo, vielleicht war sie gestorben. Wie fast alle, die Paul kannte, hatte er nur eine Mutter. Es gab kaum noch Väter. Es gab auch nicht mehr viele Kinder. Die Frauen, die noch welche wollten, weil sie sich langweilten, ließen sich irgendwann, meist um die 40, künstlich befruchten. Das war ihnen sicherer. Nicht mit der Loyalität eines Mannes rechnen zu müssen, die sowieso nicht erfolgte. So gab es kaum mehr männliche Vorbilder, was sich auf die Jungen in Pauls Alter nicht nachteilig auswirkte. Sie lernten, Frauen als überlegen zu akzeptieren, sie mussten nicht mehr breitbeinig auf Sesseln sitzen und Mutproben machen. Ein Junge, der Bücher las oder eine Brille trug, der Angst vor Gewitter hatte, war normal geworden, und die Ausnahme waren Jungs, die auf den Boden spuckten, kein Deo benutzten und zur Armee wollten. Sie galten als gefährlich.

Pauls Mutter war eine nette Person. Sie mochte Bücher und traurige Filme, sie hatte Humor und sah in keiner speziellen Art irgendwie aus, aber sie roch gut und hatte ein angenehmes Gesicht. Vielleicht war sie 40 oder 50, sie hatte, was das anging, so oft gelogen, dass sie sich selbst nicht mehr sicher sein konnte. Pauls Mutter hatte kein Problem damit, älter zu werden, außer dem, das alle Menschen hatten: Sie wollten nicht sterben, nicht daran erinnert werden, dass sie verfallen, mit jedem Jahr mehr, und innen scheint doch alles alterslos. Wer mag sich schon gerne vorstellen, nichts mehr zu sehen und zu schmecken, zu verfaulen, von Würmern ausgehöhlt zu werden? Das bekommt doch keinem, der Gedanke. Pauls Mutter trug keine unwürdigen Dinge, sie ging nicht auf Partys, sie verwendete keine Räucherstäbchen, sie glaubte nicht, dass ein Mann ihr Leben großartig ändern würde, und sie war einsam manchmal, wie alle Menschen, egal ob allein oder nicht. Sie hatte mit Paul wie mit einem klein gewachsenen Freund gelebt, hatte lange Sonntage im Bett mit Filmen und geliefertem Essen verbracht, mit ihm in der Badewanne Masken ausprobiert und ihm ihre Sorgen erzählt, die er nicht verstand, aber einschlafen konnte er gut im Mantel ihrer traurigen Stimme. Doch leider war die Zeit, in der sich Paul eins mit seiner Mutter gefühlt hatte, vorbei. Irgendwann war er zu einer eigenen Person geworden, und die Einsamkeit hatte begonnen. Seine Mutter teilte seitdem ihr Leben mit anderen. Ab und zu traf sie sich mit einem Mann, das merkte Paul daran, dass sie nach einer Weile mit roten Augen in ihrem Bett blieb und »Ist das Leben nicht schön?« oder »Mein Freund Harvey« sah. Für Pauls Mutter genügte es in diesen emotional unstabilen Zeiten, ein Foto von James Stewart zu sehen, um zu weinen.

Ihr war klar, dass sie alleine bleiben würde. Sie war eigentlich damit einverstanden, denn sie wüsste nicht, was genau sie mit einem Mann machen sollte, neben ihrer Arbeit, Poahl, den Freunden, den Büchern, dem Fernsehen, dem Kino, dem Theater, den Restaurants, den Tagen im Bett, doch sie litt ab und an gerne, weil es ihr so ein Ausnahmegefühl vermittelte.

Paul verstand noch nichts von der Liebe. Oder alles. Er liebte seine Mutter, ohne dass er es je so genannt hätte, er vermisste sie, wenn sie längere Zeit nicht da war, er hatte keinerlei körperliche Scheu vor ihr, er vertraute ihr. Und doch musste er seit einiger Zeit weg von ihr. Weil er dumm war. Weil er nicht wissen konnte, dass er sein Leben lang nach so einer erfüllten Liebe suchen würde.

Von draußen kam entschieden zu viel Licht, und es war noch Morgen. Der Tag würde unangenehm heiß und in der Stadt diese Art von eiserner Stille sein, die es an hellen Sonntagen hat. In New York gäbe es das bestimmt nicht, diese Stimmung wie nach einem Atombombenabwurf. Da wären die Läden offen, ganz normal, und die Menschen unterwegs. In guter Absicht. Doch Paul müsste, um sich mit einem Lächeln in New York aufzuhalten, ein anderer sein. Vielleicht ein Computer-Wunderkind. Nur mit sich, das war ihm klar, wäre nichts anders. Er säße in einer kleinen Wohnung, seine Mutter beim Yoga, draußen wäre es zu hell, und er hätte keine Ahnung, was er machen sollte. Paul wusste nicht, warum ausgerechnet er so ein uninteressanter Mensch sein musste. Als interessante Person würde er jetzt ein Buch lesen und sich Notizen machen. Dazu würde er Free Jazz hören. So saß er in seinem Zimmer, das irgendwie nicht stimmte, und schaute seine Füße an. Warum haben Zehen eigentlich Nägel? Als interessanter Mensch würde Paul sofort eine kleine Leiter in seiner achtköpfigen Bibliothek herumschieben, um nachzuschlagen, was Aristoteles dazu zu sagen hätte. Ein interessanter Mensch würde sich aus dem Bett schwingen und rausfahren in die Natur, um dort Studien zu vervollkommnen. Irgendwas mit Goethes Farbenlehre.

Paul nahm sich vor, ein interessanter Mensch zu werden. Paul musste irgendwann unbedingt ein Zelt haben. Das war vermutlich in der Zeit, wo er eine Wohnung für sich alleine wollte. Abgrenzung oder so etwas. Er hatte das Zelt in seinem Zimmer aufgebaut und war relativ zufrieden. In einer Art, die ihm abhandengekommen war. Essensvorräte und Pappscheiß als Möbel in dem Zelt, und er wusste nicht mehr, was er da gemacht hatte, stundenlang. Die Hormone hatten die Phantasie weitgehend verdrängt.

Paul betrachtete das Zelt und würde also einen Ausflug machen. Es ist wirklich nicht einfach, sein Leben zu gestalten, dachte Paul, als er sich langsam und gelangweilt anzog, um den Sonntag zu einem außergewöhnlichen Ereignis werden zu lassen.

Jenny
Shanghai

Nachdem ihr erster Sitznachbar aufgesprungen und aus dem Flugzeug geflüchtet war, setzte sich natürlich ein dicker Mann neben Jenny, der garantiert anfangen würde zu reden, sobald das Flugzeug in der Luft war.

Das Flugzeug war in der Luft, der Nebenmann begann zu reden: »Ich geh ja jeden Monat heim. Das hält man ja sonst nicht aus da. Furchtbare Stadt. Aber da geht es ab im Moment. Wenn Sie noch irgendwo auf der Welt Geld machen können, dann in China. Ich arbeite in der Give-away-Branche. Sie wissen schon, Kulis mit dem Firmennamen, kleine Anhänger, Stempel, Tassen mit dem eigenen Logo, Luftballons – ich geh mit den Entwürfen in die Provinz Shanghai, eine Firma da macht das alles tipptopp. UND BILLIG. Aber kontrollieren muss man die, alter Schwede. Kaufen Sie ja keine einheimischen Produkte da, das Zeug fällt Ihnen nach einer Stunde auseinander. Und dieses Auf-die-Straßen-Gespucke, das ist gewöhnungsbedürftig. Ich habe eine Wohnung, 200 Dollar im Monat. Können Sie sich das vorstellen? 200 Dollar – na hallo. Ich zieh das jetzt noch ein paar Jahre durch, und dann hab ich ausgesorgt.«

Jenny hatte sich eine Schlafbrille aufgesetzt und schnarchte ein wenig, doch das beendete den Redefluss ihres Nachbarn nicht. Und so schaltete Jenny im Gehirn auf Nebengeräusche und fiel in einen leichten, unangenehmen Flugzeugschlaf. Es schien ihr das Furchtbarste, in diesem Dämmerschlaf abzustürzen, sie empfand es als sehr unwürdig, dösend in eine Katastrophe zu geraten. Mit der Schlafbrille auf dem Gesicht auf dem Boden des Flugzeuges herumzukriechen in den letzten Sekunden. Und dann vom »Stern« fotografiert werden, als aufgedunsene Leiche. Vielleicht nur der Kopf. Mit Schlafbrille.

Als das Flugzeug landete, redete ihr Nachbar immer noch. »Die Frauen da, derbe Sorte. Sehr grobknochig, aber günstig, wenn Sie verstehen, was ich meine.« Schon wieder einer, der keine Angst vor seinem eigenen Klischee hat, dachte Jenny und taumelte mit geschwollenen Füßen und schlechtem Ge-

schmack im Mund zu den Kontrollschaltern im Flughafen. Wie sie das hasste, dieses Ausgeliefertsein in fremden Ländern. Und gerade die Länder, in die keiner freiwillig wollte, stellten sich an wie wahnsinnig. Zehn verschiedene Formulare, das Visa und nochmals den Pass und nochmals prüfende Blicke, ihr Unglück wandelte sich in übermüdete Verzweiflung, als das Taxi sie eine Stunde vom Flughafen in die Stadt fuhr.

Endlos. War alles, was ihr in den Sinn kam. Hässliche Häuser, die nach oben nicht aufhörten, Millionen Autos, dreigeschossige Autobahnen, stockender Verkehr, riesige Freiflächen, auf denen noch ein paar Ruinen standen mit Menschen darin, die auch bald entsorgt würden, um eine neue Scheußlichkeit zu bauen und nichts, nichts Schönes. Doch das würde sicher noch kommen, beruhigte sich Jenny, als sie endlich in ihrem Hotel angekommen war. Ihr Vater, der aus Shanghai stammte, hatte sich geweigert, China jemals wieder zu betreten. Er hatte in Deutschland gewohnt, bis er eines Tages vor zehn Jahren verschwunden war. Jenny sprach Chinesisch, doch sie wusste nichts über das Land, seine Kultur und das ganze Zeug. Ihr Vater hatte nie darüber geredet.

Ihre Mutter war nicht begeistert über Jennys Idee, nach China zu reisen. Doch Jenny war erwachsen, das war ja auch nicht immer hilfreich, und nun saß sie in einem feucht riechenden Zimmer der Hengshai-Möller-Villa und fragte sich, was sie eigentlich verstehen wollte da draußen. Sie war deutsch, sie sprach deutsch, dachte deutsch, und chinesisches Essen kannte sie wie alle Deutschen von gelegentlichen Restaurantbesuchen. Es war ihr auch unterdes egal, wenn Leute ihr sagten, dass sie ja sehr gut Deutsch spräche, oder sie fragten: Wie ist das denn in Ihrem Land. Ihr Land war Deutschland, egal ob sie es mochte oder nicht. Und China war das Land ihres Vaters, 50 Prozent ihres genetischen Materials, und die interessante

Frage, der sie gerne nachgehen wollte, war: Gab es etwas Chinesisches in ihr, und was konnte das sein? Was hatte sie mit diesen Menschen hier gemein, und was war mit ihrem Vater passiert? Was hatte ihn so starr gemacht und schweigsam, und gab es eine Erklärung für die Trauer, die sie ansprang, mitunter ohne jeden offensichtlichen Grund?

Es war Vormittag, Jenny in dieser unangenehmen Langstreckenflugart müde, als ob da lauter Schmutz wäre im Körper, als wäre er aufgequollen von Bazillen. Dieses Fliegen kann nicht gesund sein. Jenny dachte an Topmanager, Business Class, jede Woche fünfmal, und dann ab in ein Oriental Mandarin Hotel, die sahen überall gleich aus, das war dann wie daheim. Jenny saß auf dem Bett und betrachtete ihre aufgedunsenen Füße. Sie würde gleich rausgehen müssen, weil sie sich ja etwas vorgenommen hatte. Und sie fürchtete sich.

Miki
Hongkong

Was für eine überaus reizende Stadt, dachte Miki, als sie weich über Brücken glitt, das Panorama Hongkongs links und rechts, das Meer – gewaltig geputzt sah das aus, und es störte sie nicht einmal. Normalerweise mochte Miki Meere nicht, und auch in Los Angeles hatte sie es nur als Teil der Kulisse akzeptiert, über der die Sonne im Smog versank. Meer war groß und langweilig. Es zu benutzen mühsam, ständig schwappte einem Salzbrühe ins Gesicht, Quallen streiften Gliedmaßen, Sog zerrte am Leib, und danach klebte die Haut. Miki zog ein Wannenbad und Berge vor. Davon standen hier auch einige herum. Nicht solche Gletschergeschichten, aber doch propere Hügel. Eine kleine Straße nach oben, an Restaurants vorbei und Bars und der Rolltreppe, die sie aus einem Wong-Kar-Wai-Film kannte. Unentwegt, wie kleine saubere Maden, transportierte die Treppe morgens Banker und Broker in ihre Arbeitsstellen, ab zehn kehrte die Richtung, und Hausfrauen und Putzfrauen fuhren mit Einkäufen in die Banker- und Broker-Appartements. Mikis Wohnung befand sich im 17. Stock eines filigranen Hochhauses und bestand aus einer Miniküche mit Balkon, einem Schlafzimmer, das zu zwei Dritteln verglast und mit einem Doppelbett ausgefüllt war, und einem Raum mit kleiner Couch und Schreibtisch. Miki schaute in eine Kulisse aus Wolkenkratzern, die jedoch nichts Bedrohliches hatten, sondern wie langgezogene Einfamilienhäuser wirkten, dazwischen war das Meer zu sehen und Boote darauf. Miki dachte, dass diese Aussicht etwas Gefährliches hatte. Weil man sich schwerelos fühlte und es gerne ausprobieren wollte, das Schwerelossein. Andererseits gäbe es unwürdigere Arten, ums Leben zu kommen, als bei einem Rundflug in Hongkong. Obwohl Miki von Häusern und Wohnungen umgeben war – die Fenster schauten sie wie freundliche Augen an –, fühlte sie sich befremdlich aufgehoben. So munter war ihr, wie es einem nur nach einem First-Class-Flug sein kann, und Miki ging aus dem Haus. Die Luft war warm und feucht, vom Meer wehte ein feiner satter Wind, und die Menschen sahen ausgezeichnet aus. Overstyled, zierlich und höflich. Links und rechts der Rolltreppe kleine Gassen mit Supermärkten, mit Suppenküchen, Thairestaurants und Cafés. Mehr brauchte es nicht, um glücklich zu sein, dachte Miki und hatte fast vergessen, warum sie hier war.

Das Angebot war so beeindruckend gewesen, dass Miki, die eine aufrichtige Freude am Sparen hatte – in kleinen Haufen sah sie es vor sich liegen in der Bank, das Geld, und es hatte Gesichter, die ihr zublinzelten –, es nicht abschlagen konnte. Man weiß nie, sagte sie sich immer, manchmal altert man schneller, als einem lieb ist, und dann freut man sich über gepflegte Bettbezüge.

Irgendein Freak, etwas Dubioses, Mafia, Broker, Dealer, stellte sich Miki jedenfalls vor, war ein Fan von Mikis Filmen und hatte ihr einen Job in einer Art Edeleskortagentur angeboten. Das Angebot wurde ihr durch das Sekretariat dieses Herrn Ling übermittelt, alles sah so überzeugend und seriös aus, das Ticket erster Klasse war deponiert, selbst das erste Monatsgehalt war auf ihr Konto eingegangen, und so hatte sich Miki entschlossen, Los Angeles zu verlassen.

Das Telefon läutete, gerade als sie von ihrem ersten Spaziergang zurückkam. Herrn Lings Sekretärin, mit der Miki bereits einige Male telefoniert hatte, nannte ihr einen Ort, an dem sie sich in einer Stunde einzufinden hätte. Als Miki eine Stunde darauf im Taxi saß, hatte sie zum ersten Mal seit langem, vielleicht zum ersten Mal überhaupt, den Wunsch, von niemandem abhängig zu sein. Ihr fiel ein Gedicht ein, das sie einmal geschrieben hatte, im April, als sie dachte, vielleicht könne sie einmal Gedichte schreiben.

Es war so ein Morgen tief im April,
ich lag in meiner Wohnung still.
Von draußen schlug Regen an mein Dach,
ich war weder schlafend, noch war ich wach.
Ich konnt' nicht mehr denken, konnt' nicht mehr steh'n,
vor dem Fenster war'n Bären zu seh'n.
Große Schatten, die liefen herum,

ich dachte: Na Scheiße, und drehte mich um.
Dann am Abend, tief im April,
ich war irgendwo und trank da sehr viel.
Ich hörte die dummen Reden der Leute,
es gab aber nichts, worauf ich mich freute.
Ich hörte dem Tier zu, das neben mir saß,
das während es redete Döner aufaß.
Es war so ein Bär, ich erinnere mich,
er fragte: Sie wundern sich sicherlich.
Dann stand er auf und ging einfach weg,
ich dachte: Na Scheiße, was für ein Dreck.
Dann in der Nacht, tief im April,
von draußen, da klebten die Stunden still,
sah ich mich mal in meiner Wohnung herum
und dachte: Mann Alter, das wird mir zu dumm.
An meinem Fenster, mein Blick schien gelenkt,
da war der Bär, und er war erhängt.
Ich wollte dasselbe gleich im Anschluss tun,
doch musste ich erst mal ein paar Stündchen ruh'n.
Dann nahm ich den Strick, es war meine Leine,
und wickelte mir das Ding um die Beine.
Wie's weiterging, das weiß ich nicht mehr,
ich bin eingeschlafen, neben dem Bär.

Nun, vermutlich war es besser, dass sie Pornodarstellerin geworden war, dachte Miki. Sie fuhren eine gewundene Küstenstraße entlang, der Fahrer wies auf ein Haus und sagte: Jackie Chan. Der Jackie wohnte in einer Art englischem Landhausgeschwür, aber mit Meerblick. Die tropische Begrünung war hinreißend, und Miki wollte gerade alles: Kaffee trinken, sich die Stadt ansehen, in ihrer kleinen Küchenzeile Nudelsuppe kochen, lauter normale Dinge, und sie wollte es tun, ohne sich dafür ficken lassen zu müssen. Vermutlich hört mit über 40 der Spaß auf, dachte sie. Man hat keine Lust mehr auf nichts, außer seine Ruhe zu haben und die restlichen 30 Jahre in Würde verstreichen zu sehen.

Das Taxi hielt an einem riesigen Wohnblock mit einem Loch in der Mitte, für ungestörtes Drachendurchfliegen.

Repulse Bay.

Ein hübscher kleiner Strand, ein altes Kolonialhaus mit einem Thairestaurant und dann dieser Block dahinter, mit Appartements, die vermutlich 20 Millionen das Stück gekostet hatten. Miki fuhr mit dem Lift direkt in die Wohnung, so gehört sich das, und stand in den überzeugendsten Räumen, die sie je gesehen hatte. Dunkles Holz am Boden, weiße Flauschteppiche, 50er-Jahre-Möbel, skandinavisches Design, die hervorragend mit dem Blick durch die komplett verglaste Front zum Meer hin harmonierten. Erst nach einiger Zeit bemerkte Miki einen Mann in einem Rollstuhl in einer Ecke des Raumes. »Gefällt Ihnen Ihre Wohnung?«, fragte er. Miki starrte den Mann an, der vermutlich 60 war, oder 50 oder älter, ein Chinese, oder vielleicht war er Japaner, wer sollte sich damit schon auskennen. Er wirkte sehr zart und krank, hatte ein feines Gesicht und erzählte ihr mit leiser Stimme, dass er sie gesehen hätte, wo, spiele keine Rolle, und dass sie ihn an jemanden erinnere, den er einmal gekannt hätte, vielleicht nicht in diesem Leben. Er habe sie um sich haben wollen und geahnt, dass das als Grund mangelhaft klingen musste. Darum die Geschichte mit dem Job. Für die er sich entschuldigen wolle. Miki hörte dem Mann zu. Das gab es also wirklich, solche Filmsituationen ohne Film, dachte sie und sah den Mann befremdet an, und sich sah sie, unmotiviert in dieser Wohnung stehend, in einem Land, das sie nichts anging, sie sah sich in einem Beruf, der nichts mit ihr zu tun hatte, inmitten eines Lebens, das sie sich nicht ausgesucht hatte. Ich habe immer nur reagiert, dachte sie, das Naheliegende getan. Die Erbärmlichkeit ihres zufälligen Lebens, das rasend schnell an ihr und ohne sie vorüberging, wurde Miki klar, und vielleicht lag es an dem Mann, an der Situation, dass sie sich zum ersten Mal seit vielen Jahren unwohl fühlte und es auch so benannte. Sie hatte sich mit freundlichen Kleinigkeiten wie Sushi und Sonnenuntergängen, mit Büchern und Spaziergängen von unwohlen Gefühlen abgelenkt.

Der Mann schien ihr beim Denken zuzusehen, denn gerade als Miki eine Pause in ihrem Kopf einlegte, sprach er weiter. Er wisse nicht, was nun passieren solle, er würde ihr auf jeden Fall den versprochenen Lohn zahlen und die Wohnung, und vielleicht könnten sie sich ab und an treffen, um sich kennenzulernen, sagte der Mann, und alles an ihm strahlte Freundlichkeit aus. Miki spürte, dass es ihm nicht um Sex ging. In keiner Form. Dazu kannte sie das Gewerbe zu gut. Sie dachte nur: Das klingt nach einer einmaligen Chance, wenn sie auch nicht zu sagen wüsste, für was. Sie tranken Tee, sie redeten kaum, Miki schaute aufs Meer, auf den Mann und dachte, dass sie gerne mit ihm verwandt wäre. Der Mann, Miki konnte ihn nicht mit dem Namen Mr Ling in Einklang bringen, sagte ihr, dass er nun müde sei. Ein Taxi würde sie nach Hause bringen, und vielleicht würde sie ihm die Freude machen, am nächsten Abend mit ihm zu essen. Dann schloss er seine Augen, vielleicht war er eingeschlafen oder gestorben, und Miki verließ seine Wohnung. Alles sehr befremdlich, dachte sie, als sie in die Stadt zurückgefahren wurde. Sehr, sehr befremdlich. Mehr fiel ihr zu der ganzen Situation und ihrem Leben im Augenblick nicht ein.

Frederick
Hongkong

Frederick war gerne Taxifahrer. Nicht dass es eine besonders aufreibende Tätigkeit war, aber er liebte Hongkong, und er konnte sich nicht sattsehen daran.

Wenn er in sein Taxi stieg, mit den weißen Handschuhen und der Uniform, fühlte er sich wie ein Mann, der seinen Träumen gefolgt war. Während seiner Acht-Stunden-Schicht summte er unentwegt leise vor sich hin, und wenn es sich anbot, wies er Touristen auf Sehenswürdigkeiten hin. Das allerdings konnte ein wenig ausarten, denn für Frederick war die gesamte Stadt eine Sehenswürdigkeit. Die steilen Straßen, das Meer, die Märkte, die Menschen darin – er konnte seine Begeisterung schwer verbergen –, Hongkong war die reizendste Stadt der Welt, das wusste Frederick, obwohl er nur zwei Städte kannte.

Vor 26 Jahren war er aus einem Ort in China geflohen, dessen Hässlichkeit er nicht mehr ertragen hatte. Eine Industriestadt, in der die Menschen in rußgeschwärzten, kleinen, feuchten Häusern lebten, ohne irgendetwas Angenehmes, auf dem der Blick ruhen konnte. Frederick wollte wissen, ob es irgendwo auf der Welt etwas Schöneres gäbe. Er wusste nicht, wie es wäre, etwas ästhetisch Ansprechendes zu sehen, aber er war sich sicher, dass es ein Gefühl machen würde.

Vielleicht hatte er die Idee von Schönheit aus Büchern, vielleicht aus seinen Träumen, oder sie war in seinen Genen einprogrammiert. Er war umgeben von ausufernder Hässlichkeit aufgewachsen, nicht einmal seine Eltern waren attraktive

Menschen, und auch er selbst war mit seiner breiten Nase und seinem stumpfen Hinterkopf weit entfernt von jeder Niedlichkeit, sodass es interessant gewesen wäre, woher der Junge diese Sucht nach Schönheit hatte, wenn es einen interessiert hätte. Als Frederick mit 17 nach Hongkong kam, hatte er zu weinen begonnen, denn sofort war ihm klar gewesen, dass er den perfekten Ort gefunden hatte.

Die ersten Nächte hatte er am Strand verbracht, die Tage nur gestaunt. Die Menschen sahen nicht aus wie die Chinesen, die Frederick kannte, sie waren zierlich, hatten perfekt geformte Gesichter und waren höflich. Keiner spuckte auf die Straße, die Luft war sauber und roch nach Meer, und die Wolkenkratzer waren geradezu perfekt in ihrer Linienführung. Die folgenden 25 Jahre hatte Frederick in einem Gemeinschaftsquartier gehaust, er hatte einen kleinen Verschlag in Bettengröße, ein Radio und nichts weiter. Er hatte jeden Tag auf dem Bau gearbeitet, war nachts in sein Bett gefallen und hatte gespart. Einmal im Monat hatte er einen Tag frei, den er im botanischen Garten verbrachte. Er hatte dort einen Freund gefunden, einen Pelikan, der ihn in seiner absoluten Albernheit an seine Vergangenheit erinnerte, er besuchte den Pelikan, um ihn zu trösten, denn täglich wurde er von Kindern, die in Schulklassen in den Park strömten, ausgelacht. Das Tier, so schien es Frederick, schämte sich aufrichtig, doch es gelang ihm nicht, seinen Schnabel mit diesem roten Sack daran irgendwo zu verbergen.

Die monatlichen Besuche bei seinem Freund wurden ein fester Bestandteil in Fredericks Leben.

Vor einem Jahr war es so weit gewesen, dass Frederick genug Geld hatte, um sich mit einem Taxi selbstständig zu machen und sich eine Ein-Raum-Wohnung am Stadtrand zu kaufen, die sogar einen kleinen Garten aufwies. Seitdem war Frederick ein glücklicher Mann, und es gab nichts, das er in seinem Leben vermisste. Am Tag fuhr er Taxi, er hatte eine Menge Stammkunden, denn er versuchte, seine mangelnde Attraktivität durch Freundlichkeit aufzuwiegen, was sehr gut gelang. Er kannte Hongkong wie seine Wohnung, und er registrierte jede Veränderung in der Stadt, die hässlichen Neubauten in den New Territories quälten ihn, die eleganten Hochhäuser, die im Zentrum entstanden, ließen ihn schwindelig werden vor Freude. Nach Feierabend, und Frederick arbeitete nie zu viel, denn er hatte sich vorgenommen, die Jahre, die ihm noch bleiben sollten, zu nutzen, sang er Peking-Opern in einem Club auf Lamma Island, er ging in Ausstellungen, in den botanischen Garten, er las, er schaute sich Architekturbücher an. Frederick war ein glücklicher Mensch. Eines Nachts besuchte er wieder seinen Pelikan. Der war alt geworden über die Jahre, vielleicht war er auch irgendwann ausgetauscht worden, aber daran mochte Frederick nicht denken. Der Pelikan war krank, und Frederick saß die ganze Nacht, die empfindlich kühl war, bei dem Tier und sprach ihm zu. In den nächsten Tagen fühlte sich Frederick sehr unwohl. Nach vier Tagen konnte er nicht mehr Taxi fahren und bekam hohes Fieber. Als es fast 40 Grad betrug, folgte Frederick schwankend einer Eingebung. Er musste zu seinem Pelikan. Im Regen machte er sich auf den Weg in den botanischen Garten. Er versuchte das Tier, das sich wehrte, unter seinem Mantel zu verbergen, um es in Sicherheit zu bringen. Der Pelikan verstand Frederiks gute Absicht nicht. Er attackierte ihn mit seinem albernen Schnabel, und Fredcrik verließen seine ohnehin mangelhaften Kräfte. Er legte sich für eine kurze Pause in den Rasen, er blickte in die Bäume, die verschwammen zu einem Dach aus grünem Frieden, er dachte, dass er ein Jahr Glück gehabt hatte in seinem Leben. Ein Jahr als freier Mann. Das war doch mehr, als die meisten Menschen jemals erfahren würden. Der Regen durchweichte Fredericks Mantel, der

Pelikan starrte ihn ohne erkennbare Gefühlsregung an, und als der Morgen anbrach in Hongkong, nahm Frederick das nicht mehr wahr. Es handelte sich um einen perfekten Morgen.

Helena
Bombay

Helena war hysterisch zur Rezeption gerannt, hatte dort das Wiegen des Rezeptionistenkopfes angeschaut, das Europäer so niedlich finden. Der Rezeptionist zum Kopf, der ihr nicht helfen konnte und sie nicht verstand, wies sie darauf hin, dass sie ihr Zimmer räumen müsste, weil sie es nur für eine Nacht bezahlt hätte, und nun sei es schon 14 Uhr, und normalerweise war Check-out bis eins und sorry madam, we can't help u und Kopfwiegen, und Helena fing an zu weinen, was Inder als äußerst uncool erleben, so weinende Kolonialherren. Der Rezeptionist wiegte weiter den Kopf, konnte aber immer noch nicht helfen, und seine Stimme war ein wenig weniger freundlich und drängte sie zu gehen. Helena hatte noch ungefähr 60 Dollar bei sich, Pass und die Tickets gar nicht, die waren im Gepäck gewesen. Sie wühlte aufgeregt in ihren Taschen, als hälfe das irgendwas, sie verlangte nach der Polizei, die nach Stunden eintraf, ein Protokoll aufnahm, freundlich lächelte, nicht helfen konnte, shit happens, ihr aber immerhin die

Adresse des deutschen Konsulats gab, mit dem Kopf wackelte und verschwand. Der Rezeptionist wies sie (freundlich mit dem Kopf wackelnd) nach draußen. Und da stand Helena dann, in der Mittagshitze, die ihr vielleicht nur vorkam wie Mittagshitze, einfach heiß der Scheiß, und Hupen und der Geruch von Urin und Tier in der Nase, und diese Stadt gehört weggebombt, dachte Helena, merkte jedoch, dass ihr zum Bomben jede Möglichkeit fehlte, und setzte sich in eines der schlechtriechenden Fiat-Taxis. Interessant, wie die westliche Welt ihre Abfallprodukte nach Asien karrt, alte Medikamente, kontaminierte Milchprodukte, Fehlproduktionen. Die meisten Touristen suchten Erlösung, sie fühlten sich immer noch als Kolonialherren, wenn sie die launige Folklore im Land bestaunten, und hatten keine Ahnung, dass da die kommende führende Weltmacht heranwuchs. 800 Millionen mit dem unbedingten Willen, reich zu werden, die Besten zu werden, ein Land mit Millionen, die auf Universitäten gingen, gierigen, unverbrauchten Menschen, mit Millionen billigen Arbeitskräften, die das Kastensystem gewohnt waren, nicht aufbegehrten, sondern zufrieden waren, statt einem Dollar nun zwei am Tag zu verdienen. Die Inder liebten ihr Land; studierten sie im Ausland, kehrten sie zurück, um ihm zu dienen. Aber all das sah Helena nicht, das sahen die meisten Touristen nicht, sie waren interessiert an Spiritualität und alten Märchen.

Wieder vorbei an den endlosen Hausversuchen am Straßenrand. Plastikplanen an Mauern gezurrt und viel Ruinen, Häuser, denen die Vorderfront fehlte, wo war sie nur hingeraten? Nach einer Stunde hielt das Taxi – Helena hatte ihre schwierige Situation, staunend über die Hitze und den unfassbaren Müll auf den Straße, schon fast vergessen – vor dem Konsulat. Sie fühlte sich schon fast in Sicherheit, fast daheim, so hübsch war ihr der deutsche Geier noch nie vorgekommen.

Erst nach einigen Minuten wurde ihr klar, dass die Tür geschlossen war, und zwar fest. Natürlich. Wochenende, deutsche Bürokratie, vor Montagmittag lief hier mal gar nichts.
Das hieß für Helena, fast drei Tage mit 60 Dollar herumzubringen, ohne Pass und ohne Gepäck. Was machen diese
Scheißkonsulate eigentlich am Wochenende, und wenn es
ein Notfall war? Obgleich – mehr Notfall als sie selbst konnte
sich Helena gerade nicht denken. Der Grad an Depression und
Verzweiflung, den sie erreicht hatte, ließe sich auf der Ver-
zweiflungsskala von eins bis 100 nicht mehr messen. Helena
weinte, die Inder schienen sie zu verspotten, sie zupften an
ihren Ärmeln, Kinder fassten nach ihr, Frauen kicherten, überall hörte sie: Madame, Madame, Money. Helena begann hysterisch zu kreischen und zu rennen. Sie war, was man außer
sich nennen konnte. Bei Einbruch der Dämmerung wusste
Helena weder, wo sie sich befand, noch, warum. Sie hätte einfach vor der Botschaft sitzen bleiben und warten sollen, und
nun wusste sie nicht, wo sie war, und es wurde dunkel, denn
alles schien sich zu bewegen am Straßenrand, zu krabbeln, sie
ertrug die Luft nicht mehr, das endlose Gehupe nicht mehr,
das Angetatschtwerden, sie weinte, ohne aufzuhören, sie zitterte, und der einzige Gedanke, der ihr fast gefallen könnte,
war, dass sie sich nichts zu essen kaufen konnte und nun vielleicht ein paar Kilo verlor. Diese verfickte Stadt geht wohl nie
schlafen, dachte Helena, als sie nicht mehr weinen konnte,
irgendwann kann man das ja nicht mehr, und sie hockte sich
in einen Hauseingang und versuchte sich auszuruhen. Das
ging so lange, bis sie eine Berührung spürte. Eine Ratte, groß
wie ein Kalb, drückte sich schlechtgelaunt an Helena vorbei,
die schreiend aufsprang. Für eine Nacht auf der Straße schien
sie nicht gemacht. Hatten die nicht ein Meer hier? Aber wo war
das, wo war sie? Vielleicht ist das, was in solchen Situationen eintritt, Todesangst. Ein Ahnen darum, wie egal man ist.

Helena hatte gestern in der englischen Bombaynews gelesen, dass Diebe einem Mann beide Arme abgehackt hatten, nur so, der Mann hatte dann seine Arme bei sich, es war nicht näher erläutert, wie er sie getragen hatte, und tigerte zu einem Krankenhaus, das ihn abwies, weil er wirkte, als ob er nicht zahlungskräftig wäre. Ein Tuk-Tuk-Fahrer hatte ihn dann mit den Armen zusammen vom Boden gekratzt und in ein öffentliches Spital gefahren. Die Arme konnte man da natürlich nicht annähen, aber sein Leben retten. Eine lustige Zeitungsgeschichte neben vielen anderen Morden, Unfällen, die Zahl derer, die in einer Nacht hier ums Leben kamen, so egal, es hatte ja noch genug andere. Und sie selbst mittendrin. Schwierig für jemanden, der in durch Unterbevölkerung bedingtem Individualismus aufgewachsen war, zu erkennen, dass es von höchst geringer Bedeutung wäre, stürbe sie hier irgendwo. Man würde sie einsammeln und verbrennen. Und noch schlimmer fast: Es würde auch daheim kaum einem auffallen. Viele ihrer langjährigen Freunde hatten sich aus ihrem Leben verabschiedet. Pia war in – keine Ahnung, wo, sie wollte nach London am Ende ihrer Reise. Miki war in Los Angeles, und die anderen, die Bekannten von ihren Jobs, wären vermutlich erleichtert, wenn sie nicht auf Helenas unbeholfene Einladungen eingehen müssten, mit denen sie ihrer Einsamkeit entfliehen wollte. Abendessen mit fast Unbekannten, dieses Schweigen am Tisch, dieses dauernde Frösteln. Sonntagsspaziergänge mit Paaren in zu heller Sonne, und so müde, dass sie umfallen wollte. Wie durch ein Wunder war Helena entlang ihrer Gedanken ans Meer geraten. Keiner badete darin, vermutlich weil es zu verschmutzt war, doch am Strand hielten sich ca. 300.000 Inder auf. Bettler, Luftballonverkäufer, tanzende Affen, alle Kleingaukler und Trickdiebe hatten sich um Helena versammelt, bis die einfach auf den Boden sank und vor sich hinschrie. Ein Mann trat ihr in den Bauch, warum er das tat – keine Ahnung. Vielleicht haben Inder auch diese Sache mit Gesicht-nicht-Verlieren am Start, und demnach hatte Helena nicht nur ihr Gesicht, sondern auch noch Hinterkopf und Flanken eingebüßt.

Irgendwann wurde sie auf die Beine gezogen, tränenblind ließ sie sich wegschleifen und hörte eine Sprache, die sie verstand. War sie so verwirrt, da sie unterdes Indisch beherrschte?

Sie sah sich einem Mann gegenüber, der jede Form verloren zu haben schien.

»Du darfst dich nicht so gehenlassen«, sagte er, »das mögen sie zu sehr, wenn sich ein Weißer gehenlässt. Wir kommen hierher und nehmen ihnen ihre Plätze im Ashram weg, wir laufen mit unzüchtigen Sachen rum«, Helena blickte auf ihren verrutschten Jeansminirock, »und lassen sie für uns arbeiten. Sie warten nur darauf, dass wir uns gehenlassen. So, komm weg hier, der Strand ist nicht für Touristen, das ist ihr Freizeitvergnügen.« Der Mann, der sich nicht vorgestellt hatte, trug einen zerdrückten Hut, unter dem weiße lange Haare hervorquollen, der Anzug an ihm war vielleicht mal ein Tropenanzug gewesen, man konnte das nicht genau ermitteln, er umfloss seinen mageren Körper wie ein schmutziges Zelt, seine Brille war mit Heftpflaster geflickt. Er zog Helena hinter sich her, murmelte, dass er Peter hieße, und nach einem langen Weg – Helena kam jede Strecke in dieser Stadt unerträglich lang vor – schob er Helena in einen Korridor, der von Neonlicht beleuchtet war und in dem außer Kakerlaken noch Helena völlig unbekannte Insekten herumtigerten. Vielleicht waren es Hunde. Eine schmale Treppe in eine Wohnung, die den Namen nicht verdient hatte. Der Mann hinkte ein wenig und nötigte Helena, sich auf ein Bett zu setzen. Das Zimmer hatte kein Fenster, dafür etwas, das ein Waschbecken sein konnte, das war aber unter dem Schmutz nicht genau auszumachen. Das Bett war ein Holzbrett auf Backsteinen, darauf lag eine Matratze, Rosshaar, von ungefähr zwei Zentimeter Dicke, eine alte Wolldecke auf dem Bett, der man eine Geschichte ansah, die man nicht wirklich wissen wollte. Von der Decke hing eine schwache Glühbirne, gegen die sich eine Kerze wie ein Flutlicht ausnahm. Peter kauerte sich vor Helena und fragte: »Ausgeraubt, stimmt's? Das ist normal hier. Kein Drama. Du gehst zum Konsulat am Montag, dann schicken sie dich heim, und solange bleibst du bei mir. Jetzt wasch dich mal, du siehst etwas abstoßend aus, nimm ein T-Shirt von mir, so kannst du hier nicht rumlaufen, ich geh mal kurz nach draußen und besorg dir was zu Essen.« Sagte Peter und ging. Helena wusch sich, zog ein Queens-of-the-Stone-Age-Shirt von Peter an und setzte sich danach auf die äußerste Kante des Bettes. Als Peter zurückkam, hatte sie sich wieder unter Kontrolle. Sie atmete normal und war imstande, Peter zuzuhören, der ihr erzählte, dass er aus Sri Lanka kam, eigentlich nach Deutschland wollte, aber vorher noch eine kleine Pause hier eingelegt hatte.

Peter versuchte ihr Bombay zu erklären, es erschien ihm wie das Urmodell der menschlichen Zivilisation. Es geht nur ums Überleben hier, erklärte Peter, darum geht es doch allen, nur haben wir es vergessen über unserem angenehmen Leben. Wir müssen uns um nichts mehr bemühen und haben den Grad an Sattheit erreicht, da der Gemütszustand wieder in Langeweile und Unzufriedenheit kippt. Darum wird Europa in 40 bis 50 Jahren keine Rolle mehr in der Weltpolitik spielen. Indien und China wird gelingen, was den albernen Islamkriegern nicht glücken wird: die feindliche Übernahme des Westens. Aber was soll's, wir hatten ja unsere Zeit.

Peter, wurde Helena klar, liebte es, sich reden zu hören. Und Helena fühlte sich nicht in der Lage, das zu verurteilen.

Beide waren unterdes auf die Straße getreten, denn Peter wollte ihr die schönen Seiten von Bombay zeigen. Und wieder ein Slum, die musste man nicht lange suchen in Bombay, und Helena schaute hin. Vielleicht zum ersten Mal, seit sie in der Stadt war. Eine Frau, sie schien recht jung, hockte auf einem Tuch, über ihr gab es eine Plastikplane, darinnen immerhin einen Kochtopf und etwas, was wie eine Decke aussah. Ein paar Dosen schienen ihr zu gehören, und Helena sah in ihre Augen und registrierte zum ersten Mal seit sie hier war, dass da ein Mensch vor ihr saß, dass es alles Menschen waren, da am Rande der Straße.

Amirita
Bombay

Diese Frau sah ja wohl unmöglich aus. Amirita schaute der schweren Fremden nach. Wie nachlässig sie gekleidet war, wie strohig ihr Haar abstand, und wie furchtbar rot ihr Gesicht war. Immer wenn Amirita so hässliche Ausländerinnen sah, überlegte sie sich, wie die besser aussehen könnten. Bei dieser Frau war das eine schwierige Aufgabe. Ein Sari würde mal helfen. Diese Beine gehörten unbedingt verdeckt. Das Haar wachsen lassen und zu einem Knoten aufnehmen, Make-up, Ohrringe, da wäre schon noch was möglich. Amirita blickte

der Frau nach, die sich wie ein Walross von ihr wegbewegte. Man spürte, dass sie sich fast ekelte, ihre Füße auf den Boden zu setzen. Amirita fragte sich, ob sie mit dieser Person tauschen würde. Und wieder einmal musste sie das bejahen. Dann wäre sie eben dick und unattraktiv. Aber sie würde wegkönnen.

Sie wusste, wie Europa aussah. Das kannte sie aus den Filmen: saubere Luft, Berge, Gärten, Parkplätze, von denen man essen konnte. Wann immer Amirita Fremde ansah, hatte sie einen Neid in sich, der ihr fast den Atem nahm.

DIE KONNTEN WEG.

Und sie würde nie irgendwohin können. Sie hatte es ja noch nicht einmal richtig in die Stadt geschafft. Es stimmte nicht, dass die Leute in Bombay nicht merkten, was Bombay war. Dieser Dreck, die Hitze, der Geruch, natürlich wussten die das. Aber wohin laufen, wenn es da kein Wohin gab? Amirita war aus einem Dorf, etwa zwei Stunden von Bombay entfernt, in die Stadt gekommen. Ihre Eltern waren tot und das Dorf schlimmer, als es die hässlichste Ecke Bombays sein konnte. Armut und Langeweile hatte die Leute gehässig werden lassen. Wenn man nur ein anderes Muster auf dem Sari trug als die anderen, war das für Wochen Anlass für Boshaftigkeiten. Es gab keinen Arzt am Ort, kein Café, keinen Laden, keine Schule, nichts. Nur Feuchtigkeit, Lehmböden, Moskitos und Hitze. Viele der verschuldeten Teppichweber und Landbesitzer brachten sich mit Pestiziden um und ließen ihre Familien in völliger Armut zurück. Die Verlierer der Globalisierung.

Irgendwann war Amirita klargeworden, dass sie da weg müsste, und zwar unbedingt. Sie hatte morgens ein Bündel gepackt, war mit dem letzten Geld, das ihre Eltern gespart hatten, nach Bombay gefahren.

Amirita stand eine Stunde am Bahnhof Bombays, ehe sie sich imstande fühlte, auf die Straße zu treten. Millionen Menschen, Autos, Restaurants, Geschäfte, Flugzeuge am Himmel – es schien ihr das Paradies zu sein. Und wie die jungen Mädchen sich kleideten. Mit Hosen und bauchfreien Oberteilen, sie saßen auf Mopeds, die sie alleine lenkten, Amirita hatte das Gefühl, genau am richtigen Ort zu sein, zur richtigen Zeit. Sie lief am ersten Tag durch die Straßen und fand sogar einen Job. In einem Restaurant suchten sie Putzpersonal. Die Bezahlung war nicht schlecht. Zwar hatte Amirita keine Vergleichsmöglichkeiten, aber 1.000 Rupien im Monat waren mehr, als sie jemals auf einen Haufen gesehen hatte. Sie sollte am nächsten Tag beginnen, das Restaurant reinigen, die Küche, sie musste nicht einmal die Abfälle raustragen. An jenem ersten Tag in Bombay hatte Amirita das Gefühl, ihre Zukunft begänne jetzt. Sie lief durch das kleine Viertel hinter dem Taj-Mahal-Hotel, alte Villen, moderne Restaurants, Musicstores, Dinge, die Amirita nie zuvor gesehen hatte, und sie war sich sicher, dass sie bald ein Teil dieser glänzenden Welt sein würde. Immerhin hatte sie sofort einen Job gefunden, das hieß: Man wartete hier auf sie. Die, die an der Straße lagen, sah Amirita kaum. Bettler vermutlich, Leute, die nicht arbeiten wollten. Sie kamen ihr so schmutzig vor, so traurig, doch mit denen hatte sie nichts zu tun. Erst spät nach Mitternacht wurde Amirita müde. Der Tag war zu aufregend gewesen. Nach weiteren drei Stunden musste sie feststellen, dass es für die 200 Rupien, die sie noch besaß, keine Unterkunft gab. Nicht einmal ein Bett in einer Massenunterkunft war dafür zu haben, und als die Nacht kam, breitete sie an einer freien Stelle am Rande der Straße einen Sari aus, legte ihren Kopf auf ein Bündel und dachte: Es ist ja nur für eine Nacht. So war das damals.

Unterdessen waren drei Jahre vergangen. Amirita hatte einen anderen Putzjob gefunden, sie arbeitete zehn Stunden am Tag für 1.500 Rupien, und sie wusste unterdes, dass sie nie eine Wohnung in der Stadt haben könnte. Jeden Tag in ihr Dorf fahren war unmöglich, und so machte sie es sich am Rande der Straße bequem. Sie hatte sich eine kleine Hütte gebaut und fand es nicht einmal so schrecklich, es war immer warm, und die Hütte einzurichten erinnerte sie an die Zeit als Kind, als sie sich immer kleine Häuser gebaut hatte. Sie hatte ein Dach und Strohmatten zu einem Haus geformt, eine kleine Kochstelle und Teppiche am Boden. Am Ende der Straße, in der viele Hütten wie ihre standen, gab es eine Toilette und Wasser. Einmal in der Woche ging sie eine Stunde, bevor alle anderen kamen, in ihr Restaurant und wusch sich dort auf der Toilette, glücklich über den Luxus des fließenden, unbegrenzt zur Verfügung stehenden Wassers. Eines Tages kamen zwei auffallende Frauen in das Restaurant. Sie trugen seltsame Kleidung, waren streng frisiert und wirkten auf unbestimmte Art überlegen. Ihre Füße steckten in Pumps, sie hatten kleine Rollkoffer bei sich. Amirita stand in der Küche und beobachtete die Frauen, wie sie sich frei bewegten, gut rochen und gepflegt aussahen. Sie sah an sich herab, an ihrem alten Kleid, den bloßen Füßen, und sie fühlte sich auf einmal so wertlos wie die Kakerlaken, die über den Küchenboden tigerten. Nachdem die Frauen gegangen waren, fragte Amirita einen Kellner, ob das Filmstars gewesen seien. Der Kellner warf ihr ob ihrer Dummheit einen verächtlichen Blick zu und sagte, das seien Stewardessen gewesen. Amirita schaute ihn leer an. Der Kellner erklärte ihr, was Stewardessen waren.

An ihrem nächsten freien Tag fuhr Amirita zum Flughafen, löste ein Ticket für das Besucherdeck und verbrachte dort Stunden. Sie sah Flugzeuge, sie sah Stewardessen und Dienstkleidungen, Kapitäne und ein bisschen die weite Welt. Es wäre besser gewesen, so schien es Amirita, sie hätte nie darum gewusst. Denn von nun an trat die Traurigkeit in ihr Leben, oder vielleicht merkte sie auch nur deutlicher, warum sie ihr

Leben lang traurig gewesen war, ohne dem weitere Beachtung zu schenken. Von da an sah sie jedem Flugzeug, jedem Fremden sehnsüchtig nach.

Amirita wurde besessen von der Idee, eine Stewardess zu sein. Sie sammelte Fotos von Airlines, Fotos von Stewardessen, von Reisezielen und Reisegepäck. Wann immer sie konnte, fuhr sie zum Flughafen. Das wurden die Höhepunkte in ihrem Leben. Eines Tages sprach sie einen Sicherheitsbeamten am Flughafen an, nachdem sie drei Stunden gebraucht hatte, um den Mut zu finden. Sie fragte ihn, wie man Stewardess werden kann. Amirita hatte Glück, der Beamte war freundlich. Und erklärte ihr, dass man zwei Fremdsprachen beherrschen müsse, gesund sein und gut aussehen müsse, unter 30 sein und gute Zeugnisse vorzuweisen hätte. Dann gäbe es einen Eignungstest, eine Ausbildung, und Bedarf sei da immer.

Noch am selben Abend besorgte sich Amirita ein Englischlehrbuch. Damit saß sie in ihrer Hütte, darin las sie, als die dicke blonde Frau an ihr vorüberging, und gewohnheitsmäßig musterte Amirita sie, mit weniger Neid allerdings und Traurigkeit als sonst. Etwas Neues war in ihr Leben getreten. Etwas wie Hoffnung.

Pia
Genf

Pia war mit ihrer Reisebekanntschaft Brian nach Genf geflogen. Sie hatten sich während des Fluges an der Hand gehalten.
Waren nach Ankunft sofort in ein Hotel gegangen und hatten
die Nacht miteinander verbracht. Früh am Morgen hatte sich
Pia leise angezogen und hatte Brian und das Hotel verlassen,
sie hatte sich in ein Café gesetzt und fühlte sich benommen,
verwegen, glücklich und unglücklich zugleich. Ihr war klar,
dass Brian nicht ihr Mensch war. Nicht wegen des Altersun-
terschiedes, das war ihr egal, sie wusste, dass man vieles lieben
konnte, wenn man sich nur ein wenig Zeit ließ, doch etwas in
der Grundzusammensetzung sagte ihr, dass diese Geschichte
nichts werden konnte. Wenn es Vorteile hatte, das Erwachsenwerden, dann dass man sehr viel schneller als früher wusste, was unmöglich ist.

Pia hatte das Eintreten des Alters nur mit 39 gespürt. Damals hatte sie der Abschied von der Jugend verzweifeln lassen,
40 zu werden schien ihr gleichbedeutend mit dem baldigen
Tod zu sein. Was natürlich richtig war, wusste sie heute. Jede
Zeit im Leben war gleichbedeutend mit dem baldigen Tod.
Nur damals hatte die Zahl sie so erschüttert, die 40, die 40, die
40, dass sie fast ein Jahr lang in Trauer gelähmt war. Zahlen
sind nur denen wichtig, die das Alter nahen fühlen.

Die Depression hatte sich nach dem Geburtstag sofort erledigt. Nach dem Akzeptieren. Nach dem Realisieren, der
Erleichterung, die es bedeutete, sich nicht mehr jung fühlen
zu müssen. Das Alter nicht mehr verschweigen zu wollen
und immer gerade sitzen zu müssen, weil der Bauch aus den
bauchfreien Oberteilen hervorschauend Wellen bildete. Ab
40 war es Pia völlig egal geworden, wie alt einer war. Kein
Qualitätsmerkmal mehr. Menschen unterteilte sie nicht mehr

in alt und jung, sondern in authentisch und in Erwartungen anderer erfüllend. Pia verwaltete ihre schnell schwindende Lebenszeit sorgsam, und sie verbachte sie, wenn es denn überhaupt notwendig war, nun mehr mit Personen, die weder versuchten originell zu sein noch angepasst, etwas zu sein, das sie nicht waren. Natürlich bedauerte sie ausgerechnet jetzt, wo sie Zeit hatte und entspannt war, dass sie keinen Mann hatte.

Alles im Leben hat seine Zeit, dachte sie sich an jenem Morgen. So wie der Körper sich verändert, wäre es bei Menschen, die im Besitz ihrer geistigen Kräfte sind, wünschenswert, dass ihre Gedanken sich der verstreichenden Lebenszeit anpassen. Der junge Mensch muss sich für unsterblich halten und überlegen, er muss die Alten misstrauisch betrachten, sonst hätte er keinen Grund weiterzumachen. Wäre ihm seine Vergänglichkeit und Nichtigkeit klar, wäre ein gezielter Schuss in den Kopf die einzig richtige Maßnahme. Das mittlere Alter, die Zeit, da die Wiederholungen beginnen, kann man durchaus solch alberne Dinge tun wie herausfinden, was seine wirklichen Neigungen sind, man kann probieren, versuchen, verwerfen, und selbst der Satz: Ich muss meine Mitte finden, kann ungestraft passieren. Trauern kann man in den mittleren Jahren, da man die Sterblichkeit versteht und wie wenig man am Lauf der Welt verändern wird. Wenn man nicht aus Versehen Einstein ist oder Plato, wird man kaum Spuren hinterlassen, und das zu beweinen steht jedem 40-Jährigen zu. Aber irgendwann wäre es angebracht, die eigene Larmoyanz zu überwinden. Natürlich sind wir nur kurze Zeit hier, natürlich sind wir enttäuscht, natürlich ist der eigene Verfall kein Schauspiel, dem man freiwillig gerne beiwohnen möchte. Aber was soll's? Wir sind ja nicht allein mit unserem Schicksal, die Friedhöfe sind voll mit denen vor uns, und keinem blieb ein unwürdiges Ende erspart. Es wäre also für alle angenehm, wenn es gelänge, ab einem gewissen Alter eine ruhige, gelassene, humorvolle Haltung einzunehmen. Sonst gäbe es ja ein Mordsgezeter auf der Welt, da würde jeder kreischen und trauern, und das ohne Ende. Es liegen mit über 40 auch noch entschieden zu viele Jahre vor einem, als dass man den Atem zu so einem langen Lamento aufbringen könnte. Wir werden alt, und das sieht bei allem Wohlwollen, bei allem sich ekelerfüllten Abwenden von manipulierten Werbebotschaften nicht schön aus. Dinge am Körper treten in Erscheinung, die besser versteckt blieben. Haare gehen ihrer Wege, und man muss einen sehr viel größeren Pflegeaufwand betreiben mit solch altem Gewebe, denn es neigt zum Geruch. Aber es hat durchaus auch einen erfreulichen Aspekt, das Altern. Wenn man sein Leben nicht als Dummkopf verbracht hat, wird man für die äußerlichen und gesundheitlichen Unannehmlichkeiten mit ein paar angenehmen Umständen belohnt. Man wird gelassen. Weiß, dass Liebe durchaus möglich ist, wenngleich auch nicht in jener hysterischen Form, die wir in der Jugend gesucht haben. Zehnmal am Tag Geschlechtsverkehr und sterben wollen vor Sehnsucht, das ist doch wirklich anstrengend auf Dauer. Die große Liebe ist das, was bleibt. Es ist das, was ich nie gefunden habe, dachte Pia, es ist klein und vertraut, es ist freundlich und hat einen dicken Bauch. Geliebt werden ist: Jemand erträgt dich. Er kocht dir ab und zu einen Tee und krault dir den Kopf. Will man sich unglücklich machen, durchaus legitim, denn es macht ja erinnernswerte Gefühle, sollte man ruhig weiter nach den Dingen suchen, aus denen Filme gemacht werden. Ein Kreischen über 90 Minuten. Da ist es doch wohliger, mit dem kleinen, stillen, bäuchigen Glück zufrieden zu sein, den Tod nahen zu sehen, zu bedauern, aber lächelnd die Schultern zu zucken und sich zu sagen: Was soll's, so ist es eben. Bin ja nicht allein damit. An dem Tag, an dem ich sterbe, werden ein paar Hunderttausend mit mir kommen. Und so lange schau ich, dass ich keinen Unfug anstelle. Ich mache das, was ich mache, sorgfältig, denn die Ruhe kann ich mir heute leisten, ich schaue mir Menschen genau an, und wenn ich sie nicht mag, verbringe ich meine rare Zeit nicht mit ihnen. Ich muss nicht mehr in Bars lümmeln, um mir zu beweisen, dass ich lebendig bin, und wenn es mir passt, ein paar Tage im Bett zu verbringen, weiß ich, dass ich außerhalb des Bettes nichts verpasse. Die Welt wird weiter und auch ohne mich ein Ort sein, an dem immer wieder ein paar nette Sachen passieren, die sofort von Gier und Dummheit negiert werden. Ich werde das nicht ändern, aber ich kann ja so tun, als glaubte ich, es zu können. Und die Liebe, mein Gott, die Liebe. Die wird ja wohl ein bisschen überschätzt. Kann ich nicht alle lieben, von Zeit zu Zeit. Kinder, Omas, Opas, meinen Mann, meine Frau, meinen Hund, den Nachbarn, den Frühling, eine Tasse Kaffee auf dem Balkon im Herbst? Kann ich nicht einfach einen finden, der nett zu mir ist und freundlich die letzten Jahre, die ich noch hier bin?, fragte sich Pia, die nun seit vier Stunden in dem Café saß. Die Sonne war aufgegangen, der See grüßte freundlich, und Pia weinte, ihre Tränen fielen leise und unaufgeregt in den kalten Kaffee vor ihr.

Mr Ling
Hongkong

Mr Ling fuhr mit seinem Rollstuhl vor das Panoramafenster und schaute in den Regen. Der April in Hongkong war unzumutbar. Kalt und regnerisch, ein unsympathischer Wind vom Meer, und die Luftfeuchtigkeit war so hoch, dass man scheinbar mit einer Kruste aus pürierten Kröten überzogen wurde, verließ man das Haus.

Mr Ling war jünger, als er aussah. Oder er fühlte sich jünger, so genau wusste er das nicht zu sagen, denn er feierte seine Geburtstage schon lange nicht mehr. Damals in Deutschland, als sie die Multiple Sklerose festgestellt hatten, war ihm klar gewesen, womit er sich dieses Schicksal verdient hatte. Er war über Nacht aus dem Leben seiner Frau und seiner Tochter verschwunden, weil er keinem zumuten wollte, seine Strafe mitzutragen.

Mr Ling glaubte unterdes, zu einem neuen Menschen geworden zu sein.

Er war Buddhist, ohne das Wort zu verwenden, und hatte eingesehen, dass es eine Moral gab in allem, was man tat.

Wegen der Moral saß er heute im Rollstuhl.

Das war kein Problem, denn er liebte es zu sitzen und zu liegen. Eine Kunst, die er mit Bravour beherrschte, war das völlig entleerte Schauen. Aus dem Fenster, an die Wände. Ling war der begabteste Schauer der Welt. Dachte er an sein Alter, so bedauerte er, nicht 500 Jahre leben und noch mehr schauen zu können. Es war ihm ein großer Schmerz, sich vorzustellen, dass er bald schon keinen Frühling mehr sehen würde, keinen Sonnenuntergang; keine Nachbarn zu beobachten, die unter seinem Fenster am Strand picknickten, schien ihm furchtbar trostlos. Ling hatte so viel Geld, dass er es nie würde ausgeben können. Er hatte eine Vergangenheit, über die er nicht sprach, und eine Tochter, die er seit zehn Jahren nicht gesehen hatte, und er hatte sich Miki ausgesucht. Weil irgendetwas in ihrem Gesicht ihn an seine Tochter erinnerte.

Miki hatte er gesehen, als ihm langweilig war, und dann hatte ihn Miki angesehen in diesem Film, in einer Art, dass er verlegen gerade wieder die Hose schloss.

Sie hatte ein Gesicht, das ihn wahnsinnig machte, ihre Ohren standen ein wenig ab, und ihre Augen waren voller Humor und Traurigkeit. Es war seine Tochter in Europäisch. Er hatte sich Miki gekauft, wenn er ehrlich zu sich war. Er wollte mit ihr am Meer spazieren fahren und sich an ihren Bewegungen erfreuen. Vielleicht sollte er Miki in sein Testament einsetzen, vielleicht sollte er ihr eine Wohnung kaufen, ein Haus, dicht neben ihm.

Die Sonne ging unter, und Mr Ling wurde ein wenig schwer. Er holte sich den alten Patientenordner aus dem Safe. Namen für Namen las er, versuchte sich die Gesichter dazu vorzustellen. Und bat jeden Einzelnen um Vergebung. Wie jeden Abend.

Jenny
Shanghai

Das ist der größte Mist, den ich jemals gesehen habe, dachte Jenny nach zwei Wochen China und hatte die Suche nach etwas, das ihr Auge beruhigen könnte, aufgegeben. Wo auch immer sie hinkam, waren Menschen, die spuckten, rempelten, die sich überfuhren, das Überfahrene betrachteten und sich eine Zigarette anzündeten, die rannten und die nur eins wollten: mehr.

More Shanghai – stand auf Plakaten überall in der Stadt, und Jenny fragte sich: Wie jetzt, more?

Sie stand auf dem TV-Tower, dem zweithöchsten Turm Asiens, und schaute auf das Geschwür zu ihren Füßen. Diese Stadt hörte nirgends auf. Unter einer Smogdecke, die sich nie lichtete, standen Hochhäuser, die sich durch nichts als durch ihre Höhe auszeichneten, dazwischen endlose Straßen, solche, in denen man als Passant Atemnot bekam, weil es immer zu hell wirkte. Die Stadt wirkte wie von einem wahnsinnigen Bodybuilder nach einer Überdosis Steroide hinejakuliert. Man fand hier nichts mehr, was es noch vor zehn Jahren gegeben hätte. In zehn Jahren würde man die Stadt, wie sie heute war, nicht wiedererkennen. Jede Nacht zogen Horden von billigen Wanderarbeitern Hochhäuser in die Luft, legten Autobahnen an und rissen die letzten alten Gebäude ab.

50 Prozent aller Büros in Pudong, dem komplett aus dem Boden gestampften neuen Stadtteil, standen leer. Die Leute brauchten Wohnungen, aber wer konnte schon nein sagen, wenn es Investoren gab, die nun mal gerne Büros bauen wollten. Nichts war schön, elegant, darum ging es nicht. Es ging um das MORE. Eine Milliarde wollte keinen Hunger mehr, keine Armut, nicht in zugigen Drecksbuden wohnen, nicht mehr kommunistische Diktatur – sie verstanden nicht, warum es auf einmal Cola gab und Prada und all den Mist, aber sie wollten das haben. Und so war ein ständiges Summen in der Stadt, von überschüssiger Energie. Verkaufen, verkaufen, alles jetzt, investieren. Eine fatale Mischung war das, die stumpfe Gleichgültigkeit, die Menschen sich in einer Diktatur zulegen,

mit Rudimenten von buddhistischer Reinkarnationslehre. Falsch verstanden leider. Ist egal, was wir jetzt machen, wie rücksichtslos wir sind, wir kommen eh wieder. Das war keinem zu wünschen. Ein Land mit einer Milliarde, die gewohnt waren, einander zu bespitzeln, zu verraten, auszuliefern, gemischt mit kapitalistischer Rücksichtslosigkeit. Jenny hatte Angst vor den Menschen hier, vor dem, was sie mit der Natur anstellten und mit sich. Dass alle das Recht hatten, die Fehler, die Europa schon vor langer Zeit gemacht hatte, zu wiederholen, fiel ihr nicht ein, wenn sie durch die Straßen lief, kaum Luft bekam und an Luxus wie Umweltschutz dachte.

Jenny hatte Ausflüge gemacht. Um mehr zu sehen. MORE. Sie hatte Chongqing besichtigt. Die Stadt, die keiner kannte und die über Nacht zur größten der Welt geworden war, mit über 30 Millionen Einwohnern. Schwefelgelbe Wolken am Himmel. In der kein altes Haus mehr stand, eine Stadt, die sich um 60 Prozent vergrößert hatte in den letzten zehn Jahren. Kanalstädte hatte sie gesehen, mit Wasser, das stank, und Kähnen und kleinen Häusern, die bald die einzigen ihrer Art in China sein würden, weil es furchtbar war, darin zu leben, so feucht und kalt, und weil keiner im Land noch irgendetwas mit der Vergangenheit zu tun haben wollte. Das, was in Shanghai an Vergangenheit noch existierte, war die Hölle für Menschen, die Privatsphäre liebten, obgleich die bei einer Milliarde Einwohnern eh ein wenig Mühe haben dürften. Kleine, enge Gassen, die Waschgelegenheit draußen, die Türen offen, weil der Gestank im Viertel, der Gestank der öffentlichen Toilette und der Müllhalde noch angenehmer waren als die feuchte Stickigkeit in den alten, dunkeln Häusern. Jeder sah in die Wohnung des Nachbarn, roch sein Essen, hörte seinen Beischlaf.

Und wir sortieren zu Hause Müll, dachte Jenny, als sie überlegte, wie viel Gift hier in den Himmel gelangte, nur in dieser

Stadt, und sie sah die westlichen Geschäftsmänner durch die Straßen huschen, wie Chinesen waren sie geworden, keinem in die Augen schauen, nicht ausweichen, über die Straße rennen, um sein Leben. Hier war man nur, um Geld zu verdienen. MORE. Schnell. Sie trugen große Aktenkoffer, und normalerweise waren das Leute, die in Billig-Airlines saßen, früh am Morgen, um in hässlichen Städten Halbleiterplatten zu verkaufen. Sie spielten das Spiel mit. Egal, dass die Welt daran zugrunde ginge.

Jenny saß in einem Café und dachte daran, ihren Flug umzubuchen. Sie hatte sich noch nie so alleine gefühlt wie hier. Sie wollte nach Hause. Sie wollte Demokratie, Zivilisation, alles das. Und sie merkte erst nach einigen Minuten, dass vor dem Café ein Krüppel stand, der sie anstarrte. Wieder ein Bettler, dachte Jenny. Und erschrak, als der Mann ins Café an ihren Tisch trat. Sie sind die Tochter von Martin Ling, sagte er, und Jenny konnte nichts weiter, als zu nicken. Der Mann sah nicht wie ein Bettler aus, ein Intellektuellengesicht, voller Narben, wie Brandnarben sahen sie aus, wie Zigarettenbrandnarben. Der Mann hatte einen verkrüppelten Fuß, und eine seiner Hände schien aus Plastik. Er setzte sich unaufgefordert neben Jenny. Und starrte sie an. »Diese Ohren, die Augen, ich würde ein Kind von Ling überall erkennen. Ich möchte mich vorstellen: Mein Name ist Jiang. Und ich würde mit Ihnen gerne über Ihren Vater reden.«

Miki
Hongkong

Es hatte geregnet, und die feuchte Luft roch nach etwas, das frisch war und zum Essen geeignet.

Miki hatte den Vormittag damit zugebracht, in das Fenster im 16. Stock schräg gegenüber zu schauen.

Meistens sah sie da diesen Asiaten, der versessen nach Nudelsuppe schien. Immer lief oder saß oder stand er mit einer Schale Nudelsuppe herum, die er abwesend aß. Diesen Mann zu sehen, der sehr zierlich schien und immer zu weite weiße Hemden trug, die fast wie ein Pyjamaoberteil wirkten, war Mikis Obsession geworden.

Sie hatte sich ein Fernglas gekauft, das sie auf seine Wohnung ausgerichtet hatte, und sie wusste, dass er zu Hause arbeiten musste, denn er verließ seine Wohnung nur kurz. Da war ein Computer in seiner Wohnung und Dutzende Bücher. Der Mann lebte allein, sie hatte jedenfalls keine Indizien entdeckt, die auf die Anwesenheit einer Frau schließen ließen. Der Mann stand meist gegen acht auf, nahm vor dem Fenster stehend Nudeln zu sich, dazu hörte er Musik, welche, konnte Miki nicht sagen, aber sie stellte sich etwas wie Chansons vor. Nach den Morgennudeln saß der Mann am Schreibtisch, telefonierte oder schrieb. Er verließ das Haus meist gegen Mittag und kehrte nach ein, zwei Stunden zurück. Bis zum Abend saß er dann an seinem Schreibtisch, sprang ab und zu mal auf, schaute aus dem Fenster, wischte sich die langen Haare aus dem Gesicht, putzte seine Brille, legte eine neue CD ein oder – aß Nudeln. Abends ging er selten aus. Er starrte aus dem Fenster in die Nacht, und manchmal glaubte Miki, er sähe direkt zu ihr. Dadurch, dass sie am Leben dieses Mannes teilnahm, schien es Miki, als müsse sie sich um ihres keine Gedanken machen. Oft träumte sie von dem Mann, und meist waren es Träume, die damit endeten, dass sie ihn küsste oder hielt in einer Art, die klarmachte, dass sie nun für immer zusammenbleiben würden. Enttäuscht erwachte Miki jeweils und fühlte sich seltsam verlassen. Alles geborgt, die Wohnung, die Stadt, Mr Ling, das Essen, die Wärme, es war schön auf eine Art, dass Miki Angst hatte, es wieder verlieren zu können. Sie kannte keinen, bewegte sich wie ein Urlauber in der Stadt, und ihre Verabredungen mit Mr Ling hatten etwas vom Besuch bei einem reizenden Herrn in einem Altersheim. Ein Herr, der vielleicht Nachbar der Eltern gewesen war, mit dem einen nichts weiter verband als der Wunsch, ihn als Vater zu haben. Seit Wochen war Miki Touristin. Sie stand morgens auf und besichtigte entweder den Asiaten in der Wohnung gegenüber oder Hongkong.

Vielleicht war Hongkong die schönste Stadt der Welt. Nicht zu groß, auf einer Insel befestigt, mit Bergen und tropischem Grün, mit Meer und Sonne. Die Straßen sauber, die Menschen entspannt. Die Stadt war eine der teuersten der Welt, hier wurde gearbeitet und gekauft, beengt gewohnt, und hätte es nicht das Meer mit seiner Luft gehabt, wäre die Geschichte im Smog erstickt. Warum sah Miki keine Chinesen, die sich betranken und einsam in Kneipen saßen und auf das Leben schimpften – und verdammt –, warum sah sie so viele Paare, die glücklich wirkten?

Umschlungen schoben sie in Armani-Trachten in die Mittagspause, sich streichelnd saßen sie im Park und lachten alberne Pelikane aus.

Hatten sie ein Kind dabei, dann war das Kind glücklich, und die Eltern redeten mit ihm und streichelten es. Die Paare waren jung und mittel und ganz alt, und sie fassten sich an, unentwegt, strahlten sich an. Eine Hochzeitskapelle stand in einem Park. Alle zehn Minuten eine Trauung. Weiße Kleider, glückliche Gesichter, aber nicht nur bei den neuen Eheleuten. Omas und Opas, Tanten und Onkels, die selig umschlungen im Park standen und Hochzeitspaare beobachteten.

Die Stadt wirkte wie ein Luxusdampfer – die Einwohner heiter genießende Passagiere. Die Fabriken, in der die Menschen hier im Akkord Ramsch produziert hatten unter unangenehmen Bedingungen, waren nach China verschwunden. Hongkong war eine normale Großstadt geworden, mit einer sehr reichen Oberschicht, einem großen Mittelstand, dem es gut ging, und den üblichen Verlierern, die die kapitalistische Evolution am Rande übrig ließ. Alte, Alleinlebende, schlecht Ausgebildete, Behinderte – viel Marmor und Glas und Leuchtreklame, geputzte Trottoirs, nur ab und an dazwischen hatte es kleine Realitätsspalten, da hingen Klimaanlagen, die braune Flüssigkeit an die Wände absonderten, da schlängelten sich Kabel verendend aus Löchern, standen Müllsäcke, lagen Köpfe toter Tiere, da roch es und lebte es und bewegte sich.

Nur eine Seite von Hongkong Island war richtig verbaut – der Rest Natur und Berge und Strände, ein paar Luxusappartement-Hochhäuser und eine Stimmung wie im schönsten asiatischen Urlaubsgebiet.

An einem von vielen Stränden: Familien und Paare. Die Paare ließen Drachen steigen und küssten sich, die Familien waren glücklich. Väter spielten unermüdlich mit ihren Kindern, gingen ab und an zur Decke, auf der die Frau und die Oma und der Opa saßen, dann wurde die Frau umarmt, der Opa und die Oma gestreichelt. Die Frau schob dem Vater ein wenig Essen in den Mund, andere hockten einfach nur da, redeten und lachten, die Kinder waren ruhig und zufrieden. Keiner wäre hier auf die Idee gekommen, nervöse Kinder mit Psychopharmaka ruhigzustellen. Denn die Kinder waren nicht nervös. Wie auch, wenn sie ernst genommen und geliebt wurden, wenn für sie immer jemand da schien, der sie berührte. Das Geheimnis der Berührung, die den Menschen Ruhe gibt und Sicherheit. Hier hatten sie es begriffen. Miki setzte auf eines der Inselchen über, die hier im Meer verstreut lagen, eine kleine Strandpromenade, auf der fuhren sich die Leutchen hin und her in Fahrradrikschas. Fünf Minuten hoch – fünf Minuten runter. Chapeau, dachte Miki, das nenn ich einen anspruchslosen Spaß. Am Pier der kleinen Insel war eine Bühne aufgebaut, auf der standen zwei verkleidete Hausfrauen in Gold und frischer Dauerwelle und sangen Peking-Opern. Einige Rentner hörten zu und weinten. Die Stimmen in der Nacht in den Himmel, wie sie versuchten, mehr als ein Mensch zu sein, die Menschen hier, etwas Schönes herzustellen für ein paar Rentner.

Wieder in Hongkong, fand sie sich in engen Gassen, die an manchen Stellen wirkten wie aus dem Mittelalter, dann wendete man den Blick in den Himmel, der Blick glitt an 70 Metern Hochhaus entlang. Pärchen schlenderten durch die Nacht. Sie ähnelten sich von Statur und Größe, vielleicht schienen sie sich deshalb so nah? Immer wieder blieben sie vor Schaufenstern stehen. Kaufen und lieben und essen und atmen. Und Tiere. Die liebte der Chinese. Tiere zum Essen und Tiere zum Liebhaben. Auf einem Markt schlenderten verzückte Männer und tauschten Vögel, kauften Vögel oder brachten ihre Vögel nur mal eben vorbei, damit sie mit den anderen Vögeln reden könnten. Kleine Hunde in lustigen Kleidern hockten in Käfigen, kreischend vor Begeisterung hielten Passanten inne, um die Hunde anzusehen. Als ob der Kapitalismus, die Waren ohne jeden Einfluss auf den Kern der Menschen hier geblieben wären. Miki kaufte sich eine Nudelsuppe und stand damit an ihrem Fenster, später in die Dunkelheit schauend. Zum ersten Mal wünschte sie, jemand zu kennen, der ihr vertraut wäre. Sie schaute in das Haus des Nachbarn und sah ihn da stehen, am Fenster, mit seinen Nudeln. Und an jenem Abend winkte er ihr zu.

Ruth
Tel Aviv

Die Erkenntnis, für alle völlig unbedeutend zu sein, kam Ruth nach einigen Wochen. Eine Erkenntnis, die sich über Jahre angebahnt hatte, um dann in der neuen Umgebung definitiv durchzubrechen. Sie lebte völlig ohne jeden Sinn und würde keinerlei Spuren hinterlassen. Zu Hause war ihr alles zunehmend albern erschienen. Die Lächerlichkeit eines Lebens, die man in gewohnter Umgebung doch ziemlich lange vertuschen kann. Es schien ihr alles richtig zu sein. Die Arbeit, die Bekannten, das Sich-gegenseitig-Einladen, und dann saß man in Wohnungen und aß Zeug, das immer nicht schmeckte, oder hatte Leute bei sich sitzen, und nie gingen die, und wenn, räumte man die Gläser weg und fühlte sich so leer, wie der Abend gewesen war. Immer dieses Reden, und reden über Sachen, die andere gemacht hatten. Kunst. Und das war doch alles so völlig egal. Dieses Austauschen von längst Gedachtem, das Repetieren von Gelesenem, das Sitzen und Hocken und Starren, nur um sich zu sagen: Ich habe so

einen tollen Bekanntenkreis. Und die Arbeit mein Gott, die Arbeit.

Würde sie ein Buch nicht übersetzen, würde es ein anderer tun, oder niemand, was im Falle der Bücher, mit denen Ruth zu tun hatte, auch völlig egal war. Welche Bücher gab es schon, die Menschen zu beeinflussen vermochten, für Sekunden?

Nach Wochen in Tel Aviv war es Ruth nicht gelungen, irgendwen für sich einzunehmen. Selbst die Kassiererinnen des Supermarktes schauten durch sie wie durch eine Regenfront. Ruth wusste, dass die Erkenntnis der Unwichtigkeit eine große Freiheit bedeuten könnte, aber was will man mit der noch 40 Jahre lang. Sie hatte nach einigen Wochen die Stadt begriffen, soweit man eine fremde Stadt begreifen kann, ein Stadt, in der alle zugereist sind, hatte begriffen, dass sie hier nichts verloren hatte. Keine Verwandten, keine Erinnerung, keine Freunde; Jude zu sein war ihr nur in Berlin ab und zu wichtig erschienen, doch mehr, musste sie sich heute eingestehen, um sich anders zu fühlen. Warum zum Teufel saß sie in diesem Land und nahm Leuten, die es dringender benötigten, eine Wohnung weg? Von Jakob hatte Ruth nichts mehr gehört, natürlich nicht. Sie war alt genug zu wissen, dass man nach einem Monat keinen lieben konnte, doch das hielt sie nicht ab, die verlorene Idee zu betrauern.

Als Ruth eines Abends wieder mehrere Kakerlaken sah, die durch ihre Wohnung schritten, mit erhobenem Haupt, wurde ihr klar, dass sie Israel verlassen würde. Unklar hingegen, wohin sie gehen sollte. Ihre angenehme Wohnung in Berlin hatte sie aufgegeben, ihren Abschied zu groß angekündigt, als dass sie einfach wieder nach Hause gehen könnte. Wohin, das war die Frage des Abends, sollte eine Frau unklaren Alters mit einer großen Lebensmüdigkeit nur gehen?

Dan
Hongkong

Jeden Mittag besuchte Dan seinen Vater. 20 Minuten mit
der Metro entfernt, in Kowloon, in einem Haus, das sicher
bald abgerissen werden würde. Dort wohnte Dans Vater in der
unteren Hälfte eines Doppelstockbettes, das in einem Käfig
steckte, den man verschließen konnte, wegen der Sicherheit,
umgeben von einem Radio, ein paar Kleidern und Büchern.
Das Bett stand in einer Wohnung im fünften Stock eines alten
Hauses, die er sich mit 18 anderen Alten teilte. Die Sozial-
fürsorge bezahlte eine Putzfrau, die einmal in der Woche kam,
doch auch ohne sie war die dunkle Wohnung reinlich, denn
die Alten waren alle ehemalige Berufstätige. Bauarbeiter, Polizisten, Fabrikarbeiter, die vom Alter und der Einsamkeit überrascht worden waren.

Dan brachte seinem Vater Nudelsuppe, saß mit ihm am
Tisch in der Mitte der dunklen Wohnung, vier Gänge mit
Doppelstockbetten, der Fernseher lief immer, und immer
saßen die Mitbewohner um ihn herum und starrten und
schwiegen, spielten leise Karten, saßen in ihren Käfigbetten,
schlurften durch die dunkle Wohnung, standen in der offenen
Küche am Gasherd. Dan hatte aufgegeben, seinen Vater in
einem angenehmen Alterswohnheim unterbringen zu wollen.

Dan hatte nie gefragt, ob sein Vater zu ihm ziehen wollte, weil er sich vor dem alten Mann fürchtete, der so wenig sagte und nie lachte. Dan schämte sich jede Sekunde wegen der Frage, die er nie gestellt hatte.

Dans Mutter war vor zehn Jahren von einem Zug überfahren worden. Man hatte das Thema in der Familie nicht weiter diskutiert. Dans Vater war wenig später pensioniert worden, die Wohnung war zu teuer, und ohne mit seinem Sohn weiter darüber zu reden, war er in eine Käfigwohnung gezogen. Hier zahlte er 700 Hongkong-Dollar und hatte Gesellschaft. Sagte er und weigerte sich hartnäckig, in ein Altersheim zu gehen, denn das wäre in einem Quartier, in dem er fremd sei, sagte er und schwieg in Folge beharrlich zu allen Fragen, die seine Wohnsituation betrafen. Dan saß jeden Tag bei seinem Vater. Dan fragte, ob sein Vater etwas bräuchte, sein Vater brauchte nichts. Dann schwiegen sie, bis sich Dan irgendwann räusperte und sagte, es sei Zeit zu gehen.

Dan hatte noch nie gewusst, was mit seinem Vater zu reden sei.

Er war ein guter Vater gewesen; Dan erinnerte sich, wie er ihn tröstete bei Schürfwunden, ihn streichelte, wie stolz er war auf seinen Sohn – und dass er bedingungslose, schweigende Liebe zeigte. Dans Mutter hatte vielleicht unter der Schweigsamkeit des Vaters gelitten, dachte er sich heute. Vielleicht war es für eine Ehe nicht genug, wenn einer der beiden immer zufrieden schweigend irgendwo saß. Vielleicht war seine Mutter darum überfahren worden. Aber das waren alles Vermutungen. Dan hatte keine Ahnung vom Leben seiner Eltern, so wie Kinder sich eben nicht dafür interessieren. Er war geliebt worden, er war egoistisch gewesen, normal.

Dan war, sah man von seinem familiären Problem ab, ein zufriedener Mann. Er war jetzt 40 und liebte sein einsames

Leben. Es genügte ihm, seine Texte zu schreiben, seine Nudel-suppe zu essen und von der westlichen Frau zu träumen, die in einer Wohnung gegenüber lebte und die er ab und zu am Fenster sah. Ab und zu war untertrieben, denn inzwischen konnte Dan den Tag nicht mehr genießen, wenn er die Frau nicht gesehen hatte in ihrer Wohnung. Für Dan hatten sie eine Beziehung. An mehr als das, was ihn mit ihr verband im Moment, war er nicht interessiert.

War er früher mit einer Frau zusammen gewesen, wusste er nie, was er mit ihr machen sollte. Er fühlte sich dann seinem Vater sehr nah. Diese Frauen, die so anders waren, so klein und filigran, und immer passierte was in ihren Köpfen, das Dan völlig sprachlos werden ließ. In seinem Kopf passierte nicht so viel, das merkte er, ohne dass es ihn gestört hätte, außer wenn er mit so einer Frau zusammen war, die immer über alles redete. Über Gefühle, die Welt, das Wetter, Bücher, die Nachbarn, ihre Beine, es plätscherte nur so aus den Frauen heraus, und das wäre völlig in Ordnung gewesen, wollten sie nicht immer auch seine Meinung hören. Eine Meinung hatte Dan nicht. Ihm waren die Nachbarn egal, die Beine der Frau, Filme sah er sich nicht gerne an, und über Bücher zu reden schien ihm wie etwas, was nach Bestrafung schrie. Ein Schrift-steller hatte ihm seine Gedanken anvertraut unter dem Siegel der Verschwiegenheit, darüber zu reden schien ihm eine ver-räterische Handlung.

Sonst gab es da nichts zum Reden.

Dan hatte einmal einen Film gesehen – Hana Bi, von Take-shi Kitano, in dem hatte er die einzige Form von Beziehung gesehen, die für ihn möglich gewesen wäre – ein schweigen-des Paar, das miteinander spielte und sich mochte, wie Kinder es vielleicht taten. Aber das war ein Film, und Dan wusste, dass das Leben so nicht funktionierte. Leben funktionieren merkwürdig. Ein kleines Missgeschick und alles gerät aus den

Verankerungen. Seit zehn Jahren war bei allem, was Dan tat, ein kleiner Misston, wie ein Tinitus.

Er wünschte sich so, dass er seinem Vater etwas wiedergeben könnte, aber er wusste nicht, wie. Ihn zu sich in seine Ein-Raum-Wohnung zu holen, hielt er für Unsinn, da er wusste, dass sein Vater sich in den gestylten Mid-Levels unwohl fühlen würde. Und wenn er ehrlich war, wollte er einfach nicht nach Kowloon ziehen oder in die New Territories, um sich da eine größere Wohnung mit seinem Vater zu nehmen.

Dan liebte seine kleine Wohnung. Er liebte seine Arbeit als freier Wissenschaftsjournalist, mit der er sich die kleine Wohnung gerade so leisten konnte. Er liebte den Blick in die Hochhäuser, die Restaurants vor der Tür, die Suppenküchen. Dan war verrückt nach Suppe. Ein schlechter Psychologe hätte vermutet, er liebte flüssige Nahrung, weil er sich nicht durchbeißen konnte. Vermutlich hätte er recht, denn Dan wusste ja noch nicht einmal was mit seinem Vater anzustellen. Seine täglichen Besuche waren ihm eine Qual. Seinen Vater in dieser dunklen Obdachlosenwohnung zu sehen, mit seinem Koffer in dem Untergeschoss eines Doppelstockbettes, inmitten der Rentner und Arbeitslosen, bedrückte ihn, und sein Vater spürte die Beklommenheit seines Sohnes. Sie redeten nicht darüber. Was gab es da zu sagen? Wie hätte der Vater ihm erklären können, dass er eigentlich recht zufrieden war in der Gemeinschaft mit anderen alten Leuten? Die Wohnung war sauber, der Geruch von Essen ließ ihn sich behaglich fühlen, die Geräusche des Fernsehers, die leise Musik, immer lebte es, und keiner erwartete etwas von ihm. Seine Mitbewohner waren so ruhig wie er. Alte Menschen mussten nicht mehr so viel reden, weil sie wussten, dass es kaum etwas zu sagen gab. Dans Vater spürte, wie sehr sein Sohn unter den Verhältnissen litt. Es machte ihn ratlos, ihm nicht glaubhaft versichern zu können, dass er glücklich war, so glücklich wie eigentlich nur vor langer Zeit, als seine Frau noch lebte und Dan klein war.

An einem Tag, nachdem Dan sich verabschiedet hatte, an einem Tag, der sich durch nichts Besonderes auszeichnete, stieg Dans Vater leise summend die eine Treppe bis zum Dach seines Hauses.

Jiang
Shanghai

Zum Tode wurde man damals schneller verurteilt, als man hallo sagen konnte – NI HAU.

Der Grund war fast unwichtig, Menschen gab es zu viel, als dass man ein großes Aufheben um Gründe gemacht hätte.

Jiang hatte mit ein paar Freunden einen Diskutierclub gegründet, was hochtrabender klang, als es war. Eigentlich ging es um Jungsein, an Mädchen denken, um Büchertauschen und Zigarettenrauchen.

Die Mitglieder des Diskutierclubs wurden abgeholt eines Nachts, jeder bei sich zu Hause, er sah nur einen der 15 Jungs wieder im Lager, wo er auf seine Todesstrafe wartete. Jiang hatte freundliche, einfache Eltern gehabt, die stolz waren, dass ihr Junge es zum Studium geschafft hatte. Eltern, die natürlich in der Landwirtschaft arbeiteten, wie es sich für Kommunisten gehörte, und die ein paarmal fast verhungert wären und die darum wie fast alle, die Jiang kannte, keine Scheu hatten, alles zu essen, was irgendwie nahrhaft war. Schlangen, Schnecken, Kröten, Ratten, Hunde, Regenwürmer, Innereien, Insekten, alles wurde verputzt. Kaum etwas kannte Jiang, was er nicht essen würde, und doch erforderten die Mahlzeiten im Lager einiges an Selbstbeherrschung. In schmutzstarren Blechtellern wurde verschimmelter Brei serviert, in dem manchmal Knochenstücke und Knorpel steckten. Jiang aß alles. Wenn er schon sterben müsste, dann wenigstens nicht unterernährt.

An seine Eltern dachte Jiang oft in jenen Tagen des Wartens auf die Vollstreckung seines Todesurteils. Er wusste, dass er sie schwer enttäuscht hatte, und das machte ihm mehr zu schaffen als die Angst, denn Jiang war so jung, dass der Tod für ihn noch keine vorstellbare Größe war.

Jeden Morgen beim Essenholen fielen Jiang die fehlenden Personen auf. Es schien niemanden zu geben, der länger als drei Wochen im Lager überlebt hatte.

Der Ablauf schien immer derselbe – eine Untersuchung beim Lagerarzt, und am Morgen war der Betreffende nicht mehr anwesend. Noch nicht mal Schüsse waren zu hören, man hatte davon gehört, dass Munition gespart werden musste, und was das hieß, wollte sich keiner vorstellen.

Jiang ahnte, was kommen würde, als er zur Sanitätsstation geführt wurde. Der Lagerarzt untersuchte Jiang auffallend gründlich. Blut wurde entnommen, die Organe untersucht, geröntgt, Ultraschall, erstaunlich. Als in der Nacht nach seiner Untersuchung nichts erfolgte, war Jiang paralysiert vor Angst. Am Morgen des darauffolgenden Tages wurde er neu eingekleidet und erhielt die Anweisung, dass er von nun an für die Reinigung der OP-Räume verantwortlich sei. Das war seine Aufgabe für die nächsten Jahre, in der Jiang alles vergaß, was ihn vorher ausgemacht hatte. Jiang war der einzige Langzeitüberlebende im Lager. Selbst der Koch und der Häftling, der die Reinigung der Toiletten betreute, wurden stets nach einigen Monaten ausgewechselt.

Missverständnis? Zufall? Jiang hatte aufgehört, darüber nachzudenken. Er hatte aufgehört zu denken. Er hatte seine Überlebensfunktionen aktiviert, ansonsten existierte von dem, was ihn ausgemacht hatte, kaum mehr etwas. Die Hingerichteten fanden eine Aufgabe nach ihrem Ableben, denn jedes Teil ihres Körpers, inklusive der Netzhaut und der Haare, wurde verwendet. Jiang arbeitete vornehmlich nachts. Menschenüberreste mussten verbrannt werden, der OP gereinigt, die Bestecke desinfiziert – wozu, leuchtete Jiang nie ein. Manchmal waren die Menschen auf dem Operationstisch noch nicht tot.

Die Bilder verschwanden auch bei der Folter nicht. Grundlos, wenn es neues Wachpersonal gab. Manchmal, wenn das Wachpersonal sich langweilte, drückten sie Zigaretten auf Jiang aus oder probierten, wie viel Gewicht seine Hoden trugen. Irgendwann keine mehr. Warum taten sie das? Weil sie es konnten, die alte Geschichte.

Als Jiang entlassen wurde, im Zuge eines unbedachten Zufalls, im Zuge einer Amnestie, im Zuge von irgendeiner Schlamperei, im Zuge dessen, dass seine Nieren nicht voll funktionsfähig waren, fehlten ihm Hoden, eine Hand, sein Bein war verkrüppelt, doch am meisten war sein Verstand geschädigt. Der immer wieder zu unpassenden Momenten das Bild einspielte: der noch lebende Mensch, dem Dr. Ling die Netzhaut entnahm.

Pia
Montreux, Schweiz

Von Genf war Pia nach Vevey gefahren. Charlie Chaplins Leiche wurde da aus dem Grab gestohlen, woran nichts in dem
verschlafenen Ort mehr erinnerte. Da lagen keine entwen-
deten Toten herum, da lag erstaunlicherweise nichts herum,
was nicht in eine geputzte Stadt gehörte. Durch die huschten
kleine Männer in weißen Overalls und mit Kappen auf dem
erstaunlich weißgewaschenen Haar und reinigten mit kleinen
Handstaubsaugern die Bürgersteige.

Auf den Straßen liefen Langhaardackel und reinigten mit
ihrem flauschigen Pelz den Asphalt.

Pia trank Kaffee an der Uferpromenade, schaute auf Dach-
terrassen und kleine Balkons, auf Blumen und den See, der so
sauber aussah, so freundlich, dass sich Pia wünschte, ein Teil
dieser Schönheit zu sein. Sie wollte mit einigen Körbchen auf
den Markt gehen, mit den Verkäuferinnen reden, mit einem
kleinen Hund die Uferpromenade entlangspazieren und ganz
gepflegt 100 werden in dieser sauberen Luft. Alles schien ver-
langsamt, in Watte gehüllt und unwirklich. Das hatte mit dem
Rest der Welt nichts zu tun, diese Insel, inmitten von Dreck
und Kloake, inmitten von Hinrichtungen, Kriegen und Slums,
inmitten von Ostblock mit Elend und Säufern, Afrika mit
Aids, Armut und Asien; und wie das großartige Wirtschafts-
wachstum aussah, in der Dritten Welt, das wusste Pia – eine
nette Gruppe Mittelstand, der jetzt superreich wurde, und
Millionen weiterhin auf der Straße, und der Himmel zuge-
stellt, die Flüsse gestaut, Dörfer überschwemmt, alle in Ver-

kehr erstickt und die Seen vergiftet. Wo gab es noch Flüsse, in denen man baden konnte in einer Stadt, oder kleine saubere Seen? Hier, war die Antwort, in diesem niedlichen Sanatorium. Vielleicht gibt es hier auch das Böse, dachte Pia und schaute nach verdächtigen Zahlen. Nichts. Nichts fand hier statt. Und darum kann es doch nur gehen: vergessen, dass man ein Mensch ist, zusammen mit Milliarden anderen einer Rasse anzugehören, die man leise verachtete an bewussten Tagen.

Pia war von Vevey nach Montreux gelaufen. Am See entlang, in der Sonne, die wirkte wie im zarten Frühherbst, was vermutlich an dem Filter lag, der aus Gründen der Höflichkeit vor ihr hing.

Pia nahm sich ein Zimmer in einem verschnörkelten alten Hotel, unten in der Halle saß die verstaubte Plastik von Nabokow, den sie nie verstanden hatte – ein Mensch, der eine Fremdsprache so perfekt beherrschte, dass er in ihr schreiben konnte, jagte ihr Schauer der Angst über den Rücken –, und die befremdliche Statue änderte daran gar nichts. Mit einem Partner in Hotels zu leben, das stellte sich Pia sehr angenehm vor, nur gab es keinen Partner, das hatte sie verschlafen, so wie die meisten, die sie kannte.

Irgendwas ging nicht auf. Diese Millionen alleinstehender älterer Frauen, wo waren nur die dazugehörigen Männer? Die konnten doch nicht alle reich sein und mit jüngeren Frauen zusammen, da gab es doch so viele unauffällige, erbärmliche Männer in den schlechtesten Jahren, vermutlich sah man die nie, weil sie in Wohnungen zwischen Pizzaschachteln am Computer saßen und Backgammon spielten. Und im Anschluss an Ungepflegtheit verstarben. Natürlich würde diese alten Männer auch keine wollen.

Frauen wie Pia hatten hübsche Wohnungen, rochen gut und träumten von sensiblen Chirurgen, die Hausmusik machten. So viele Chirurgen konnte es gar nicht geben.

Frauen wie Pia litten nicht. Sie sehnten sich nicht nach wildem Sex, sie hatten sich daran gewöhnt, alles mit sich selbst zu besprechen, sie hatten sich daran gewöhnt, allein zu verreisen, alleine Gerichte nach Hause zu bestellen, am Telefon mit ihren Freundinnen zu reden, und dennoch war es erstaunlich, das mangelnde Vorkommen von netten, alleinstehenden Herren zwischen 50 und 70. Pia dachte nur manchmal, wie zum Beispiel in jenem Moment auf dem Balkon des Hotelzimmers in Montreux, und natürlich ging noch nicht einmal die Sonne unter, an einen Mann, der sagen könnte: Lass uns noch einen Kaffee trinken. Und dann würden sie das tun.

Es erforderte mithin so viel mehr Kraft, sich alleine entschließen zu müssen.

Wenigstens einen Freund hätte sie gerne.

Bis auf die, die immer übrig bleiben, ist es für die anderen am Anfang eines Lebens einfach: Freunde sind im gleichen Alter, sie hören die gleiche Musik und nehmen die gleichen Drogen. Sie sind für die gleichen Dinge – Robben oder Frieden, Tätowierungen oder Lippenstifte –, man geht mit den Freunden an andere Orte, um andere anzusehen, und man versteht sich auf dem kleinsten gemeinsamen Nenner, der heißt: hoffen, dass es besser wird. Nach der Adoleszenz verliert man sich aus den Augen, man verliert so ziemlich alles aus den Augen in diesen langen Jahren, die ein Mensch im guten Fall mit dem Versuch verbringt, mit sich selbst Freundschaft zu schließen. Das gelingt oft mit keinem Erfolg. Die Menschen erwachen mit Ende 40, und die wenigsten sind mit sich befreundet. Sie haben sich in Erwartungen anderer eingerichtet, in Stereotypen und in falschen Sätzen. Mit unechten Gesichtern sitzen sie auf einmal in Wohnungen, die aussehen wie Schauräume eines Einrichtungshauses, mitunter sitzt ein Partner neben ihnen und ein Kind, das kein Kind mehr ist. Mein Partner ist mein bester Freund, sagen sie, und schauen ihn leer an, den Partner. Freund ist also etwas, was da sitzt. Oder ein anderes Paar. Das kommt manchmal vorbei, dann reden die Frauen in der Küche. Vielleicht erwacht der Mensch alleine nach den Jahren vergeblicher Kernsuche, und dann hat er Freunde, die auch alleine sind, zum Telefonieren im Bett, weil Rausgehen ist zu mühsam in der Kälte. Und trifft man sich beim Brunch oder Lunch und hat geredet über alles, was außen passiert, dann gibt es Minuten, in denen sie sich so einsam fühlen, so unbehaglich und fremd, dass sie sich nach einer Nähe sehnen, von der sie nicht wissen, wie sie herzustellen ist. Wie soll man die richtigen Freunde erkennen, wenn man nicht weiß, wer man selbst ist. Das ist das Schwerste, und viele geben auf. Richten sich ein in einer Idee ihrer selbst, und die Missverständnisse beginnen. Von Bekannten umgeben, die zu der Idee passen, die man von sich hat, die Ideen sind meist die, die man sieht im Fernsehen, die man bekommen hat von den Eltern, von den Nachbarn, von Leuten, da man glaubt, sie wüssten, wie es geht. Es geht so natürlich nicht. Vielleicht macht es böse, sich nicht zu erkennen. Macht empfänglich für religiösen Fanatismus und Wahn, für Raffgier und Geiz, vielleicht glaubt man, mit Bombenlegen und Produktekaufen, mit Therapien und Auf-kleine-Tiere-Schießen der Unzufriedenheit Herr zu werden. Falsche Ideen von sich lassen die Gier nach Macht wachsen, gebären Übergewicht und Dummheit. Klingt anstrengend und ist doch die Folge dessen, den einfachen Weg gewählt zu haben. Was die eigene Zusammensetzung bedeutet, was man wirklich will, was einen mit heiterer Gelassenheit erfüllt; herauszufinden, dass man vielleicht nichts Besonderes ist, das alles bedarf ungemeiner Anstrengungen. Es heißt, sich frei zu machen von fremden Bildern und Ideen. Bedeutet, sich jeden Tag neu zu hinterfragen. Listen zu schreiben mit ja und nein, Dafür- und Dagegen-Punkten, heißt vielleicht zu erkennen, dass man keine

Freunde hat, weil man sich mit den Personen, die einen umgeben, unwohl fühlt, weil sie vielleicht die falschen Ideen von einem selbst haben. Erkenne dich selbst! Stand am Tempel von Delphi. Die Belohnung ist groß. Sie zeigt sich in Kleinigkeiten. Irgendwann fällt es einem auf, dass man völlig entspannt inmitten fremder Menschen sitzen kann, ohne sich unwohl oder beobachtet zu fühlen, dass man Veranstaltungen verlässt, wenn man sich langweilt, dass man Bücher weglegt, die einem nicht gefallen. Man muss nicht mehr in Urlaub fahren, wenn man Urlaub hasst, und wenn man es schätzt, abends um neun im Bett zu liegen, dann tut man das. Der Preis für die Mühe, sich zu hinterfragen, ist persönliche Freiheit, ist Freundschaft mit sich selbst. Kein entspannter Mensch wird einen anderen töten, wird die Energie aufbringen, sich an anderen zu bereichern. Keiner, der mit sich selbst freundschaftlich verkehrt, wird kriminelle Energie entwickeln und mit Menschen verkehren, die verspannt und verzogen sind. Er wird Freundschaft mit der Welt schließen, und das ist die Grundlage der Menschlichkeit, von der wir nun wissen, warum es sie so selten gibt, warum die Welt so langsam oder vielleicht nie zu einem besseren Ort werden wird.

Pia hatte das Gefühl, sich verliebt zu haben. In die Schweiz, in die Ruhe und die freundliche Luft, die die Vorhänge ihrer Balkontür blähte, als sie zu Bett ging. Um neun – nachdem sie keinen Kaffee getrunken hatte und nicht spazieren gegangen war. Und irgendwem hätte sie jetzt gerne gesagt: Ich habe mich in die Schweiz verliebt. Und er würde sagen: Geht mir auch so, und jetzt lass uns schlafen. Und dann hätte sie ihre Hand in seine gesteckt, und dieser kleine Anflug von Traurigkeit, der in ihrem Alter immer öfter kam, weil sie wusste, dass es in absehbarer Zukunft keinen Frühling mehr gäbe zum Sehen und kein Verlieben und keine Gerüche im Herbst, weil sie dann einfach tot wäre, würde schneller vergehen.

Helena
Bishkek

So, das wäre dann also Kyrgyztan, dachte Helena und schaute befremdet auf Kyrgyztan. Staub, Smog, breite Straßen mit aufgerissenem Belag, Marmorpaläste mit abfallender Fassade. Ein eiskalter Wind, aufgeschlitzte Hammel.

80 verschiedene Völker hatten sich hier zu einem merkwürdigen Menschenschlag geformt. Sehr groß, viele mongolisch wirkend, mit Lagen von schlechter Bekleidung übereinander. Standen herum, was standen die da herum, inmitten der staubigen Straßen, kyrillische Schriftzeichen an maroden Geschäften. Im Hintergrund unklare Berge, die zu nichts einluden, außer eine Kaschmirdecke fester um die Schulter zu ziehen. Keine Kaschmirdecke vorhanden.

Es gibt Orte, da man weiß, dass es nirgends warm ist.

Peter hatte ihr angeboten, sie nach Deutschland zu begleiten. Und Helena war durch den kurzfristigen Verlust ihres Lebens und die Erkenntnis, wie verletzbar sie war, so erschüttert, dass sie sich nicht vorstellen konnte, alleine auch nur einen Schritt zu tun. Sie hatte Ersatzpapiere im Konsulat bekommen und Geld für die Rückreise, das so bemessen war, dass man sehr gut statt eines Neun-Stunden-Fluges eine einmonatige

Reise durch Zentralasien und Russland unternehmen könnte. Hatte Peter gesagt.

Sie hatten sich das Bett in seiner Mistwohnung geteilt, ohne dass es unangenehm gewesen wäre, und Helena dachte – warum nicht Zentralasien und Russland? Sie hatte keine Ahnung, was sie dort erwartete, aber sie hatte eine klare Vorstellung, was zu Hause los war. Also waren sie nach Bishkek in Kyrgyztan geflogen, mit einer Tupulev, deren Motor mehrmals während des Fluges aussetzte, in einer zarten zurückhaltenden Art verstummte das Motorengeräusch, und die darauf folgende Stille über den Bergkuppen war fast romantisch. Erstaunlich, bemerkte Helena, dass nach dem dritten Mal sogar die Todesangst etwas Gewöhnliches wird. Sie saß während des Fluges dermaßen angespannt auf ihrem Sitz, dass sie am Ende meinte, umfallen zu müssen vor Kopfschmerz.

Peters Plan war, von Kyrgyztan über Kasachstan in die Ukraine und von dort nach Ungarn zu gelangen. Das sagte Helena nicht viel, sie war Frau und mit einem mangelhaften räumlichen Vorstellungsvermögen ausgestattet. Sie war froh, folgen zu können. Es hatte in ihrem Leben nicht oft jemanden gegeben, der wollte, dass Helena ihm folgte. Eigentlich hatte es noch nie einen gegeben. Und so genoss sie, Anweisungen zu erhalten, nicht nachdenken zu müssen, und sie kam sich mit ihren 80 Kilo fast zierlich und weiblich vor, wie sie so staunen konnte über Peters Klugheit und seine Weltgewandtheit. Fast wäre sie in Versuchung geraten, ein wenig zu quengeln: Meine Füße tun weh, meine Absätze sind abgebrochen, mein Chanel-Kostüm ist völlig zerknittert – nur um diese Sätze einmal zu sagen, die sie von anderen Frauen gehört hatte. Erstaunlich war, dass Männer zickige Frauen mochten, die ständig ermüdet über Bäche getragen werden mussten. Kumpeltypen kamen eindeutig nicht so gut an.

Der erste Eindruck, den Bishkek, die Hauptstadt des unaussprechlichen Landes, bot, war: erbärmlich.

Abenteuerliche Kraftfahrzeuge überfüllten die Straßen, ein Markt, der voller unsinnigem Gemüse war, Unmassen von Tierinnereien mit Fliegen und Zigeuner aus Samarkand, die permanent in anderleuts Händen lesen wollten.

Neben dem Markt fanden sie an einem Taxistand einen eifrigen Fahrer, der sie zu den Sehenswürdigkeiten fahren würde. Die Sehenswürdigkeit war das Manas-Denkmal, das in seiner überwältigenden Hässlichkeit vielleicht einmalig auf der Welt war. Das Denkmal glich dem Riesenmodell eines stahlverarbeitenden Werkes, nachdem eine Gruppe Frauen, die an Runenhoroskope glaubten, noch ein wenig Hand angelegt hatten. Da stand es zum Ruhme des längsten Heldengedichtes der Weltliteratur. Eben – des Manas, das man, nachdem man das Denkmal gesehen hatte, auf gar keinen Fall kennenlernen wollte. So weit zu den Sehenswürdigkeiten.

Der Fahrer setzte sie nach einer kleinen Tour durch die breiten Straßen der Stadt, vorbei an seltsamen Geschäften, in einem Hotel ab, das vermutlich seinem Cousin gehörte. In einem leeren Zimmer ohne Fenster standen zwei Gitterbetten, auf denen alte Wolldecken lagen. Selbst am Tag war es so kalt, das sich Kondenswolken beim Ausatmen bildeten – gleichzeitig rannten anpassungsfähige Kakerlaken an der Wand herum, deren Größe Helena befremdete. Von diesem Hotel aus unternahm man gerne eine kleine Besichtigung. Kyrgyztan, von dem selbst die Einwohner nicht genau wussten, wie man es nennt, war 1991 unabhängig geworden und gemäßigt liberal. Die Todesstrafe existierte, wurde aber kaum angewandt. Die Einwohner des Landes bekannten sich trotz ihrer kommunistischen Vergangenheit überwiegend zum sunnitischen Islam.

Hohe Berge, Täler und Felder
sind unser heiliges Heimatland.

Unsere Väter lebten unter den Ala-Toe,
retteten stets ihr Vaterland.
Steh auf, kirgisisches Volk,
steh auf für die Freiheit!
Steh auf und blühe!
Gestalte dein Glück!
Wir sind für die Ewigkeit der Freiheit geöffnet.
Freundschaft und Einigkeit sind in unseren Herzen.
Das Land der Kirgisen, unser Heimatland,
leuchtet in den Strahlen des Einverständnisses.
Die Träume der Menschen wurden wahr,
und die Fahne der Freiheit weht über uns.
Wir werden das Erbe unserer Männer
unseren Söhnen zum Nutzen der Menschen weitergeben.

Prima Hymne, die die Töchter des Landes mal per se in die Tonne trat. Hier war man gern zu Gast.

Helena und Peter besichtigten Bergtal, ein Ort von deutschen Baptisten gegründet, von denen es heute noch ungefähr 400 gab. Von 1972 bis 1991 hieß der Ort Rotfront, was Helena irgendwie besser gefiel. Rotfront, Leninstraße – eine Adresse, die ihresgleichen suchte. Sie schlenderten durch das Dorf, das an Unattraktivität kaum zu überbieten war. Warum zog es hier nur so in diesem Land, woher kam dieser beißende Wind, und warum führte er so viel Staub mit sich, woher kam der Staub? Die einfachen herzensguten Bergtaler überboten sich in Gastfreundschaft, in allen Häusern wurden Innereien gekocht, und nach der sechsten Portion Milzhaschee in Öl mit Plunderteig befand Helena, es sei Zeit weiterzureisen. Der Taxifahrer war ein 103-Jähriger ohne Zähne, der quietschvergnügt Arbeiterlieder sang und permanent eine Wodkaflasche nach hinten reichte. Sturzbetrunken erreichten sie den Issyk-Kul, einen See, der elfmal so groß war wie der Bodensee und Herz und Seele des Landes, wie der Taxifahrer nuschelte. So, so, Herz und Seele, dachte Helena, als sie frierend am Ufer des Sees stand, 1.600 Meter hoch, es schien noch kälter als – wo war der eigentlich? – der Polarkreis, und auf einmal bekam Helena Heimweh. Nach irgendwas, das sie kannte. Sie kannte Peter nicht, der mit dem Taxifahrer im See herumsprang, betrunken war und sich Teile des Manas vortragen ließ. Wie gerne wäre Helena so gewesen. So lebenslustig und neugierig. Wie gerne hätte sie auf Tischen getanzt und weinend Lieder gesungen, wie man es aus griechischen Filmen kannte. Aber sie stand immer nur befremdet neben allem. Und jetzt wurde der Himmel rot, und ein Vogel begann zu singen, und es wurde noch kälter, und Helena hatte das Gefühl, den Gipfel der Einsamkeitspyramide erklommen zu haben.

Ruth
Tel Aviv

Du kannst dir nicht vorstellen, wie frei es in der Gemeinschaft zugeht. Wir tragen unsere Ahnennamen, feiern am Fluss, die Kinder werden zusammen aufgezogen, und das Verrückteste ist Schwanstein, das über uns wacht.

So reden Geisteskranke, dachte Ruth, die den Brief ihrer ehemaligen Freundin betrachtete wie etwas, das nach ihr schnappen könnte. Die schwarze Spinne.

Die Freundin war bis zu ihrem 39. Geburtstag ein normaler Mensch gewesen, dann hatte sie geboren und zusammen mit der Plazenta ihr Hirn unter einer Eibe vergraben. Jetzt schien sie in die Fänge einer Hippiekommune in Bayern geraten zu sein. Wohlan, dachte Ruth, wieder eine Idee, wie man die Zeit herumbringen kann. Damit hatte sie in den letzten Wochen Probleme gehabt. Sie arbeitete an einem dermaßen langweiligen Buch, dass sie Mühe hatte, nicht permanent vom Stuhl zu fallen, und wenn sie auf die Straße ging, begleitete die Einsamkeit sie unterdes wie ein lautes knirschendes Geräusch. Es war ihr nicht gelungen, sich auch nur mit einem Menschen hier vertraut zu machen.

Ruth hatte herausgefunden, dass es etwas gab, das noch unangenehmer war, als alleine zu sein: in einer fremden Umgebung alleine zu sein.

Es war Sommer geworden in Tel Aviv. Die Nächte so heiß, dass auch das großzügige Verteilen von kaltem Wasser in der Wohnung nichts brachte, außer die Kakerlaken zu tränken, die wie junge Hunde durch die Räume tollten. An den Strand konnte man erst ab 17 Uhr, vorher kochte der Sand, und das Wasser hatte mit 30 Grad Badewannentemperatur. Ruth wachte jeden Morgen halb sechs auf, schwitzend. Sie arbeitete so lange, bis sie schreien wollte vor Langeweile, und dann ging sie raus, weil sie glaubte, rausgehen müsste man. Die Stadt erforschen, Freunde finden, so halt. Sie schleppte sich die Dizengoff-Straße entlang, zu Steinmatzky, dem Bücherladen, der einmal in der Woche veraltete deutsche Zeitungen anbot, die Bunte, Brigitte, den Stern, Ruth kaufte das alles, süchtig nach den dümmsten Nachrichten, waren sie nur in ihrer Sprache verfasst. Sie lief weiter zur Sheinkin Straße, am Café Tamar vorbei, wo die alten Zausel saßen und die Weltrevolution planten, Schriftsteller, Lebemänner, alte Kibbuzniks, gutaussehende alte Herren hielten Hof, pfiffen den jungen

Mädchen hinterher, zu denen Ruth nicht mehr gehörte. Noch nicht einmal 70-Jährige wollten sie mehr kennenlernen. Was habe ich hier zu tun, fragte sie sich jeden Tag. Ich habe andere Filme gesehen, andere Bücher gelesen, nicht in der Armee gedient, ich liebe Wälder und den Geruch von Herbstfeuern, und ich will nach Hause. Diesen Satz sagte Ruth laut auf der Straße, niemand schaute sie befremdet an, das war, was ihr an Tel Aviv gefiel. Dass, so seltsam sie auch sein mochte, es viele gab, die definitiv einen größeren Dachschaden hatten. Ohne nachzudenken, ging Ruth in ein Reisebüro, buchte einen Flug nach Deutschland für den nächsten Tag, begab sich in ihre Wohnung. Sie packte all die billigen Tel Aviver Sommerkleidchen neben den Müll und ging wie eine Europäerin im Sommer gekleidet aus. Ein Bleistiftrock, eine weiße Bluse, spitze Pantoletten. Sie setzte sich in das überteuerte Sushi-Restaurant am Baselplatz und war so glücklich, dass sie vor sich hinlächelte. Für sie als Urlauberin sah die Stadt gleich viel schöner aus. Sie musste hier nicht leben, sie musste keinen kennenlernen, sie konnte nach Hause. Als Ruth abschiednehmend durch die Straßen ging in der Nacht, die so unfassbar schön war in Tel Aviv, merkte sie dummerweise, was sie falsch gemacht hatte: Sie hatte nicht gelächelt. Seit Wochen.

Miki
Hongkong

Der Mann, der Suppe liebte und mit dem sich Miki bereits eine Zukunft ausgemalt hatte in einem kleinen Haus
auf Lamma Island, war eines Tages verschwunden. Als er
nicht zurückkehrte in den folgenden Wochen, fühlte Miki sich
von ihm betrogen. Sie fühlte sich auch von Mr Ling betrogen.

Kurz nachdem Mr Ling Besuch von seiner Tochter bekommen hatte, nachdem sie wieder abgereist war und in einer dra-
matischen Rede erklärt hatte, dass sie ihn verachtete, war Ling
langsam mit dem Rollstuhl ins Meer gefahren, bis das Wasser
seinen Kopf bedeckte, und gelächelt habe er, als man ihn tot
barg. Das erfuhr Miki, nachdem sein Fahrer sie wie jeden Don-
nerstag zum Essen abgeholt hatte und sie in Lings Wohnung
auf dessen Anwalt traf, der ihr mit unbeweglichem Gesicht
Lings Testament vorlas. Miki teilte sich das Erbe mit Lings
Tochter, die jedoch nicht zur Beerdigung ihres Vaters erschienen war. Beerdigt hatte Miki ihn, auf einem Friedhof mit
wunderbarem Meerblick. Danach war sie in seine Wohnung
zurückgekehrt, die nun ihr gehörte.

Miki saß betäubt und wartete auf ein Gefühl.

Sie sah sich matt von außen, wie sie da saß in dem alten
Kimono, herumschlurfte, Globen berührte, aufs Meer starrte
und sich bemitleidete.

Sie war reich. Sie hielt sich in einer großartigen Stadt in
einer eleganten Wohnung auf, und sie fühlte nichts. Ohne die
täglichen kosmetischen Bemühungen, ohne Sport und Schlaf-
tabletten, ohne Diät und Kleidung sah Miki plötzlich so alt
aus, wie sie war. Eine Frau über 40, die Tränensäcke bekam,
deren Haar am Ansatz grau wurde, deren Haut Falten schlug
wie feines Reispapier und der das alles egal war. Sie musste

kein Geld mehr mit ihrem Aussehen verdienen, sie musste gar nichts mehr. Mr Lings Tochter hatte ihr Erbe ausgeschlagen, Mikis Anteil nicht angefochten, und nach Erledigung der Formalitäten würden ihr ab nächster Woche zehn Millionen Dollar zugänglich sein. Wenn es ihr gefiele, könnte sie die Wohnung veräußern, was nochmals zehn Millionen einbrächte. Mit dem Geld könnte sie... Und das war das Problem. Auf einmal nichts mehr zu müssen, machte Miki klar, dass sie nichts wollte. Sie hatte sich manchmal ausgemalt, was sie mit ein paar Millionen anfangen wollte. Nach Italien reisen, in ein altes Palasthotel, Trikotagen kaufen, bis sie in Ohnmacht fiele, ein Haus kaufen oder eine Wohnung oder beides. Und nun wollte sie nichts. Sie stand im Badezimmer Mr Lings und sah sich im raumhohen Spiegel an. Es war egal, was sie diesem Körper hinzufügte, ob sie eine Hermes-Tasche an den Arm hängen würde, sie sah sich selbst wie ein Skelett, die Haut vermodernd, was sollte ein Skelett mit Hermes-Taschen? Dass eine Erbschaft eine Depression auslösen konnte, verwunderte Miki, aber selbst das Gefühl des Wunderns war wie einer Maschine entnommen, nach einem Waschgang in falscher Temperatur. Vielleicht fühlte Miki zum ersten Mal in ihrem Leben, ohne die angenehme Ablenkung eines geregelten Tagesablaufes, eine gewisse Sinnlosigkeit. Das Verschwinden der Jahre, die Erinnerungen, die immer unschärfer wurden, die immer kürzer werdende Distanz bis zum Tod. Die große Traurigkeit, die Leben innewohnt, wurde ihr klar, als ihr Leben seinen Höhepunkt hätte haben können. Miki war nie jemand gewesen, der sich eine große Bedeutung beigemessen hätte. Doch zwischen 30 und 40 keine Depressionen zu haben, war keine Leistung, für die man sich auf die Schulter klopfen konnte. Die besten Jahre, die, in denen man dem trostlosen Ausgeliefertsein der Jugend entkommen war und das Alter noch nicht ahnte. Die unendlichste Zeit eines westeuropäischen Lebens, in der man Geld machte, Karriere, Ruhm, Familie. Miki hatte das alles versäumt, übersprungen, verschlafen in Venice Beach und war aufgewacht als Frau in den besten Jahren in einer Wohnung, die nach altem Mann roch, in einer Stadt, die gerade durch ihre Perfektion klarmachte, dass sie nichts mit Miki gemein hatte.

Miki hatte sich völlig verkommen lassen, die Muster des Kimonos waren kaum mehr zu erkennen, ihr Haar seit Wochen ungewaschen wie sie selbst, so schlurfte sie ab und an in den Supermarkt und hätte, wenn sie etwas wahrgenommen hätte, die verstörten Blicke der überpflegten Hongkongerinnen bemerken können. Doch Miki sah nichts. Sie schleppte sich zurück in ihre Zehn-Millionen-Wohnung und aß Tiefkühlgerichte. Nach sechs Wochen starren und sitzen, durch die Wohnung streifen und aus den Fenstern schauen ging Miki ohne besonderen Anlass zum Strand, am Morgen. Vielleicht weil es der erste freundliche Tag seit Wochen war, vielleicht weil sie sich im Meer versenken wollte wie Ling. Sie setzte sich in den Sand, der feucht war von der Nacht. Sie sah das Meer an, dem es so völlig egal war, von wem es betrachtet wurde. Sie sah die Sonne aufgehen, der Sand trocknete, das Wasser leuchtete rosa. Sie sah mittags Liebespaare, die Drachen steigen ließen, das machte man hier gerne und exzessiv, in die Höhe gehen, wegen Platzmangel, mit dem Drachen in den Himmel. Sie sah Kinder, sah Sandburgen entstehen und wieder weggespült werden, und dann kam der Abend, gut riechend, der Strand leerte sich, und Miki hatte etwas begriffen, was sich nicht in Worte zu fassen lohnte.

Sie ging in die Wohnung und badete, danach aß sie im thailändischen Restaurant vor ihrem Haus, und als die Nacht kam, merkte Miki, dass sie nur Angst gehabt hatte vor der simplen Erkenntnis, dass Geld doch glücklich machte. Endlich konnte sie laut kreischend und singend durch die Wohnung tanzen, und endlich freute sie sich. Vielleicht werde ich bald sterben, dachte sie sich, aber ich werde es gepflegt tun.

Svenja
Berlin

Svenja schaute aus dem Fenster. Es würde ein sonniger Tag werden, schön für ihn.

Der sonnige Tag zeichnete sich über den Dächern der anderen Wohnblocks ab, die Häuser ockerfarben, keine Bäume, unten auf der Bank hingen schon am Morgen drei junge Männer rum. Hip-Hop plärrte bis in den zehnten Stock, die Jungen waren zu angespannt, um im Takt zu wippen. Viel zu langsam, der Scheißtakt. Testosteron und Dummheit im Kopf. Aggressiv und gelangweilt. Schlechte Kombination. Irgendwann würden sie vor Gericht landen wegen irgendwas und würden sagen, dass sie ohne Schuld seien, weil ihre Eltern aus der Türkei, Bosnien, Marokko gekommen wären und sie hier Menschen zweiter Klasse wären und keine Chancen und all der Scheiß, und dann würden sie freikommen, ein Sozialarbeiter würde sie besuchen, und im Senat würden sie eine Eingabe für ein neues Jugendzentrum machen. In ein paar Jahren gäbe es dann ein Jugendzentrum, immer orangefarben, und die

jungen Männer würden dort hocken und Tags an die Wände schmieren in Anfällen von Elan.

Svenja wohnte in einem Neubaublock, 100 Mieter, Stadtrand, obwohl neu war was anderes. Die Häuser waren in den 70er Jahren zu DDR-Zeiten hochgezogen worden. Sie sahen jetzt aus wie Ruinen. In der Nachbarschaft wohnten kaum Deutsche. Und wenn, waren es Säufer, Schläger, Unterschichtelend. Egal aus welchem Land sie stammten, welche Religion sie hatten, Dummköpfe waren es, die ihre Frauen verschleierten und schlugen, die mit Hakenkreuzbinden herumliefen, die als Mob Fahnen verbrannten. Doch sowie man meinte, den Feind der Welt erkannt zu haben, fielen einem Konzernchefs ein und Regierungsoberhäupter, und man kam zu dem Schluss, dass der Fehler nicht der Prolet war, sondern der Mensch. Svenja saß mitunter wie gelähmt in ihrem Zimmer und dachte über die Welt nach, zu der sie nicht gehören wollte. Doch ein Ausweg fiel ihr nicht ein. Schon seit sie ein Kind war, hatte Svenja Angst vor dem Erwachsenwerden, vor der Schule, vor dem Nach-Hause-Kommen, immer hockten Kinder unten auf dem Hof, die auf eine Schlägerei oder Schlimmeres aus waren. Svenja war in keiner Mädchengang, sie hatte keine Brüder, keinen Vater, sie war alleine und hatte Angst. In der Wohnung waren die Rollladen immer geschlossen, Svenjas Mutter hatte ein Alkoholproblem, das sich für sie nicht als Problem darstellte. Am Monatsanfang, wenn die Sozialhilfe eintraf, hatte sie kein Problem. Eher zum Monatsende, ohne Geld, dann zog Svenjas Mutter los, um Alkohol zu stehlen. Viermal war sie bereits angezeigt worden, eine Verhandlung stand noch aus. Wenn Svenja nach Hause kam, hatte sie immer Angst, in welchem Zustand sie ihre Mutter antreffen würde. Schlafend war der beste. Ab und an versuchte ihre Mutter, sich das Leben zu nehmen, die Pulsadern aufzuschneiden, Tabletten mit Alkohol zu mischen, und dann wusste Svenja was folgte: Krankenwagen, Notaufnahme, eine schlaflose Nacht. Oft lag ihre Mutter ohnmächtig und volltrunken vor der Eingangstür, die sich dann nicht öffnen ließ. Svenja wartete Stunden draußen vor der Tür, bis ihre Mutter halbbenommen zur Seite kriechen konnte. Erwachte sie nach solchen Stürzen, war sie aggressiv und schlug Svenja. Manchmal saßen irgendwelche Säufer bei ihrer Mutter, dann wurde krakeelt, dann drehte sie den Schlüssel zu ihrer Zimmertür zweimal um und stopfte sich Schaumgummi in die Ohren. Svenja hatte keine Ahnung, wie sie aus diesem Leben fliehen konnte, und wohin. Sie saß am Fenster, hörte angespannt darauf, ob ihre Mutter erwachte, und rechnete aus, wie lange sie noch zu Hause leben müsste. Es war zu lang. Svenja hatte Angst vor dem zu lang. Und Angst vor dem, was danach kommen würde.

Frank
Berlin

Frank hasste Störungen seines überaus geregelten Tagesablaufes. Schon eine Stromablesung am Morgen, genau während der Zeit, da er mit seinem Frühstück und der Zeitung im Bett saß, konnte ihn so durcheinanderbringen, dass es Stunden brauchte, bis er sein Gleichgewicht wiedergefunden hatte. Manchmal dachte Frank, dass seine angebliche Ruhe nur auf dem Boden des kompletten Ausschlusses aller Störfaktoren gedieh. Aber das war schließlich auch egal, denn wenn Frank etwas verstanden hatte, so, dass er sich nicht ändern konnte und es nur in seiner Macht stand, es seinem Inneren in einer adäquaten Umgebung behaglich zu machen. Nun lag seit einigen Tagen ein Störfaktor auf seinem Küchentisch. Ein Kunde aus Island, für den Frank etwas erstellte, was für die Welt völlig ohne Belang bleiben sollte, lud ihn ein, ihn in seiner Firma zu besuchen. Normalerweise hätte Frank die Einladung mit großer Bravour in den Mülleimer gegeben, zumal die Erinnerung an seine Fastreise nach Shanghai noch sehr lebendig war, doch schien ihm dies ein Angebot, das er schwer würde ablehnen können. Die Marktlage war eine angespannte, und sehr viel jüngere, besser ausgebildete und ehrgeizigere Menschen als er saßen verwirrt auf der Straße und verstanden den Untergang des Sozialstaates nicht. Die Einladung lag in der Küche wie eine Boa, die sich in jeder Sekunde auf ihn stürzen und ihn erwürgen könnte. Von einer Einladung erwürgt – so ein schiefes Bild kann mir auch nur in Zeiten hoher emotionaler Not kommen, dachte Frank und verließ seine Wohnung, denn draußen war Sommer und keine Einladung lag herum. Es war Sonntag, und Frank erinnerte sich, wie er Sonntage früher gehasst hatte. Sie waren ihm tot erschienen, weil er Ladenöffnungszeiten mit Leben verwechselt hatte. Heute, da eine Umgebung einzig seinen inneren Zustand reflektierte, waren ihm Wochentage egal, ebenso das Wetter und Tageszeiten. Wenn man sich um ein ausgeglichenes Inneres bemühte, konnten einem die wechselhaften Widrigkeiten des Lebens nicht so viel anhaben. Frank ging in ein Café, das hatte für ihn enorm an Attraktivität eingebüßt, seit er nicht mehr rauchte und dadurch auch weniger Gefallen an Kaffee fand. Auch in Kneipen, die heute Bars oder Lounges hießen, war Frank nicht mehr zu Hause. Die meisten der Bars, in denen er früher verkehrte, gab es nicht mehr, und wenn, dann waren es traurige Orte geworden. Hinter dem Tresen lümmelten entweder dick gewordene Rocker mit Sisters-of-Mercy-T-Shirts und Stirnglatze oder Frauen mit schwarz gefärbtem Haar, deren Magersucht ihnen optisch auch nicht nach vorne half. Ab 40 hatte der Mensch in der Welt des Amüsements keinen rechten Platz mehr. Da hatte er ein Zuhause oder einen Freundeskreis, der grillte, hatte einen Club oder war tot.

Frank setzte sich vor eine dieser alten Bars, nicht aus sentimentalen Gründen, sondern weil er für eine Weile Ruhe vor Müttern suchte, die wirkten wie Modelle aus einem Versandhauskatalog, Jeans in die Stiefel und bauchfrei, hatte denen keiner gesagt, dass man das nicht mehr trug, oder waren sie einfach nur stolz, nach der Geburt wieder zu einem optimalen Bauch gefunden zu haben? Kinder waren Accessoires geworden, dass da keiner etwas unternahm gegen diese Plage, was da an blöden Genen weitergegeben wurde, und diese Lebensborn-Ministerin mit ihrem germanischen Haar und den neun Kindern, die sie geboren hatte, und der Wiedereinführung des Mutterkreuzes. Europa würde überaltern in ein paar Generationen, übernommen werden von geburtenstarken Nationen. Wenn das bedeutete, dass es keine deutschen Berlin-Mitte-Mütter mehr gab, sollte es ihm recht sein. Frank mochte nicht viel nicht, aber selbstgerechte Mütter gingen ihm furchtbar auf den Sack. Sie hatten gefickt, na und. Er hatte sie nicht darum gebeten, ihm war das Aussterben der Rasse gleichgültig, wenngleich er sein eigenes Aussterben nicht unbedingt begrüßte. Warum sollte er ihnen helfen, die Kinderwagen in Busse zu schleppen, warum ihnen Türen aufhalten und Päckchen aufheben, die sie wie übereifrige Ameisen in den Kinderwagen herumschleppten, und das alles ohne einen Dank zu bekommen, ein Lächeln? Müttern helfen war so selbstverständlich, als habe einer Einsatz in den Trümmern der Stadt geleistet oder an den Sandsäcken der Mulde. Frank merkte an der eigenen Aufgebrachtheit, dass sein Gleichgewicht gestört war, normalerweise regte er sich nie über die Lebenskonzepte anderer Personen auf, mochten sie ihm auch noch so einfältig erscheinen. Er trank ein Bier, nicht weil ihn danach verlangte, sondern weil es ihm unangemessen erschienen wäre, an solch einem Ort der Reminiszenz einen Kaffee zu verputzen. Nach einigen Minuten begann Frank zu schwitzen, und die Augen brannten ihm von zu hellem Licht und zu viel Ozon. Der Sommer in der Stadt war furchtbar. Diese dämpfende Glocke aus Schweiß und Müdigkeit, aus Nichtwissen-Wohin mit zig Millionen Menschen, die Natur wollten, die es nicht gab, und stattdessen mit Asphalt vorliebnahmen. Frank versuchte sich zu erinnern, wie ein See im Sommer roch, es mochte ihm nicht einfallen. Das Einzige, was man in Berlin roch, waren Parfüms von Calvin Klein über Body Lotions vom Body Shop. Und Alkoholfahnen. Wo kamen die jetzt her? Frank schaute sich um und sah, dass sich eine Frau an seinen Tisch gesetzt hatte. Ich bin's doch, Ulrike, nuschelte die Frau, und dabei fiel ihr ein Zahn aus dem Gesicht, den sie sich schnell wieder in die Zahnreihe drückte. Wachs, weißt du, sagte sie, kann ja keiner bezahlen sonst. Ulrike, dachte Frank, und er hoffte, dass sein Blick weniger leer war als sein Gehirn. Da hallte nichts, da kam kein Bild, keine fucking Ulrike in the House. Ulrike aus der WG, half ihm die Frau, wobei ihr Nuscheln nicht wirklich dazu beitrug, ihr gerne und strahlend ins Gesicht zu sehen. Die Frau hatte natürlich schwarz gefärbte Haare, die wie ein öfter benutztes Nest auf ihrem Kopf saßen, darunter war ein Gesicht, mit dem es das Leben nicht gutgemeint hatte. Ausgezehrt, faltig, und was an Haut übrig war, mit zu dunklem Make-up verstellt. Die Frau trug schwarze Kleidung, Leggings und ein Spitzenoberteil, das war alles wirklich nicht schön anzusehen, und Franks Gehirn noch immer leer. In der Torstraße damals. Torstraße, das musste 20 Jahre her sein. Frank sah sehr schwach eine WG vor sich und sein Zimmer darin. Er hatte damals eine unerklärliche Vorliebe für Gold gehabt, und es hatten sich ausschließlich goldene Dinge in seinem Zimmer aufgehalten. Ein goldenes Messingbett, goldene Vorhänge, ein in Gold angemalter Tisch. Sein Zimmer war immer ein wenig verdunkelt, weil man das so machte unter Depressiven. Ulrike wohnte damals auch in dieser WG, und sie war in seiner Erinnerung ein schönes Mädchen gewesen. Dünn und mit immer verwischtem Make-up. Er erinnerte sich, dass er nie in sie verliebt gewesen war, was eine Leistung schien in einem Alter, da alle immer in irgendwen verliebt waren, nur Frank nicht, er kannte das Gefühl nicht, von dem alle berichteten und um das er sie beneidete.

Mit Ulrike war er ein paarmal ausgegangen bis in die Morgenstunden, weil man das damals auch so machte. Sie hatten sich in Diskotheken herumgedrückt, in denen sich Frank immer verloren fühlte. Ab und zu tanzte er, wenn es dunkel genug war, und dann schwitzte er, und es war noch ungemütlicher. Er erinnerte sich daran, mit Ulrike schweigend durch den Morgen gelaufen zu sein, das unbehagliche Gefühl zwischen ihnen, das man hat, wenn man jung ist und meint, man müsse sich doch mit allen verstehen. Das war also Ulrike. Er sah die aufgelöste Frau an und begann wie alle Menschen, sofort Rückschlüsse auf sich selbst zu ziehen. Eilig sprang er auf, sagte, dass sie sich irre, bezahlte sein Bier und rannte nach Hause. Er sagte seinem Kollegen in Island zu, denn er hatte das Gefühl, dass er sich in irgendeine Richtung bewegen müsste.

Paul
Berlin

Mit dem Rad auf dem Weg durch die Stadt, die in absoluter Trostlosigkeit nicht mal schlief. Die war tot. Es befand sich niemand auf der Straße, und natürlich bellte auch kein Hund. Die waren beim Yoga. Die Hitze war so hell, dass die Häuser wie erstickt schienen. Na, über den Satz denk mal nach, dachte Paul und wollte umkippen, mit dem Rad einfach zur Seite fallen und liegen bleiben. Eine große Langeweile hatte seine Beine erfasst.

Warum das denn? Warum stellte sich kein Spaß ein? Der wurde doch dem Aktiven immer versprochen. Lachende Jogger, die Kaugummi essen. Idioten, die mit Mountainbikes durch die Natur heizen. Und sich trimmen und Pilates und Spinning und Power-Yoga, und alle rannten und schwitzten und stählten sich, trugen Laibchen, rochen ihren Schweiß gerne, und warum wollten gerade die uninteressantesten Menschen auf Teufel komm raus länger leben?

Öde Straßen, die in öde Felder übergingen, die Wege ausgewaschen – jetzt bitte Drogen. Paul war einmal betrunken gewesen, an irgendeinem Fest seiner Mutter hatte er in der Küche eine Flasche Wein getrunken. Der Zustand war nicht schlecht. Es war so wenig zu spüren. Aber das Erbrechen im Anschluss war die Sache nicht wert gewesen.

Die Beine waren müde, zu sehen nichts, weil die Sonne in die Augen fiel, Schweiß am Hemd und noch nicht mal Musik dabei.

Bis zu jenem Moment hatte der Entschluss, den Tag aktiv zu gestalten, Paul nicht wirkliche Freude gebracht. Manchmal war das so, dass nichts einen aus einer Stimmung zu helfen vermochte. In letzter Zeit war es fast immer so. Paul wollte einfach nur sitzen und sich über seine Füße ärgern. Doch da war sein Körper, und der war so nervös und kribbelte. Die gingen nicht zusammen derzeit, der Kopf, der immer nur starren wollte, und der Körper, der rennen wollte, unentwegt oder etwas Ähnliches, wovon er noch keine Ahnung hatte.

Paul schwitzte und glaubte, vor Langeweile zu sterben, er hasste Radfahren aufrichtig, und als er endlich angekommen war, da, wo er eigentlich gar nicht hinwollte, hatte sich nichts geändert. Der Tag nicht, die Hitze nicht und die Stimmung überhaupt nicht. Der See roch modrig, und natürlich war da auch niemand. Wäre da wer, wäre es noch schlimmer. Familien vielleicht, die Würste grillten und Musik hörten. Oder Teenager. Paul würde Teenager nie Teenager nennen. Es waren für ihn die einzigen Menschen, die er als seiner Rasse zugehörig empfand. Was älter oder jünger war als er selbst, nahm er nur als Störung wahr. Damit konnte er sich nicht auch noch befassen.

Und dann also das Zelt aufbauen am Ufer, inmitten von Schilf und Mücken, Schlamm und leeren Vogelnestern, und der Boden war glitschig und steinig, dunkel, mit verfaultem Holz. Paul kauerte neben seinem Zelt und wehrte Mücken ab. Wenn er sich bewegte, gluckerte es, und schwarze Feuchtigkeit schmurgelte zwischen den alten Zweigen hervor. Romantisch war das nicht. Die Romantik mochte sich nicht einstellen. Dass immer alles so viel schäbiger war, als man es sich dachte. Wahrscheinlich nehmen die Menschen Drogen, weil es sonst so unerträglich normal ist und allem so wenig Glamour innewohnte.

Vielleicht würde sich die Romantik einstellen, wenn er ein wenig im See schwömme. Nackt. Dachte sich Paul. Traute sich aber das Nackt nicht. Nacktsein war etwas, das ihn nervös machte in einer Art, die er nicht verstand. Onanieren war etwas, das ihn nervös machte. Verstand er auch nicht. Paul kauerte, die Beine schliefen ihm ein, er hätte sich in sein großartiges Zelt legen können, da war es zu heiß, und kapitulieren war nicht drin, denn zu Hause war nichts, was nicht noch schlimmer gewesen wäre. Also baden. Über die Zweige, die im Schlamm steckten, mit den kleinen Füßen durch das Schilf, das ihm ins Gesicht schlug, er sank in Schlamm ein, der fast lebendig schien, er roch das brackige Wasser und musste durchhalten. Weil es nur eine Alternative gab. Die wäre umfallen und starr werden, doch dazu taugte der Boden nicht.

Durchhalten, das war auch so etwas. Konnte sein, dass man belohnt würde danach. Oder auch nicht, und dann hatte man einfach nur Zeit verloren, doch an Zeit dachte Paul noch nicht, die war ja noch unendlich vorhanden, fast zu viel. Paul schwamm, und es war anstrengend wie Radfahren oder Wandern, auch so was Schreckliches, und schwamm, und irgendwann spürte er sich nicht mehr. Das Wasser wurde weicher und roch besser, die Sonne wurde milder, Paul vergaß, an seinen Körper zu denken, an das Ufer zu denken, an den Sonntag zu denken, er roch nur, und das Licht wurde golden, weil die Sonne unterging, und er schwamm einmal um den See und zurück, und als er wieder Boden unter den Füssen hatte, begann er zu onanieren. Das ging ja immer. Verlieh jeder noch so trüben Sequenz eine gewisse aufregende Verruchtheit.

Kurz bevor Paul zu einem Ende gelangte, öffnete er seine Augen und sah am Ufer: ein Mädchen.

Der Schock ist ein lebensbedrohlicher Zustand. Ursachen können sein: Blut- und/oder Flüssigkeitsverlust, Weitstellung der Blutgefäße, Störungen der Herzfunktion, zu erkennen an: fahler Blässe, Frieren, Zittern, Schweiß auf der Stirn, Unruhe, Teilnahmslosigkeit – fiel Paul zu dem Zustand, der in ihm war, ein.

Das Mädchen stand am Ufer und schaute auf den See. Paul tauchte den Kopf unter Wasser, begann hektische Bewegungen zu machen, hab nur ein wenig gewackelt unter Wasser. Macht man ja mal. Doch als Paul eine Weile gewackelt hatte und es wagte, das Mädchen wieder anzusehen, bemerkte er, dass sie ihn gar nicht wahrnahm. Sie schaute den See an, die Sonne, das Gegenlicht und dachte Mädchendinge. Sie schaute, Paul stand, nach Minuten, seine Haut war blau unterdes, musste etwas passieren, so schlug sich Paul durch das Schilf, er schüttelte sich die Haare aus wie ein Hund und ging so entspannt, wie es auf spitzen Zweigen möglich war, zu seinem Zelt. Das Mädchen hatte sein Fahrrad auf dem Boden liegen und sah Paul an, mit dem leeren Blick eines Menschen, der nicht wusste, woher er den anderen kennt.

Wie sie schon taten wie Menschen. Und auch nicht weiter wussten. Sie hatten es verlernt, sich wie Tiere zu beriechen und zu mögen oder nicht und dann übergangslos Burgen zu bauen.

Schweigen. Schwarze Zweige in den Fußsohlen, die Badehose so nass, das Wasser lief die Beine hinab, ein wenig wie Sicheinpinkeln, Gänsehaut auf der Brust, die Haare tropfen.

»Paul. Wir kennen uns aus der Schule.«

»Svenja. Ja, stimmt.«

Sie kannten sich also aus der Schule, hatten sich da stehen sehen, in Marsentfernung voneinander. So fremd, wie man sich ist, eine Klasse über- oder untereinander.

Pauls Zähne schlugen aufeinander. Die Sonne tauchte in den See, wilde Tiere kamen aus dem Unterholz.

Nach weiteren zehn Minuten des Frierens und Stammelns wurde es nicht besser, aber weniger peinlich. Paul trocknete, er zog sich hinter dem Zelt um, überlegte sich, was er mit dem Mädchen reden könnte, zu dem Zeitpunkt war er bereits verliebt, das wusste er natürlich nicht, es war ja das erste Mal, er dachte: Lass sie nicht gehen, wer auch immer, lass sie hierbleiben, und er zog sich an, und die Füße im schwarzen Morast, und wie bringt man schwarze Füße in eine saubere Hose, und stolpern, und lass sie noch da sein. Sie war noch da. Aus irgendwelchen Gründen war sie noch da, doch die Sonne verschwand. Es wurde ein wenig frisch später, da saßen sie aber bereits im Zelt, dort hatte es keine Zweige, der Mond kam vorbei, und sie begannen zu reden. Jeder für sich erst, dann erstaunt, dass der andere da war und so ähnlich dachte.

»Wenn ich meine Mutter anschaue, sie sieht so alt aus, außer am Sonntag Bier in einer Kneipe zu trinken, macht ihr nichts Freude, und selbst bei dem Bier bin ich mir nicht sicher, dass sie es genießt. Ihr Zahn fällt ihr immer aus dem Mund, und es ist ihr egal, weil sie eh nicht mehr glaubt, dass in ihrem Leben was passiert. Ich möchte so nicht leben. Es muss doch noch mehr geben. Wildere, größere Dinge. Ich möchte ein schnelles Leben. Und ich habe Angst, es nie zu bekommen.«

»Ich habe noch nie darüber nachgedacht, wie sich ein Leben anfühlen sollte«, sagte Paul.

»Das ist typisch«, sagte Svenja. »Jungs denken nie über irgendetwas nach. Sie handeln und fühlen sich schon auf der Gewinnerseite, weil meistens handeln sie nicht, sondern sitzen nur in unaufgeräumten Zimmern und hören Musik, und dazu spielen sie Luftgitarre, wenn es hoch kommt. Jungs machen etwas, und dann stehen sie da und schauen sich erstaunt an, in welchen Schlamassel sie sich wieder gebracht haben. Sie haben die falschen Hormone, die machen, dass sie nicht denken können.«

Paul hatte das Gefühl, noch nie so gut verstanden worden zu sein, nicht mehr allein zu sein, und er schaute auf das Mädchen, so etwas Schönes hatte er noch nie gesehen. Aber vielleicht war es auch nur das Licht der Sterne, durch das Dach des Zeltes war das Licht orangegold, oder es waren die Tiere, die sangen, oder die Luft, die immer noch warm war und feuchter wurde.

»Vielleicht sollten wir einfach ein bisschen schlafen«, sagte Svenja. Und dann lagen sie, das Licht war nur noch golden, und das Mädchen schlief ein, sie tat natürlich nur so, wartete, dass etwas passierte. Und Paul schlief ein, tat natürlich nur so, wartete, dass er den Mut hätte, etwas passieren zu lassen, und hatte doch keine Ahnung, was das sein sollte. So versuchte er, seine Nase nah an das Haar des Mädchens zu bringen, ihr Haar in den Mund zu nehmen, ihr Gesicht an sein Gesicht zu legen, und Svenja schlief ja und drehte sich ein wenig zu ihm hin, im Schlaf, alles klar. Die Nacht soll nicht aufhören, dachte Paul, und er fühlte sich wie in einem Traum. Dass er da lag und nicht mehr alleine war, und so eine große Zärtlichkeit war in ihm, dass er nicht aufhören konnte zu lächeln.

Doch der Tag kam, immer kommt der, als Morgendämmerung, irgendwo ging die Sonne auf, oder die Welt drehte sich zu ihr hin, das wusste Paul nicht mehr, und er versuchte sich zu erinnern, an die Sonne, die Erde, an sein Leben, und hatte doch alles vergessen. Svenja lag in seinem Arm. Und es war das erste Mal. Als sie die Augen öffnete, lächelte sie.

»Das war die schönste Nacht seit langem«, sagte das Mädchen. Dann stand sie auf und stieg auf ihr Rad.

Es war sechs Uhr, die Vögel schon munter, der Tau in der Luft, und es war der vielleicht unendlichste Moment in Pauls Leben. Doch das wusste er zum Glück nicht. Wie hätte er sonst weiterleben können?

Miki
New York

Von Hitze und dem Unvermögen, zu begreifen, was sie nun schon wieder für einen Mist gebaut hatte, betäubt, war Miki seit Tagen durch die Stadt gelaufen und hatte versucht, einen Mythos zu verstehen.

Vielleicht ist es ja New York, hatte Miki gedacht, nachdem Hongkong es nicht war. Sie hatte es nicht mehr in Mr Lings Wohnung, die nun ihre Wohnung sein sollte, ausgehalten, überall diese skandinavischen Möbel, die ihr vormachten, gleich kämen Eltern nach Hause, die sie nie hatte. Studienräte für altphilologische Fächer. Verknöchert und liebevoll. Es gibt Möbel, für die man einfach nie reif sein wird.

In der Nacht war sie aufgeschreckt, nach Träumen so blutig, dass sie sich fragte, woher die Bilder kamen, gesehen hatte sie das noch nie, dass Menschen Augen entnommen wurden bei lebendigem Leib. Miki versuchte, mit dem Schreiben von Gedichten wieder zur Ruhe zu kommen:

Und der Nymphensittich dann –
wenn man sich so was leisten kann –
der klebt seit Wochen auf dem Boden,
dort klebt er fest an seinen Hoden.

Da hab ich UHU draufgestrichen,
um dem Hund eins auszuwischen.
Der sang so laut, die ganze Nacht,
hat mich um meinen Schlaf gebracht.
Mein Schlaf ist Gold, das sag ich dir,
du festgeklebtes blödes Tier.

Allein, das half nicht. Sie hatte nach einigen Tagen Geräusche gehört unter der Stille, und die Schatten waren zu Menschen geworden, oder zu Bären, wer konnte das genau sagen. Miki fragte sich, ob es öfter passierte, dass sich unbemerkt große Tiere Zugang zu Wohnungen verschafften und dann mit den Menschen lebten, ohne von denen wahrgenommen zu werden. Sie stellte sich vor, dass eventuell ein Pinguin in der Wohnung leben könnte, der untertags die alten Kleider Lings auftrug. Miki traute sich nicht mehr, die Wohnung zu verlassen, weil sie nicht wollte, dass der Pinguin ihre Gedichte las und alberne Spiele mit ihrer Unterwäsche veranstaltete. Sie erkannte, dass es Zeit war, den Ort zu wechseln oder auf jeden Fall Lings Wohnung zu verlassen, um sich gegebenenfalls in Hongkong etwas Neues zu suchen. Seltsam, dachte Miki, dass ich es ein halbes Leben geschafft habe, ohne jede Verbindlichkeiten zu bleiben. Es gab keinen ausufernden Freundeskreis, keine Gewohnheiten, kein Besitz, der sie an irgendeinen speziellen Ort gebunden hätte. Und sie hätte nicht zu sagen gewusst, ob es ein Vor- oder Nachteil wäre, ohne die Idee von Sicherheit zu leben.

Nun verbrachte sie heiße, stickige Tage in einer Ferienwohnung im East Village, denn an den Reichtum hatte sie sich noch nicht gewöhnt. Mit ihrem oder – was es für Miki immer noch war – Lings Vermögen hätte sie sich die neue Suite im Four Seasons leisten können. Pro Nacht 30.000 Dollar. Doch teure Hotels reizten Miki nicht. Sie hatte genug dieser Suiten bei ihrer früheren Arbeit gesehen und wusste, dass man sich darin nicht wohlfühlen konnte. Immer war irgendetwas zu cremefarben, riesige Stehlampen auf niedrigen Tischen, Teak spielte eine Rolle, und entweder hatten alle Reichen den gleichen Geschmack, oder alle Inneneinrichter hatten die gleiche Idee vom Geschmack, der Reichen. Außerdem: Was sollte sie in einem solchen Hotel, mit Dienstboten, die vermutlich alle eine bessere Ausbildung genossen hatten als sie? Miki hatte den Ventilator in ihr Gesicht gerichtet, weil sie sonst kaum Luft bekommen hätte in der Wohnung, die stickig war, denn die Gitter waren verschlossen, nur ein kleiner Spalt Fenster geöffnet, draußen Hochsommer, der in New York unerträglich war, die Reichen aufs Land geflohen, nur die Überreste krochen auf dem Asphalt, der schien Blasen zu schlagen, und die Menschen in der Stadt, die ohnehin größtenteils mentale Probleme hatten, weil New York kein Ort war, für den Menschen geschaffen waren, keiner ist doch geschaffen, sich als ein Nichts zu fühlen, drehten komplett durch.

Miki war noch nie in New York gewesen, es hatte sie ebenso wenig gereizt, wie nach Buenos Aires oder Jakarta zu reisen, Orte, die gewiss auch ihre schönen Seiten hatten.

Miki hatte geglaubt, dass sie die Amerikaner in Los Angeles zu verstehen gelernt hatte. Dort war es geschmeidig, gebleacht und oberflächlich gewesen, Geld hatten sie auch da gerne verdient, aber irgendwie weniger ausschließlich, wie es ihr schien. War auch nicht so einfach, wenn alles einfach sein kann, dachte Miki, und selbst das ungezügelte Einkaufen, das sie sich jetzt erlauben könnte, stieß sie eher ab. Barneys mit beliebig wirkenden Designertrikotagen vollgestopfte Etage ermüdete sie, die Frauen, die mit angespannten Gesichtern in Befehlston dort lustlos einkauften, verstand sie nicht. Sie verstand das Gekaufe nicht, das Gerenne, das Sich-die-Nägel-machen-Lassen, die Füße, die Lippen, die Brüste, die Haare, und rennen, immer mit verspanntem Gesicht, oder eben – sie verstand es zu gut. Verstand, wie man in so etwas geraten konnte, aber es interessierte sie nicht. Auf der Straße tigerten ein paar Jews for Jesus herum. Blitzblanke kleine Juden, die Handzettel verteilten. So, so, der Jesus also, dachte Miki und mochte die Idee, dass irgendein Jude, der auf einem üblen Trip hängengeblieben war, sich diesen Scheiß ausgedacht hatte. Juden für Krishna, für unbeschnittene Glieder, Islam für Tretroller, Frettchen für Katzen, scheißegal, alles war recht, um sich irgendwie zu fühlen, an irgendetwas zu glauben, und Miki beneidete die Jungs und Mädchen für ihren ungebrochenen Eifer. Sie war zu alt, um sich aufzuregen, um zu schäumen, um für oder gegen etwas zu sein, dazu schien ihr alles zu egal, zu nah das Ende, zu absehbar, dass alles mit einem sterben würde, ohne Bedeutung. Wie halte ich noch 40 Jahre durch? An der Ecke stand ein weinender Mann mit Fotokopien seines Papageis, der war ihm abhandengekommen. Hat jemand Pitti gesehen, schluchzte der Mann, und sofort kamen Miki die Tränen ob der armseligen Niedlichkeit des Lebens. Der Papagei, der einzige Freund des Mannes, so viel war klar, denn wie kann man hier Freunde finden in dieser Stadt, in der alle beschäftigt sind, dauernd der Hoffnung hinterherrennen, aber die ist immer schneller und um die Ecke und weg. Die Stadt erstickte an sich. Miki erinnerte sich, dass es irgendwo Meer geben müsste, das vergisst man schnell in großen Städten, dass sie in irgendetwas gebaut wurden, das Landschaft war, und dass sie irgendwo enden mussten.

Am Wochenende fuhr Miki zusammen mit acht Millionen anderen nach Coney Island. In glühender Hitze schoben sich die Armen der Stadt mit Transistorradios – dass jemand so was noch benutzte – und Stühlen über den Strand, da lagen sie dann, der Strandstreifen nicht zu sehen, am Ende irgendwo dunkles Wasser, in dem Menschen bis zur Hüfte standen. Schwimmen war nicht, denn das mochte keiner in den Mund bekommen, was ihn da umspülte. Miki setzte sich betäubt auf eine Bank und sah die Menschen an, die es geschafft hatten, in New York zu leben. Aber wozu? Sie stopften Burger in sich und Fritten und Würste, weil Essen das Einzige war, was sie sich an Lebensqualität leisten konnten. Alte Frauen sah sie, in die amerikanische Flagge gehüllt, mit Diademen im Haar, Elvise und übergewichtige Männer, die mit Farbgewehren auf einen Freak schossen. Fünf Dollar – Shoot the Freak. Zu dünn oder zu fett, tätowiert und gepierct und die Haare aufgebauscht oder verunstaltet, all diese rührenden Bemühungen, besonders zu sein. Und immer waren sie nur einer von Tausenden Tätowierten, Operierten, Durchgedrehten, das interessierte hier keinen. Das war vielleicht das Schlimmste an solchen Orten, das Gefühl, dass sich keiner für einen interessiert, dich nicht anschaut, an dir vorüberrennt, alle im gleichen Wahn des Tempos, uniform beseelt von etwas, das gar nicht ihres war. Ohhh, die Energie der Stadt. Das russische Mädchen, dem die Wohnung gehörte, in der Miki jetzt schwitzte, hatte ihr einen Vortrag gehalten am ersten Tag bei der Schlüsselübergabe. Es ist der einzige Ort, wo ich leben kann, sagte sie, merkst du, wie die Stadt vibriert? Es ist der kosmopolitischste Ort der Welt. Allen ist egal, wie gut du Englisch kannst, jeder hat die gleichen Chancen. So ein Mist, dachte Miki, jeder lässt dich nur in Ruhe, weil du egal bist, weil eben keiner die gleichen Chancen hat, und alle rennen, um die Miete zu verdienen für kleine Löcher mit Ventilator, diese Buden, die aussahen wie in der Dritten Welt, und nie, russisches Mädchen, wirst du eine Wohnung in der Park Avenue haben. Am Anfang magst du denken, die will ich gar nicht. Ich möchte Kunst machen oder irgendeinen Scheiß.

Aber diese Stadt killt jeden, der Sog ist zu stark in eine Richtung, und die ist: reich werden, reich werden, reich werden, um sich ein wenig Ruhe kaufen zu können.

Miki war unterdes wieder in die Stadt zurückgefahren, wenn sie schon nicht baden konnte in dieser Drecksbrühe, wollte sie wenigstens eine Dusche nehmen. Als sie durch die Gitter auf die Straße schaute, sah sie auf der Feuerleiter einen großen, grünen Papagei sitzen. Er hatte eine kleine Schlinge geknüpft und über das Geländer gehängt.

Lisbeth
Wien

Warum sagt einem eigentlich keiner, dass das Leben im Alter so schön ist, dachte Lisbeth manchmal, und wenn sie einen Bezug zu sich und dem Wort Alter herstellte, war das keine Koketterie, denn Lisbeth war 88, und das konnte man amtlich alt nennen, selbst in einer Gesellschaft, in der man mit 46 das erste Kind bekam.

Lisbeth hatte ihr Leben lang für eine Nachrichtenagentur als Modekorrespondentin gearbeitet, bis sie sich vor einem Jahr überlegt hatte, dass sie eigentlich lieber Fachbücher schreiben würde. Sie hatte als junges Mädchen studiert und wunderte sich immer wieder, wenn ihr Frauen ihres Alters Geschichten über die nicht vorhandene Emanzipation und die Möglichkeiten, die sie nie hatten, erzählen wollten. Alles Lügen, faule. Seit hundert Jahren konnten Frauen studieren, wenn sie den Spott der Männer in Kauf genommen hatten und eventuelle Schwierigkeiten auf dem Heiratsmarkt. Lisbeth hatte nie ein Kind gewollt, weil ihr klar war, dass sie sich dann zwischen Kind und Beruf hätte entscheiden müssen. Und Lisbeth wollte sich nicht entscheiden. Sie hasste dieses Entweder-oder und vermied Situationen, die sie zu ernsthaften Fragestellungen nötigten. Lisbeth hob sich all ihre Energie für die große Entscheidung auf, die irgendwann anstünde. Weiterleben oder sterben.

Lisbeth war seit Jahren alleine, und auch damit hatte sie ihren Frieden gemacht. Irgendwann hatte sie kein Interesse mehr an allem Geschlechtlichen, am Flirten und Schauen und Prüfen, ob sie noch ankäme. Das hatte sie sich immer als das Ende vorgestellt – alt zu werden und keiner schaute sie mehr an. Zumal das ein Irrtum war. Es schauten sie durchaus noch Menschen an, und zwar vornehmend freundlich. Lisbeth sah reizend aus mit den kleinen Kostümen, die sie trug, den Handschuhen, den Hüten, dem schönen Gesicht, und dass Männer sie nicht mehr soo ansahen, war ihr egal, denn sie sah auch niemanden mehr soo an. Sie vermisste keine Menschen nah um sich, wenn sie Gespräche brauchte, ging sie, um sich Einsame zu suchen. Das war ihr immer mehr zur Aufgabe geworden. Den Jüngeren zu sagen, was sie wusste und was sie so entspannte: Es wird alles besser.

Lisbeth liebte gepflegte, kleine Stadtspaziergänge, nach Fernreisen verlangte ihr nie, und so spielte es auch keine große Rolle, dass sie dazu kein Geld mehr hatte. Man benötigte so viel mehr Geld im Alter, denn man mochte keine schlechten Speisen mehr, keine schlechten Kleider und schlechten Bücher. Lisbeth liebte es, von feinen Dingen umgeben zu sein, von Kaschmirdecken und Blumen, von ihrem gepflegten Hund und den wöchentlichen Zeitschriften. Einzig ihre Gleichgültigkeit bedauerte Lisbeth mithin. Es gelang ihr nicht mehr, sich über das Weltgeschehen zu erregen, über die Dummheit religiöser Fanatiker, die Stumpfheit der meisten Menschen, über Kriege und Konsumterror, sie wusste, dass die Welt ein dummer Ort bleiben würde. Sie könnte sie nicht retten.

Lisbeth konnte nur unglückliche Fremde aufsammeln, Selbstmörder von Brücken pflücken, alten Leuten Mut zum Sterben geben, das stand in ihrer Macht, das war ihre Aufgabe. Und ihr Mann. Den sie jeden Tag in einem Heim besuchte, wo er im Koma lag, seit vier Jahren. Ihr Mann wollte nicht sterben, das merkte Lisbeth, und sie wollte ihn noch nicht gehen lassen. Sie hatten 30 Jahre zusammengelebt, und Lisbeth hatte sich jeden Morgen gefreut, ihn zu sehen beim Erwachen. Er war ein stattlicher Mann gewesen und hatte sich nicht gescheut, Lisbeth auf der Straße fest an sich zu drücken. Männer haben ja mit so etwas oftmals Mühe. Er nicht. Und nun lag er wie ein Stück Wurst in diesem Bett, und Lisbeth setzte sich zu ihm, jeden Tag, und fragte sich, ob er lustige Dinge erlebte, da, wo er war. Und sie wünschte sich so, dass er zurückkäme. Manchmal glaubte sie, sie würde ihr Leben dafür geben, nur noch einmal auf seinem Bauch einschlafen zu können und aufzuwachen und in sein Gesicht zu schauen. Und dann ging Lisbeth wieder heim, jeden Tag, und machte sich auf die Suche nach Menschen, die sie brauchten. Der einzige Mensch, den sie brauchte, den gab es nicht mehr.

Pia
Bellaggio

So, so, der Herbst des Lebens also, dachte Pia und versank noch ein wenig tiefer in dem Rattan-Polstersessel in der Halle des Hotels Villa Serbelloni in Bellaggio.

Pia war seit einigen Tagen in dem alten Hotel am Comer See, und verlassen hatte sie es nur selten. Pia merkte, dass sie so geworden war wie die Leute, die sie nicht mochte. Sie hatte Angst vor allem, das die Welt, die sie sich um sich errichtet hatte, in Frage stellen konnte. Pia hatte im Laufe der Jahre herauszufinden geglaubt, was für sie angenehm war, und sie wollte ihre Bequemlichkeit durch niemanden in Frage stellen lassen. Entsprechend aggressiv reagierte sie auf alles, was sie nicht kennenlernen wollte, auf Orte, Meinungen, Lebensentwürfe. Sie wollte nun, da nicht mehr viel Zeit für einen Neubeginn blieb, das Alte nicht hinterfragen, denn es tat ihr gut. Wo ist nur die Großzügigkeit des Alters, fragte sich Pia und schaute mit großem Ekel auf die Mutter, die mit ihrem fetten, unangenehmen Sohn, der ein verschwitztes Fußball-T-Shirt trug, am Nebentisch saß. Die beiden verströmten die Essenz einer missratenen Beziehung.

Warum ist mir nicht egal, wie andere sich ihr Leben verderben, dachte Pia, und ist meines nun wirklich so gelungen, mit all den Beschränkungen, die ich mir auferlegt habe?

Pia hatte sich nie auf wilde Campingtouren eingelassen, auf Open-Air-Konzerte, Trampen, Übernachten bei fremden Männern, Affären, Nachtclubs, Drogen, sie hatte sich ein Schloss gebaut, das zu verlassen sie immer weniger Lust verspürte. Unternahm sie hin und wieder mit großen Kraftaufwendungen Experimente, stellte sie einen spontanen, lockeren Menschen nach, dann ging es schief, wie der Urlaub auf Myanmar ihr gezeigt hatte. Pia mochte die Abscheu nicht, den

Dinge, die sie für sich als unzulänglich eingeordnet hatte, in ihr weckten.

Wenn Pia etwas bedauerte, dann dass sie nicht genug Geld angehäuft hatte, um den Rest ihres Lebens in Bellaggio verbringen zu können. Der Ort war wie etwas, das man essen konnte. Die Luft vom Geruch des Sees erfüllt, auf dem kleine, weiße Boote verkehrten. Gassen mit Lebensmittelläden, Markisen vor Hotelterrassen, und man spürte bei jedem Schritt, dass das ein Pflaster war, auf dem alte Filmstars und Könige gelaufen waren. Im Hotel Serbelloni hatte Pia ein Zimmer, das voller alter Barockmöbel und Teppiche war, der See direkt vor dem Fenster und die Räume so hoch und groß, dass sie immer angenehm kühl waren.

In der Hotelhalle saßen alte Damen, die ihre Männer überlebt hatten und den gesamten Sommer im Hotel verbrachten. Mit Kartenspielen, Tanzen abends zur Musik des Streichorchesters und gemäßigtem Baden im Pool. So kann man 100 werden, und das gerne.

Es war der perfekte Platz, um allein zu sein. Das Personal im Hotel hatte diesen gewissen Umgang mit alten Damen, ein wenig flirtend, familiär, beim Frühstück nickte man sich zu, man war unter sich. Unter reichen alten Damen.

Man sah ihnen an, wie entzückend der Wohlstand sie altern ließ. Ihre Haut war rosig und gepflegt, die Frisuren aufwendig und die Trikotagen über jeden Zweifel erhaben. Die Herren waren alle bei Gott, und hätte ich einen Mann gehabt, dachte sich Pia, wäre er vermutlich auch nicht mehr da.

Ohne es sich bewusst gemacht zu haben, befand sich Pia auf ihrer letzten großen Reise. Das wurde ihr klar, als die Sonne unterging über dem Comer See, die Rasensprenkler im Park angingen und der Geruch sie nervös machte, weil sie ihn gerne festgehalten hätte. Weil sie nicht altern, nicht sterben wollte. Irgendwohin gehen, wo es so sicher nicht mehr roch.

Nach einem Abend in einem warmen Land, nach Reichtum, See und Rasen, nach Holunderblüten und zartem Fleisch, das in der Hotelküche zubereitet wurde. Pia hatte auf einmal Angst, dass ihre letzte Reise ihr klarmachen würde, dass sie ihr Leben falsch gelebt hatte.

Gulzada
New York

Gulzada war vor zwölf Jahren aus Kyrgyztan nach New York gekommen. Damals war sie Parteimitglied gewesen und wurde als Korrespondentin nach New York geschickt. Das klang großartiger, als es war. Wann immer irgendein kirgisischer Sportler oder Politiker in der Stadt war, mietete sich Gulzada ein Aufnahmeteam und fertigte einen kleinen Beitrag für die kirgisischen Nachrichten an.

Sie berichtete über das Elend in New York, um den Einwohnern Kirgisiens die Gnade klarzumachen, die es bedeutete, Kirgisier sein zu dürfen.

Nach zwei Jahren fiel Gulzada bei einem ihrer Heimatbesuche auf, wie erbärmlich das Leben dort war. Heimwehkrank hatte sie in New York Fotos geschaut, lachende Kirgisen in bunten Jurten. Doch als sie daheim inmitten der Trinker in einer Jurte saß, keiner hatte mehr Zähne, keiner hatte Arbeit oder Hoffnung, merkte sie, dass sie die Menschen in ihrer Heimat nicht mehr belügen konnte. Sie wollte keine negativen Beiträge mehr über ein Land machen, das ihr so viel besser erschien als das eigene. Gulzada warf ihren Job hin, ihre Staatsbürgerschaft und ihre Familie, und sie ging nicht mehr heim. Sie war Ende 20 und Teil der Aufgeregtheit um sie herum. Sie wohnte in Fabriketagen, in miesen Buden, in kleinen Zimmern mit Kakerlaken, sie servierte und reinigte Büros, sie schrieb, und das, was sie mit Tausenden verband, war: die Hoffnung. Überall waren jeden Tag große Karrieren am Werden, und in dem Kreis der Einwanderer aus aller Welt, in dem sich Gulzada bewegte, schien alles möglich. Eine Geschichte wurde vom New Yorker angenommen, ein Vortanzen am Broadway, Räume für das eigene Geschäft wurden gefunden. Jeden Tag passierte bei irgendwem ein Wunder, das die Hoffnung nährte, sodass sich keiner mehr genau fragte, worauf sie eigentlich hofften. Die Jahre vergingen so schnell mit der Jagd, dem U-Bahn-Fahren, dem Vorsprechen, dem Herausgeben einer eigenen kleinen Zeitschrift, den Liebesgeschichten, den Freunden, die nie Zeit hatten und denen man hinterhertelefonieren musste. Dann war Gulzada über Nacht 38 geworden, fühlte sich zehn Jahre jünger und sah auch fast noch so aus. Sie war groß und hatte ein asiatisches Gesicht, sie bewegte sich wie eine betrunkene Katze und trug ausschließlich zehn Zentimeter hohe Absatzschuhe. Seit Jahren schrieb Gulzada erfolglos. Erst Geschichten, Reportagen, dann zwei Bücher, und nichts von alledem war je irgendwo gedruckt worden. Gulzada sagte sich, dass das nicht wichtig sei, sie tat es ja nur für sich. Sie arbeitete unterdes am Empfang eines Fitnessstudios und bekam das Geld für die Miete und schlechte Ernährung zusammen. Wenn sie in ihrer Wohnung war, zog sie die schweren Samtvorhänge vor die Fenster und hörte Opernarien. Sie schrieb und sah sich die alten Fotoalben von zu Hause an. Sie

lebte wie in einer Gebärmutter, dunkel und stickig, Gulzada war verloren in ihrem Tagesablauf, der immer gleich geworden war, ohne dass sie es bemerkt hätte. Aufstehen, Kaffee trinken, ins Fitnessstudio gehen, nachmittags in die Wohnung, schreiben, und am Abend traf sie sich ab und an mit ihrem jeweiligen Freund. Im Verlaufe der Jahre waren auch ihre Sexualpartner immer weniger zukunftversprechend geworden. Im Moment war sie mit einem 40-jährigen farbigen Tänzer zusammen, der allerdings seit Jahren keine Engagements mehr hatte und sich vom Unterrichten behinderter Kinder und Kurierfahrten ernährte. Wann immer sie zusammen waren, schien ein feiner Nieselregen zu fallen. Es stand außer Frage, mit dem jungen Mann und seinem Papagei Pitti zusammenzuziehen. Jeder wartete ja noch auf die große Chance, den besseren Partner, den Durchbruch. Die Beziehung war nur für den Übergang, nur um sich nicht sagen zu müssen, dass man einsam ist. Die meisten Freunde aus der Anfangszeit gab es nicht mehr. Sie waren mit ihren Familien nach Brooklyn gezogen oder zurückgegangen nach Europa, oder sie hatten sich eingerichtet mit Bürojobs und wollten nicht mehr an ihre Vergangenheit erinnert werden. Daran, dass das Leben mal einen anderen Rhythmus gehabt hatte. Das Vibrieren der Stadt war nicht auf die unbändige Energie zurückzuführen, sondern auf die U-Bahn-Tunnel und die Bauarbeiten, die Bewässerungskanäle und den dauernden Verkehr, wusste Gulzada heute. Urbane Legenden. Doch sie mochte ihr einst gefasstes Bild von N.Y. nicht zerstören, sie hätte sich sonst fragen müssen, was sie hier tat, und hätte nicht gewusst, was sie woanders tun sollte. Ihr Dialekt war immer noch hart, und ihre Begeisterung gab es nicht mehr. Sie sah die Menschen nicht mehr an auf der Straße. Redete nicht mehr entzückt mit einem Kellner aus Mexiko, einer Kassiererin aus Finnland und einem Straßenkehrer aus Samarkand.

Die Geschichten, die sie früher so gierig aufgesaugt hatte, waren zu einem Brei geworden mit der immer gleichen Pointe: Wir wollten weg, weil wir das Glück finden wollten. Wir wollten aus der Armut weg, aus der Langeweile, wir wollten weg aus unserem Leben. All die Geschichten, die sie in sauberem Schulenglisch aufgeschrieben hatte, die keinen interessierten, weil alle davon umgeben waren, und etwas Neues zu erzählen wusste Gulzada nicht, denn es war nichts Neues passiert in den letzten zehn Jahren. Sie sah sich sitzen in dem heruntergekommenen Zimmer ihres derzeitigen Freundes, der gerade vernehmlich urinierte, sie sah seinen Papagei und öffnete das Fenster für ihn. Wenigstens er sollte aus dieser Scheißstadt abhauen, solange er noch konnte.

Ruth
Wien

Augen auf beim Kleingedruckten, war das Einzige, was Ruth einfiel, nachdem sie in Wien gelandet war. Nichts da München, schön in Wien wird mal ausgestiegen, und die Gangway runter und natürlich schlechtes Wetter. Entweder hatte sie sich im Reisebüro nicht verständlich genug ausgedrückt, oder die Dame dort hatte ihr einfach etwas verkauft, was wegmusste. Und wenn etwas wegmusste, dann ja wohl Wien.

Ruth hatte stets sorgfältig vermieden, diese Stadt aufzu-
suchen, breite Straßen, von Sarkophagen gesäumt, waren
nicht die Welt, für die sie kämpfte, und nun stand sie ratlos in
der Fußgängerpassage und sah all die Läden an, die aussahen
wie überall. Wer zum Teufel kaufte all diese Scheiße? Mango
und Zara, H&M und Douglas und Schlecker und Nordsee und
Tally Weijl und Esprit und Benneton, und hörte das nie auf?
Diese Ladenketten überall, die überall den gleichen Dreck
aus Bangladesch verkauften, und Horden von Menschen trugen das und sahen sich ähnlich mit Strähnchen im Haar, und
gerade war Fußballweltmeisterschaft. Die globalisierte Welt-
bevölkerung taumelte durch den Sommer und spielte Natio-
nalismus. Aber so friedvoll und so heiter wehten Deutsch-
landfahnen und Irakfahnen, Fahnen, wohin man sah, und alle
waren endlich wer, ein Wir. Ruth war gar nichts, sie war aus
dem Zeitfenster gefallen und befand sich auf dem Gleis, das
Gleis hieß Wien, und wann ging der nächste Zug? Erstaunlich
unattraktive Menschen kamen Ruth entgegen, nirgendwo war
Spiel zwischen den Schenkeln, das schabte, und keiner sah
sie an, noch weniger als sonst sah sie in irgendwelche Augen,
selbst den Blick eines Hundes hätte sie dankbar entgegen-
genommen. Heiß war es, der Asphalt schien zu atmen, und
die Leere in Ruth nahm ihr fast die Energie, einen Schritt vor
den anderen zu setzen. Wozu rumlaufen, was sollte hier passieren? Sie würde sich etwas zu essen kaufen irgendwo, ein
Hotelzimmer nehmen und morgen genauso ratlos erwachen
in einer Umgebung, die sie nichts anging. Etwas zu viel Unverbindlichkeit in letzter Zeit. Ruth kam am Hotel Orient
vorbei, ihre Füße taten weh, ihre Tasche war zu schwer, ihr
Magen zu leer. Sie nahm ein Zimmer, ohne dem merkwürdigen Blick der Rezeptionistin Beachtung zu schenken, und
wunderte sich nur kurz über die opulente Geschmacklosigkeit
des Raumes. Eine Badewanne in der Zimmermitte, ein Spiegel

über dem Bett, Stuck und Engel an der Decke. Das ist eben Wien, dachte sich Ruth und ließ sich auf das rot bezogene Bett fallen. In jenem Moment hätte sie nichts dagegen gehabt auszubluten. Langsam auf den rosafarbenen Plüschvorleger, die Liter Blut in ihr, von denen sie immer vergaß, ob es nun fünf oder 30 waren, bei den dicken Knöcheln, die sich unten an ihr befanden, tippte sie eher auf 30. Im Nebenraum eindeutige Kopulationsgeräusche. Auch das noch, denn wenn man eines nicht vertrug bei schlechter Laune, dann waren es Kopulationsgeräusche aus Nebenräumen. Die Schlichtheit der Rasse, der sie, ohne gefragt worden zu sein, angehören musste, ekelte Ruth. Sie stellte sich Wiener beim Verkehr vor. Ein gepflegtes Heil Hitlerchen, so würden sich die beiden Sexualpartner begrüßen, ehe sie sich die Loden von ihren grobknochigen grauen Körpern bissen. Ein Schäferhund wäre im Raum, und er würde dem Paar während des Aktes erzählen, dass ihre Körper zum größten Teil aus abgestorbener Materie bestünden. Hautschuppen, Organe, die sich erneuerten, Blutzellen, die abgestorben waren, alles durchzogen von Hausstaubmilben. Als auch im anderen angrenzenden Raum trunkenes Gekicher und Gestöhne zu hören war, verstand Ruth, dass sie in einem Stundenhotel gelandet war. Sie verließ das Hotel, draußen hatte ein leichter Regen eingesetzt, und ging in das erste chinesische Restaurant, das sich ihr bot. Das im üblichen Stil – wie sich Europäer China vorstellen – eingerichtete Restaurant war bis auf eine alte Dame mit einem unscheinbaren Hund leer. Die Nudeln, die Ruth später vor sich hatte, wirkten so traurig wie das zu helle Licht des Restaurants und der Kellner, der am Tresen lehnte, vermutlich seit 60 Jahren. Als hätte der Kellner Ruths Gedanken gespürt, bewegte er sich auf einmal, der Kellner lebt, der Kellner lebt, dachte sie und sah ihm zu, wie er langsam zu einem CD-Spieler kroch. Er schien seitwärts zu laufen. Chinesische Schlagermusik, aus den 50er Jahren vermutlich, machte das Restaurant zu etwas, das verloren im All schwebte. Und Ruth begann zu weinen, in einer seltsam unaufgeregten Art tropften die Tränen in ihr kaltes Nudelgericht, und als sie irgendwann wieder zum Sehen kam, schaute sie in die Augen des kleinen Hundes der alten Dame. Der Hund hatte den Kopf schräg gelegt und schaute Ruth ein wenig mitleidig an. Super, dachte Ruth, selbst unscheinbare Hunde bemitleiden mich. Die alte Dame und Hundebesitzerin war ihrem Tier gefolgt und setzte sich zu Ruth.

Das ist aber auch furchtbar hier, mein Kind, sagte sie und, kommen Sie, wir gehen weg. Ruth erinnerte sich an ähnlich merkwürdige Situationen, 100 Jahre früher.

Sie war in Befremdliches geraten, wann immer sie mit irgendwelchen Jungs weggegangen war, von irgendwo, um sich dann in hässlichen Einzimmerwohnungen mit schlechtem Alkohol wiederzufinden, bei zu hellem Licht. Und der letzte Zug war auch immer schon weg gewesen. Ruth sah sich sitzen, früher, an Bahnhöfen in Orten, die noch nie ein menschlicher Fuß betreten hatte, nach merkwürdigen Rave-Partys, zu denen sie nur gegangen war, um irgendeinen Mann nicht zu verletzen, und LSD hatte sie genommen, um irgendeinen Mann nicht zu verletzen. Nun lief Ruth hinter der alten Frau und dem Hund her, der freundlich ab und zu stehen blieb, um auf sie zu warten, denn Ruth war die Langsamste der Gruppe, sie stolperte hinter dem Paar her, von dem man merkte, dass es schon lange zusammen spazieren ging. Hund und Frau liefen im Gleichschritt.

Ruth folgte der Frau in eines dieser Ostblockhäuser mit bröckelndem Putz in die erste Etage, in eine Wohnung, die so groß war wie ein Hangar, Parkett, Stuck, Kachelöfen, 200 Quadratmeter, überschlug Ruth, sechs Zimmer, die spinnen, die Wiener, dachte Ruth und versank in einem Korbliegestuhl, so einer, wie er in Lungensanatorien stand, früher, als

Thomas Mann noch lebte. Mundgeblasene Jugendstilleuchten tauchten die Wohnung in rosa Licht, es roch nach Lavendel und ein wenig nach alter Dame. Die kam dann und brachte Tee und Gebäck, dieses Gebäck aus runden Blechdosen, die Dame setzte sich auf eine alte Couch, natürlich lagen weiße Deckchen auf den Armlehnen. Und irgendwann begann sie zu erzählen.

Ruth hörte die leise Stimme, das Licht und die Atmosphäre eines geglückten Lebensentwurfes hüllten sie ein, und Ruth versank in dem Moment wie in ein weiches Bett. Als sie Stunden später im Morgengrauen auf der Straße stand, ging eine orangefarbene Sonne auf, es roch nach Bäcker, der Hund der alten Dame hatte Ruth vor die Tür begleitet und schien ihr zu winken. Entweder war Wien über Nacht zu einem freundlichen Ort geworden, oder etwas in Ruth hatte sich geändert, irgendwas, das so eine große Zufriedenheit in ihr zuließ auf einmal.

Olga
Bishkek, Kyrgyztan

Stunden hatte Olga im Frisiersalon gesessen. Unter erschreckend aussehenden Eisenhauben, mit langen Fingern wie Außerirdische, dachte Olga, wobei sie den Außerirdischen nicht zu nahe treten wollte, die Haare blondiert, eine Dauerwelle, am Abend würde sie einen Deutschen treffen. Olga hatte diesmal ein ausgezeichnetes Gefühl, denn er sah auf dem Foto sehr viel besser aus als all die Deutschen, die sie bisher getroffen hatte, und er war ein reicher Mann. Ein Hotelbesitzer aus Sri Lanka. Schon seit Wochen hatte Olga im Internet Bilder der Insel angeschaut und versucht, sich ein Leben dort auszudenken. Als Hotelbesitzerin. In Saris. Ob in Sri Lanka Saris getragen wurden, hatte Olga nicht klar ermitteln können. Weit weg von diesem Ort hier, den sie aus eigener Kraft nie würde verlassen können.

Sie würde fast jeden heiraten, der sie wollte.

Bisher hatte ihr diese Bereitschaft nicht weitergeholfen. Keiner hatte sich wieder gemeldet. Alle waren hässlich gewesen. Vertrocknet oder fett, Hausmeister der eine, ein Ingenieur der andere, ohne Humor, ohne Esprit. Olga sprach Deutsch, Englisch und Französisch. Wenn sie aus dem Büro, in dem sie als technische Zeichnerin für 30 Dollar im Monat arbeitete, heimkam, lernte sie Sprachen. Sie war unterdes 39 geworden, zu alt für die meisten Männer. Warum eine 39-Jährige nehmen, wenn sie eine 19-Jährige haben konnten, die wie ein Model aussah. Olga wusste, dass sich die Männer falsch entschieden, denn die Mädchen waren zu hart und clever für tumbe Deutsche. Sie sah viele von ihnen wiederkommen, auf Besuch, mit teuren Kleidern, geschieden, nachdem sie die Hausmeister ausgenommen hatten wie Hammel.

Sie würde nett zu ihrem Mann sein, sie würde ihn dafür lieben, dass er sie hier wegholte. Sie würde zu ihm stehen, auch wenn er ungebildet und hässlich wäre. Wenn er sie nur hier wegbrächte. Die Hälfte der Menschen in ihrer Stadt lebte unter der Armutsgrenze, 60 Prozent waren arbeitslos, und seit es den Kommunismus nicht mehr gab, wurden einem noch nicht einmal mehr Lügen erzählt. Da war nichts zum Daraufhoffen, da war nur das Jetzt, und das war erbärmlich. Olga fehlte die Phantasie, sich vorzustellen, wie das Leben anderswo sein könnte, doch sie wusste, dass es nirgends schlimmer sein würde als hier, mit dem ewigen Hammelgeruch in der kalten Luft. Wie zufällig das ist, das Wohin-geboren-Werden und-dann-da-verharren-Müssen, vielleicht würde Olga nie etwas anderes sehen, sie hatte weder das Geld für ein Ticket, noch würde man ihr in irgendeinem vernünftigen Land ein Visum erteilen.

Nach Chemie riechend, ging Olga in das Zimmer, das sie in der Wohnung einer Familie gemietet hatte. Sie hatte versucht, den dunklen Raum mit ein wenig Stoff schöner zu machen, die Neonröhre mit rotem Tupfentuch bedeckt, das alte Schlafsofa mit Samt und weißes Leinen auf dem kleinen Tisch. Doch blieb es, was es war: ein Hort der Erbärmlichkeit. Olga wusste nicht zu sagen, ob es früher besser gewesen war, weil es besser gewesen war, oder ob die Erinnerungen zu etwas Schönem wurden, wenn sie nur lange genug im Kopf lagen. Manchmal erinnerte sich Olga an Familienfeiern mit übertrieben viel Essen, Musik, an dicke Frauen, die sie unentwegt küssten, und Männer, die sangen. Sie erinnerte sich an Ferien in den Bergen und die Aufregung, die Jungsein mit sich brachte.

Irgendwann später waren die Farben aus ihrem Leben verschwunden.

Auf dem Tisch standen die Fotos des Deutschen. Olga war sich sicher, dass sie das Treffen positiv beeinflussen könnte, wenn sie sich die Beziehung zu ihm nur fest genug vorstellte. Ein netter Mann, an einem Frühstückstisch mit weißem Tuch, klassische Musik und vor dem Fenster ein tropischer Garten. Mehr als dieses Bild konnte sich Olga beim besten Willen nicht denken. Sie wusste nicht, wie sich Wärme anfühlen mochte, wie Regenwald roch und Curry. Sie kannte nur Kälte, beißenden Wind und am Wochenende einen Ausflug zum

Manas-Denkmal, das sie aus tiefstem Herzen hasste. Es hatte ihr die ganze Kindheit verdorben, hatte die angenehmen Bilder überlagert, diese wahnsinnige Angst vor dem Sonntagsausflug zum Manas-Denkmal, dieser riesige, zugige Platz, auf dem sie stand, in einem verwaschenen Sonntagskleid, und sich so sehr langweilte, dass sie zu sterben glaubte. Die Langeweile begleitete sie bis heute. Sie hatte noch nie einen Freund aus dem eigenen Land gehabt. Die, die ein wenig Verstand hatten, waren nach Russland gegangen oder ins Ausland, und das, was übergeblieben war, unterschied sich für Olgas Geschmack nur unwesentlich von bellenden Hunden. Olga hatte sich parfümiert und angezogen und bemerkt, dass die Haare ein wenig zu gelb geworden waren und strohig durch die Dauerwelle, sie hatte sich rote, gesunde Wangen gemalt und ein Kostüm angezogen mit einem kurzen Rock, sie konnte durchaus kurze Röcke tragen, denn ihre Beine waren sehr schön, und der kleine Bauch vom fettigen Essen, den sah man kaum unter diesem Kostüm, das sie seit zehn Jahren besaß, das sie seit zehn Jahren trug, wenn sie sich mit Deutschen traf. Mit einigen hatte sie Sex gehabt, nach dem Abendessen, das meist im Restaurant des Silk-Road-Lodge-Hotels stattfand, nur einer hatte sie mal in das neue Hyatt-Regency-Hotel eingeladen, und dann konnte sie in Hotelzimmern übernachten, die ihr vorkamen wie etwas, das aus einer anderen Dimension kam. Ein Mikrokosmos mit kleinen, blitzblanken, gasförmigen Lebewesen. Fließend warmes Wasser, eine Badewanne, große Fenster ohne Pappe davor! Und sie erinnerte sich, wie oft sie auf diesen Hotelzimmertoiletten gesessen hatte mit einer Mischung aus tiefstem Unglück und Hass. Sie wusste jeweils, dass keiner der Männer sich für sie entscheiden würde. Und hasste sie für ihren Reichtum, für ihre Armbanduhren, die saubere Kleidung, die teuren Toilettenartikel und fühlte sich minderwertig, wie sie da saß, auf den diversen Toiletten des immer gleichen Silk-Road-Lodge-Hotels, wissend, dass sie sich zu Hause mit kaltem Wasser die Sekrete der Männer wegwaschen würde, dieser Geruch war so hartnäckig, und dass sie am Morgen wieder aufstehen würde, und nichts hätte sich geändert.

Olga hätte nicht zu sagen gewusst, warum, aber diesmal würde es anders werden, das war ihr klar. Und so ging sie fast federnd in das Restaurant, da saß der Deutsche, der sehr viel dünner und weniger beeindruckend wirkte, als sie ihn sich vorgestellt hatte. Sie aßen kaum etwas und unterhielten sich ohne unangenehme Gefühle. Irgendwann, als Olga auf die Toilette ging, ein klein wenig betrunken, weinte sie vor Angst, dass dieser Mann gehen könnte wie all die anderen, dass sie noch tausendmal in diesem Restaurant sitzen würde und hoffen und nicht genügen. Und dann bekam sie panische Angst, dass Peter gehen könnte, während sie auf der Toilette saß. Sie rannte fast zurück ins Restaurant. Und stand wie starr vor Trauer an dem leeren Tisch. Zum ersten Mal dachte Olga darüber nach, dass es vielleicht angenehmer wäre, sich umzubringen. Und diese Idee ließ sie mit erhobenem Kopf durch das Restaurant gehen. An der Tür stieß sie mit Peter zusammen, der einen Strauß Rosen in der Hand hielt. Und endlich weinte Olga.

Grazia
Como

Der Ausflug nach Bellaggio war eine schlechte Idee gewesen. Stumm hockte ihr Sohn in der Hotelhalle und trank seine Cola. Grazia hörte überdeutlich die Geräusche, die er beim Schlucken erzeugte.

Wie das war, auf einmal jemanden, den man geboren hatte, nicht mehr zu kennen. Sich klar zu werden, dass man niemanden kennen wird jemals, auch wenn der Jemand aus einem gekrochen ist. Einsamkeit ist ein Schicksal, das keiner vermeiden kann. Vermutlich resultierte ihr Unverständnis für die Jugend aus ihrem Alter. Man will da nicht mehr jeden Quatsch verstehen müssen.

Grazia war nie klar, was am Alter so schrecklich sein sollte. Frustrierte Frau um die 50, Verfall, Körper, die nicht mehr begehrt werden, so ein Zeug las man ja dauernd, und sie sagte sich: Ich möchte bitte sehr von keinem mehr begehrt werden. Was hatte sie in ihrer Jugend unter all diesen Männern, die sich paaren wollten, andauernd, überall und mit ihr, gelitten. Grazia hatte Biologie und Evolution nie besonders interessiert. Evolution ging ihr am Arsch vorbei! Man kann sich dem biologischen Programm durchaus hingeben, ihr erschien das allerdings zu einfach.

Die großartigen Freuden der Sexualität hatten sich ihr nie erschlossen, sie empfand es als eher unwürdig, einen Mann in sich zu fühlen, seine Grimassen zu beobachten, seinen Schweiß auf ihrer Haut. Vielleicht war Grazia nicht unbedingt der sinnliche Typ.

Ihr war eine gute Freundschaft immer wichtiger als flüchtige, auf Vermehrung und Hormonen basierende Beziehungen. Dass sie ein Kind bekam, war eher ihrer Unbedarftheit zu verdanken.

Ein ungeschützter Verkehr, weil sie nicht recht wusste, wie zu sagen, dass jeder über bloßes Handhalten hinausführende Kontakt ihr zu viel war.

Sie war keine schlechte Mutter, obwohl ihr eigentlich alles Mütterliche abging. Zum Erziehen taugte sie nicht. Sie hatte das Kind, das von einem Baby zu einem Jungen wurde und alles an ihm zu lang und zu rot, sehr lieb. Gehabt. Wie man einen Menschen eben lieb hat, mit dem man familiär verkehrt.

Er war lange Zeit still und freundlich, ihr Sohn, er las und konnte normalen Jungenssachen nicht viel abgewinnen. Das war Grazia nicht unangenehm, denn sie verachtete Männer ein wenig. Nicht sehr, es war kein Hass, sie hatte Mitleid mit den meisten Menschen, mit Männern und ihrem Getriebensein fast noch mehr als mit Frauen oder Kindern. Es fiel ihr einfach schwer, einen Mann, der sich seinem Geschlechtstrieb so unterwarf, wie die meisten Männer es taten, ernst zu nehmen, ihm gar Verantwortung zu übertragen. Es gab durchaus welche, die zu erstaunlichen wissenschaftlichen oder künstlerischen Leistungen fähig waren, wahrscheinlich waren sie Produkte traumatischer Ereignisse in der Jugend, doch in fast allen ihr bekannten Fällen richteten sich die wenigen Begabten, Sensiblen mit Drogen oder zu großer Eitelkeit zugrunde.

Mit 16 begann Grazias Sohn Fußball zu trainieren, seine Wände mit hässlichen Pkws zu tapezieren, und er redete nur noch in Einsilbensätzen.

Alle Bücher verschwanden aus seinem Zimmer, und mit ihnen ihr Kontakt. Grazia hatte ihrem Sohn nie etwas vorgeschrieben, nie etwas verboten. Das Umfeld, das ihn hätte prägen können – wäre ein Mensch von so etwas wie sozialer Umgebung prägbar –, war leise, roch gut, bestand aus Büchern, Kunst, gemütlichen Sonntagen auf dem Bett mit Fernsehen, bestand aus Reisen, Kontakten zu weltoffenen Menschen verschiedenster Religionen und Ethnien. Vielleicht war sein derzeitiger Zustand eine Trotzphase, eine Art Rebellion, doch nach der Tiefe und Ernsthaftigkeit seines Gebarens lag eher der traurige Schluss nahe, dass er zu dem wurde, was ein Mann in seiner Reinform war und was sich auch unter dem Kostüm der Geilheit nicht recht verbergen ließ: ein Affe auf zwei Beinen.

Seit der Veränderung ihres Kindes – sie wusste nicht einmal mehr genau, wie sie ihn nennen sollte, mein Kind zu sagen erschien ihr falsch, denn weder war noch etwas Kindliches an ihm noch etwas MEIN – war ihr in ihrer Wohnung unwohl.

Es roch nach Schweiß, so viel sie auch lüften mochte.

Überall, so schien es ihr, lagen feuchte Socken und diese klumpenförmigen Turnschuhe, die nur eine Botschaft ausstrahlten: Ich, der Träger, bin ein Idiot. Wenn Grazia früher von der Arbeit nach Hause kam, hatte ihre Wohnung diese Atmosphäre, die man aus amerikanischen Kitschfilmen kannte. Es war golden, und es schien immer Kuchen frisch gebacken, und ein Kaminfeuer brannte. Dergestalt behaglich war es, dass sie meistens unbewusst tief durchatmete. Ihr Kind roch nach Vanille und Backpulver.

Öffnete sie nun ihre Wohnungstür, zog sie die Schultern automatisch nach oben, ihre Verspannung war so körperlich, dass sie seit Jahren keinen Tag ohne Kopfschmerzen erlebt hatte. Entweder kam aus dem übelriechenden Knabenzimmer dummer Hip-Hop oder Musik aus den Charts. Grazia hatte gehofft, dass ihr Kind einen etwas eigenständigeren Musikgeschmack entwickelt hätte. Als sie ihm vor einem Jahr Perc Ubu und eine finnische Experimentalband vorgespielt hatte, schaute er sie mit derart dumpfem Blick an, dass sie sich gewünscht hatte, sie würde dieses pickelige unförmige Wesen weder kennen, geschweige denn mit ihm verwandt sein.

Manchmal war der Junge nicht da, wenn sie heimkam; dann fand sie in der Küche halb angefressene Pizzen, Coladosen auf dem Fußboden, Kippen in Joghurts, und sich zu entspannen war ihr dann auch nur bedingt möglich. Denn sie wusste, irgendwann würde er heimkommen, mit stechend riechenden Trikotagen, die er in den Flur werfen würde, mit gelben Schuhen, die vermutlich in der Badewanne landeten.

Am Anfang hatte sie ihn ein paarmal begleitet zu Spielen.

Grazia hasste jede Art von sportlicher Ertüchtigung, all diese mittelmäßigen Menschen, die ihre mittelmäßigen Körper schunden, um dem Leben ein Jahr mehr abzutrotzen, doch so weit dachten sie nicht; sie glaubten, unsterblich werden zu können, wozu, wozu. Wozu sollten gerade die Menschen, die Sport trieben, die fadeste Sorte, überleben, für immer, und wer mochte in so einer Welt dann noch zu Hause sein?

Grazia verachtete Mannschaftssport, Wettkämpfe, Vater Jahn, Olympiaden, diese Ersatzschlachten des Neuzeitmenschen, diese Zurschaustellung von Fleiß, Disziplin, gesunder Ernährung und grenzenloser Dummheit. Nicht umsonst wurden viele Sportler Berufssoldaten oder umgekehrt.

Das Fußballspiel, das sie mit ihrem eigenen Kind zu beobachten das Vergnügen hatte, war dumpfes Rennen pubertierender Jungmänner, die Gesichter zornrot, schreiend, schwitzend, fallend, sich prügelnd. Sicher konnte man einwenden, Frauen fehlte der Sinn für dieses hocharifizielle Spiel. Geht doch Panzerfahren, ihr Idioten, geht euch erschießen und vergewaltigt ein wenig, geht am besten alle nach Afghanistan und trainiert mit Bin Laden. Sprengt euch in die Luft im Anschluss. Von ein paar unterbelichteten Frauen abgesehen, ging der Großteil des Leides, das auf dieser Welt anderen zugefügt wurde, von pubertierenden Männern aus. Tickende Testosteronbomben. Fußball war natürlich ein hervorragender Sport, um Männer möglichst lange in diesem Zustand zu halten. Grazia war sich nicht ganz sicher, was da biochemisch ablief, aber es hatte mit Hormonen zu tun, die vermehrt bei der Ausübung bestimmter Sportarten ausgeschüttet wurden.

Grazia war schlau genug, die Fehlentwicklung ihres Jungen nicht ausschließlich dem Fußball zuzuschreiben, doch hatte der Sport sicher einen größeren Einfluss, als sie es 16 Jahre gehabt hatte. Das gestand sich keine Mutter, selbst eine, die nie Mutter sein wollte, gerne ein.

Manchmal kamen seine Sportsfreunde zu Besuch. Mehrere, vermutlich mehrere, Grazia konnte sie nicht auseinanderhalten, zwei Meter lang und mit leeren, dummen Augen starrten sie durch sie hindurch, lagerten in ihrem Zimmer, lagerten in der Küche, pissten auf den Klodeckel, klebten Kaugummis an ihre Barcelona-Chairs, schauten Pornofilme und betrachteten sie, wie man eine Putzfrau ansieht oder ein Haustier, das sich besser in einem Stall befände.

Grazias Sohn war 20. Er hatte keine Interessen außer Fußball zu spielen, Fußball zu sehen und vermutlich zu onanieren, wollte man den zerknüllten Tempotaschentüchern unter seinem Bett eine Bedeutung zumessen. Er studierte nichts, lernte nichts, arbeitete nichts, er redete nicht mit ihr, sie nicht mit ihm, sie wusch seine Wäsche, damit der stinkende Haufen nicht irgendwann die Wohnung erfüllte, sie erstickte.

Grazia saß in ihrem Zimmer, angstvoll lauschend, ob ihr Sohn und seine Freunde kämen. Grazias Finger spielten mit alten angeklebten Kaugummis, ihre Pflanzen, ihr Bambus, den sie liebte, ging ein, weil alkoholische Getränke in ihnen geleert wurden, manchmal fand sie Erbrochenes an aberwitzigen Orten in der Wohnung. Neben seinen Teamkameraden waren auch immer öfter Fußballfans zu Besuch bei – Grazia wollte IHR denken, doch das stimmte nicht.

Hooligans mit Springerstiefeln und Bomberjacken drängten in – sie wollte ihre denken – Wohnung, sie brachten Fahnen mit und Bier, sie sangen und schauten Fußball, sie sangen

Fußballlieder – siegreich woll'n wir Frankreich schlagen. Grazia wollte den Eingang zumauern, sich einmauern darin, wegziehen. Vielleicht wäre wegziehen eine interessante Alternative, ohne Nachsendeantrag.

Grazias Sohn war 20, er spielte Fußball, er lebte Fußball, warum lebte er nur bei ihr? Seit vier Jahren vergiftete er ihr Leben, dieser fremde Mann in, nicht mehr ihrer Wohnung, an dem Ort, wo sie schlief.

Grazias Sohn hatte noch nie eine Freundin gehabt, wer sollte auch mit ihm zusammen sein wollen, warum? Um Fußball mit ihm zu sehen?

Das Training hatte er aufgegeben irgendwann, seitdem bekam er einen Bauch, mit 20! Er saß in seinem Zimmer und sah Fußball. Irgendein Spiel lief immer irgendwo, Grazia schlich in Bad oder Küche, wenn sie ihn in seinem Zimmer glaubte. Sie schloss sich in ihrem Schlafzimmer ein, wenn seine Hooligan-Freunde zu Besuch waren, jeden zweiten Abend, mithin öfter. Sie urinierte in einen Eimer, weil sie sich nicht ins Bad wagte, weil sie betrunken waren, die zwei Meter großen Glatzköpfe, vielleicht waren sie auch drei Meter groß, die durch ihre – hatte sie IHRE Wohnung gedacht? – torkelten und brüllten, die sich zu schlagen begannen, das Geschirr zerschlugen. In der Wohnung.

Grazia hatte einen Koffer gepackt. Mit dem Nötigsten. Sie war leise die Treppen hinuntergestiegen. Das Gas hatte sie angelassen. In ihrer Wohnung.

Helena
Ukraine

Gefühlte zehn Jahre war Helena jetzt bereits mit Peter und Olga unterwegs, und noch immer hatte sie sich nicht an die beiden gewöhnt. Vielleicht hatte sie sich doch Hoffnungen auf Peter gemacht, für eine kurze Zeit, sich der Illusion hingegeben, da sei ein Mensch, der zu ihr gehörte.

Helena wusste weder, warum sie durch die unwirtlichsten Gegenden Russlands fuhr, noch verband sie irgendetwas mit den beiden Menschen, mit denen sie unterwegs war. Peter lief mit Olga voran, die er eines Abends aus Bishkek mitgebracht hatte und die ihn seitdem nicht mehr für eine Minute allein ließ. Vielleicht war Olga nett, allein Helena würde es nie herausfinden, denn Olga hatte noch nicht einen Satz mit ihr gewechselt. Sie war damit beschäftigt, über Peters Witze zu lachen, sich in den Haaren zu spielen, Peter zu streicheln, auf Stöckelschuhen über unbefestigte Straßen zu eiern und sich schutzsuchend an Peter zu pressen. Helena kam sich noch mehr als sonst vor wie ein Panzer, der in Peters altem T-Shirt hinter den beiden herwalzte. Russland ging ihr auf die Nerven, und sie konnte keinem Schaf mehr ohne Aggression in die Augen sehen. Hammelfleisch, Hammelfett, Hammelgeruch, Hammelsuppe, Hammelpudding. Hammel in Wodka. Helena konnte auch keinem Wodka mehr ohne Vorbehalte begegnen. Die Tage waren ihr in einer ständigen Anspannung vergangen. Flossen zusammen zu einem immer hässlichen Frühstücksraum mit verschmierten Tischplatten und dicken blondierten Frauen. Mit staubigen Straßen und Menschen, die immer etwas zu trinken anboten, was Helena meist an-

nahm, weil sie glaubte, sie würde mit klarem Blick sofort sterben. Andauernd saßen sie in engen Mietwohnungen, bekamen Hammelgerichte mit Wodka serviert, und Olga redete lautstark russisch. Immer warfen begeisterte Russen ihre Kopfbedeckungen im Zimmer herum und begannen wie verrückt zu tanzen. Diese spontanen Ausbrüche von dem, was der Deutsche unter Lebensfreude verstand, waren Helena suspekt.

Leben. Hier? Wozu?

Helena drückte sich in verschlissene Sitzgruppen, um dem Tanzen zu entgehen, dem Wodka, dem Hammel, den Männern, die mit roten Gesichtern so betrunken waren, dass sie selbst einen toten Hammel besprungen hätten. Jaja, die Volksseele, dachte Helena und an all die Vorträge, die Olga des Tags hielt über den romantischen Charakter des gemeinen Russen, der immer singen musste und tanzen und Selbstmord machen.

Sie waren unterdes in die Umgebung von Tschernobyl gelangt, weil Peter das sehen wollte, er meinte, das wäre ein guter Ort. Es wären immer gute Orte, an denen Katastrophen stattgefunden hätten, sie wären gereinigt von allem, was falsch war. Peter hatte also auch langsam einen Dachschaden bekommen, denn das Gereinigte war die Hölle in Landschaftsgestalt. Verlassene Häuser, die vermutlich auch schon am Ende waren, als noch Menschen in ihnen wohnten, Autogerippe, schlammige Straßen von Unkraut überwuchert, Eisenteile, wo kamen nur all diese Eisenteile her? Umgekippte Wohnwagen, leere Fabriken, eingestürzte Lagerhallen. Zwischen den Ruinen gab es immer wieder kleine zerfallene Häuser mit Hühnern – hatten sie wirklich Köpfe? –, vor denen Betrunkene mit Hosen saßen, in denen Helena stets vermeinte, Reste von Ausscheidungen wahrzunehmen. Trafen sie auf ein bewohntes Haus, gab es ein großes Hallo, der Eingeborene wurde besichtigt, und schon wieder saß Helena in schmutzigen Polster-möbeln, und Hammel kam auf den Tisch. Herrlich, so Land und Leute kennenzulernen, jubelte Peter ständig und drückte seine blondierte Olga an sich.

Helena hatte alles so satt, allein – es gab kein Entkommen. Seit Tagen waren sie in einem Pkw unterwegs. Es gab keinen Flughafen, keine Bahn, keinen Verkehr, und da war schon wieder ein Säufer ohne Zähne im Mund, dessen einfache Herzensgüte es zu erkunden galt. Gab es irgendetwas zu lernen, so das Reisen nichts brachte? Gar nichts. Es war eine Verlagerung des Konsumierens. Nicht Prada-Teile, sondern Länder und Elend und Herbergen wurden konsumiert, frem-der Leuts Leben wurde geshoppt, in große Plastiktaschen ge-stopft. Jeden Abend stand ein besoffener orangefarbener ver-gifteter Mond über der Landschaft, und immer ragte eines dieser Eisenteile wie die Hand eines Ertrunkenen in den Him-mel. Man kann das alles nicht retten. Diese Welt kann man nicht retten, wurde Helena klar, auf der Rückbank des Pkws, vorne flirtend Olga und Peter, sie in die Bank gedrückt, ängst-lich nach Überlebenden im Tschernobyler Umland Ausschau haltend. Helena sehnte sich auf einmal nach Berlin, nach ih-rer Wohnung, die zwar auch nichts verrückt Schönes war, aber es saßen keine betrunkenen Russen darin, und das war alles, wonach sie sich im Moment sehnte – irgendein Ort ohne Russen.

Gerade bei jenem Gedanken stoppte das Auto wieder, Olga und Peter sprangen auf die Straße, sie hatten einen Einge-borenen entdeckt, den es anthropologisch zu erforschen galt. Eine alte Frau, natürlich bat sie die kleine Reisegruppe ins In-nere ihres Hauses. Ihr Gatte lehnte mit glasigem Blick und geöffneter Hose an der Eingangstür, deren Glas zerbrochen und durch Pappe ersetzt worden war. Das Innere des Hauses war selbstredend ungeheizt, ein enger Flur, der in eine nach

Hammel riechende Küche führte, wo aber zu Helenas großer Überraschung kein Hammel, sondern Innereien in einem großen Suppentopf vor sich hin köchelten, um eine schmackhafte Soljanka zu werden. Auf dem Küchentisch die obligatorische Wodkaflasche – wo kauften die das Zeug eigentlich? Mit großem Hallo setzten sich alle an den Tisch, und die Frau begann sofort vom Reaktorunglück, der Verwahrlosung der Gegend, von den Kindern, die nach Moskau gegangen waren, und dem verkrüppelten Enkel, den sie geboren hatten, zu erzählen. Glück, dachte Helena, kann es an solchen Orten nicht geben. Sie bekam ein großes Mitleid mit den Leuten und verachtete auf einmal Menschen wie sich, die noch vor kurzem Sozialkitsch erzählt hatten über die einfachen lebenslustigen Menschen im Ostblock. Der Mann des Hauses war inzwischen vom Stuhl gefallen und schlief unter dem Tisch, die Frau begann zu singen, Peter und Olga sangen mit, und Helena schlich sich aus der Küche, um irgendwo eine Minute für sich zu finden, um sich wieder bewegen zu können, um aus dieser Hölle zu entkommen. Sie stieg die Treppe in den ersten Stock, ein Geländer fehlte, und auch einige Stufen hatten sich irgendwohin verflüchtigt. Im ersten Stock standen erstaunlich viele Schuhe herum, es gab zwei Zimmer, deren Türen vermutlich gemeinsam mit den Treppenstufen einen Ausflug unternommen hatten. Ein Zimmer war ein verwahrloster Schlafraum, schmutzige Bettwäsche, Wodkaflaschen, Lumpen über Stühlen und ein strenger Uringeruch, dem Helena in den anderen Raum folgte. Das Zimmer lag fast dunkel vor ihr, die Fensterläden, wenn auch nur halb verankert, geschlossen und der Geruch fast unerträglich. Nach einigen Sekunden hatten sich Helenas Augen an die Dunkelheit gewöhnt, und sie erschrak, denn in der Ecke bewegte sich etwas. Ein Hund, dachte sie, und endlich löste sich ihre Erstarrung. Sie machte das Licht an, eine nackte Glühbirne, muss ja, und sah in der Ecke des

Raumes ein Kind, das verstört und offenkundig geistig behindert, nackt mit einer Leine ans Fenster gebunden war. Stunden, wie es ihr schien, stand Helena und starrte das Kind an. So weit zum Thema einfache herzensgute Menschen, dachte Helena und verließ den Raum, das Haus, setzte sich an die Straße und wusste, dass die Reise für sie jetzt zu Ende war.

Igor
Gden, Ukraine

Igor hatte in Ermangelung von Alternativen aufgegeben. Ohne dass er es in Worte hätte packen können, wartete er nur darauf, dass alles zu einem Ende kam. Igor konnte sich nicht an einen angenehmen Tag in seinem Leben erinnern. Er war vor einem Jahr frühpensioniert worden. Davor hatte er im Bergbau gearbeitet. Was man so Bergbau nannte. Im Liegen, im Dunkel, tief in der Erde hatte er Erz abgebaut. Ohne jede Technik. Einfach liegen in diesem Grab und über Kopf arbeiten. Mehr als die Hälfte seiner ehemaligen Kumpel lebte nicht mehr. Bergarbeiter in der Ukraine war so ungefähr der mieseste Job auf der Welt.

Igor hatte nie genug verdient, um sparen zu können. Es hatte für die Sammelunterkunft gelangt, für Essen und Schnaps und für seine Frau daheim, die er an seinem freien Tag besuchte, die irgendwann mal schön war und unterdessen auch trank und die Zähne verloren hatte. Igor hatte Tuberkulose und ständig hässlichen schwarzen Auswurf.

Im Ort wohnten vielleicht noch 100 Leute, Arbeit hatte keiner, ein wenig Zuckerrüben und Kartoffeln hinter dem Haus, ein paar Hühner gab es, mit zwei Köpfen, eine Minimalunterstützung vom Staat. 20 Euro im Monat. Der Schnaps wurde aus Kartoffeln gebrannt. Das konnte jeder in seiner Küche machen. Machte auch jeder. Wenn nichts mehr ging, Schnapsbrennen ging immer. Das Gute am Alkohol war das Nichtsmehr-Spüren, die Kälte nicht, die unglaubliche Hässlichkeit, die Einsamkeit. Igors einziges Gefühl war Angst. Vor dem Sinken des Pegels für einen Moment zu viel zu sehen, zu viel zu spüren, er wusste, dass er nicht würde weiterleben können, wenn er auch nur für eine Minute Klarheit hätte. Und leben musste man doch, das war doch der Auftrag der Natur. Igor hatte Angst vor dem Muntersein und davor, zu feige zu sein, um sich umzubringen. Die einzigen Gefühle, die er auch betrunken noch hatte, galten den Kaninchen hinter seinem Haus. Sie waren nicht launisch wie die Katzen oder fordernd wie ein Hund, sie wollten nicht reden. Man konnte sie an den Ohren halten, dann wurden sie unbeweglich, und dann konnte man das Gesicht in ihr warmes Fell drücken. Stunden konnte Igor so sitzen, das Gesicht in die Kaninchen vergraben, ihr kleines Herz hören, alles vergessen und am meisten sich selbst. Vielleicht lebte Igor nur wegen der Tiere. Vielleicht wollte er sie nicht alleine lassen. Bis zu jener Nacht, da es plötzlich minus 30 Grad geworden war.

Miki
Hamptons

Der Abendnebel legte sich sanft vom Meer her über die Stadt wie ein dünnes Daunenduvet. In den Gärten, die Fußball-stadiengröße hatten, machten die Wassersprenkler leise Geräusche. Ein paar braungebrannte Frauen und Männer joggten lautlos und winkten einander zu. Man hatte das strenge Bedürfnis, mit einem weißen Taschentuch jeden Fußabdruck von sich wegzuputzen, und viel atmen mochte man, weil die Luft sich anfühlte wie Atom gewordenes Geld.

Miki war reich, also hatte sie gedacht, in die Hamptons reisen zu müssen. Da saß sie nun und wusste nicht, was sie hier anfangen sollte. Im New Yorker hatte sie von den Hamptons als Sommerflucht gelesen, war in dem zu Tode klimatisierten Luxuslinerbus (das die alles immer so nennen mussten, das war ein verschissener Bus, in dem einfach Cracker gereicht wurden) am Wochenende in die Hamptons gefahren.

»Was haben Ralph Lauren, Ellen Barkin, die Hilton-Familie, Steven Spielberg, Sarah Jessica Parker, Howard Stern, Jerry Seinfeld, Tom Wolfe und Kurt Vonnegut gemeinsam? Sie besitzen ein Haus in den Hamptons.« Hatte in der Zeitung gestanden. New York wies unterdes 40 Grad auf, die Wohnung, die Miki gemietet hatte, war von Kakerlaken feindlich übernommen worden, time to say goodbye.

Als Hamptons auf Long Island, anderthalb Stunden von New York entfernt, bezeichnet man eigentlich nur South und East Hampton, alles andere – Hampton Bays, Quage, West

Hampton – ist ein waste of time, wie ein Immobilienmakler Miki fast angewidert versicherte. Sich Immobilien anzusehen, war die bequemste Art, einen Ort kennenzulernen. Man wurde kostenlos zu den nettesten Gegenden gefahren und erhielt eine Unterrichtslektion über die Geschichte, die Anwohner, das Klima gratis dazu.

»In den Hamptons gibt es verschiedene Klassen, die sich nicht berühren«, erklärte der gestresste Mann weiter: »Die Superreichen (Häuser kosten ab zehn Millionen Dollar bis 40 Millionen Dollar), die ihre Datschen mit dem Jet anfliegen, Charity-Partys geben und Geschäfte beim Golfspielen einfädeln, man nennt sie die »Fortune 100« und sieht sie nie auf den breiten Straßen oder am Strand. Die anderen sind die normal Reichen, meist Hedgefonds-Manager, die Häuser um die sechs Millionen Dollar besitzen und in New York leben. Dann gibt es die Mieter, die für drei Monate im Jahr ein Haus bis 150.000 Dollar mieten, der Gatte besucht die Familie am Wochenende, die Gattin entspannt sich von der Beaufsichtigung des Hauspersonals und macht Schmuck oder Soziales. Und dann die putzmunteren jungen Leute, die zu zehn oder 20 ein Haus für ein Wochenende mieten, um Party zu machen.« Das erzählte der Makler, während er Miki diverse Häuser in allen Preiskategorien zeigte, die mit Holzschindeln verkleidet und unscheinbar waren. Innen alle gleich. Holzbalken, englischer Landhausstil, mehr oder weniger gelungen, »ein Eine-Million-Objekt«, empfahl der Makler, »taugt nur zum Abreißen«, es sah aus wie ein Wochenendhaus in Polen vor zehn Jahren, »aber die Lage, schauen Sie nur die Lage.« Das Haus stand auf einem Sumpfstückchen, und vorne war Wasser. Feine Sache.

Besaß man kein Haus und hatte auch keines gemietet, wohnte man in reizenden Hotels, ab 500 Dollar pro Nacht (für das ehemalige Hundeankleidezimmer). Das Mill Hose Inn, in dem Miki übernachtete – englischer Landhausstil mit einem

Hauch Kapitäns-Flair. Ventilatoren taten lautlos ihren Job, und schwere Teppiche dämpften den Schritt. Der kleine Schönheitsfehler: Das Hotel lag direkt an einer Straße, die man andernorts als Autobahn bezeichnet hätte.

Ganz East Hampton schien mit schweren Teppichen ausgelegt, blonde Frauen in Ralph-Lauren-Kleidern trugen kleine Weidenkörbchen herum, in die sie St.-Barth-Tanning-Produkte legten. Ihre Gatten hatten Segelschuhe an und Bermudas, sie federten in ihren Hummer, den sie mit einer Hand lenkten, mit der anderen winkten sie Bob zu. Hey, Bob, wir seh'n uns im Golfclub. Sicher doch. Bob lachte. Sein Labrador lachte. Die Alleen waren breit und mit eleganten Bäumen gesäumt, das Gras wurde mit Nagelscheren gestutzt, und im Supermarkt gab es nur biologische Dinge. Bio-Sushi. Bio-Schokolade. Aber wer kaufte hier Schokolade. McDonald's wurde nicht erlaubt, eine Filiale zu eröffnen, und die Strände wiesen weder Kioske noch Sonnenschirmchen auf. Keine Gastarbeiter rannten herum und verkauften Gucci-Taschen. Nur gepflegte Touristen sprangen aus ihrem Hummer und liefen wie auf Federn in die Wogen. Miki versuchte ins Wasser zu gehen, das hier zwar sauber, aber geradezu absurd kalt war.

Die Geschichte des Ortes ist 300 Jahre alt, es waren Fischer, die hier lebten, und Farmer. Dann kamen die ersten Sommerfrischler aus der Stadt, dann kam die Eisenbahn, dann blieben die Touristen, die Künstler ließen sich nieder (das können sie sich heute nicht mehr leisten, außer sie sind die Frau, die Harry Potter geschrieben hat), und die meisten der Einheimischen, die in den Hamptons arbeiteten, wohnten außerhalb. Die Unterhaltskosten waren absurd hoch, und die Reichen brachten kein Business, weil sie alles in ihren Helikoptern mit sich führten. Butler, Delikatessen, Champagner, Labradore – was man halt so brauchte. So waren die Hamptons zu einem Reichenghetto geworden. Man wollte halt unter sich bleiben.

Das Gute daran: kaum Kriminalität. Und wenn einmal eine Polizeisirene ertönte, konnte man davon ausgehen, dass einem Mädchen der Absatz des Schuhes abgebrochen oder eine reiche Witwe beim Aufhängen eines Picassos gestürzt war. Da Amerika recht groß war und auch eine Menge Küste aufzuweisen hatte, fragte Miki sich schon, was die Leute dazu brachte, hier aberwitzige Summen für Holzschindelhäuser auszugeben. Aber das war eigentlich eine blöde Frage. Warum sind die Deutschen auf Sylt, warum die Schweizer, die es sich leisten können, in St. Moritz? Es gab schönere Orte, doch da sah einen keiner. Die Freude zu zeigen, was man hatte, war eine sehr amerikanische und auch irgendwie niedlich schizophrene Angewohnheit. Denn gleich nach dem Angeben kam die Angst. »Isn't safe here«, hörte man Nicole Kidman immer schreien, wenn man sie im Fernsehen sah. Andauernd stand die Schauspielerin irgendwo, wo zufälligerweise auch immer Fotografen waren, und dann waren es ihr zu viele Fotografen, und sie wurde hysterisch, die gute Nicole, und ganz angespannt, so wie Essgestörte mit schlechten Nerven halt waren. Magersüchtig war hier übrigens keiner; das war merkwürdig, denn die Upperclass in New York hungerte sich zu Tode. Vielleicht überstanden die Damen den Transport in die Hamptons nicht, und darum liefen hier nur diese gesunden, braun gebrannten Frauen herum, die alle wirkten, als seien sie mit Doris Day verwandt.

Wenn der Abend kam in den Hamptons und alle vom Strand heimkehrten, roch die Stadt nach teuren Pflegeprodukten, nach Weichspüler und Joy. Die reichen, gesunden Familien gingen in teure Restaurants, und die Straßen wurden blitzschnell von Hispanos gereinigt, die dann wieder in kleine Häuser schlüpften, in denen sie zu 30 wohnten.

Egal was auch immer man an Amerika auszusetzen haben mochte, es war das, was alle wollten, woran alle sich orientierten. Es war der perfekte Konsum, die uneingeschränkte Bewunderung von Karrieren und Geld, es war die Energie, es schaffen zu wollen. Und alles, was man erreichen konnte in diesem Land, der Landschaft gewordene Traum – war hier. In den Hamptons, wo es keinen Schönheitsfehler gab, keine Mülltonnen, kein Toilettenpapier in den Supermärkten, kein lautes Wort, nur geschmeidige Dienstleistung und gute Luft, und sollte die zu kühl werden am Abend, gab es kleine Kaschmirpullover, die man sich um die Schultern legte. Of course sind wir happy, antwortete eine blonde Frau, es war Doris Day, auf Mikis Frage nach ihrem Wohlbefinden. Wir haben alles erreicht. Sagte sie. Und wir machen viel Charity. Dann biss sie mit filigranen, weißen Zähnen in ein Stück Tofu, das vermutlich gerade aus Japan eingeflogen worden war, die Sonne ging unter, und keiner hier würde jemals sterben. So viel war klar.

Nach zwei Nächten hatte Miki genug gesehen. Sie hatte 800 Hedgefonds-Manager kennengelernt, sie wollte – und dazu fiel ihr dann nicht viel ein. Irgendwie einfach nur weg wollte sie, und so ließ sie sich, zum ersten Mal ihren neuen Reichtum genießend, mit einem Taxi zum Flughafen in New York fahren.

Hanna
Hamptons

Und nichts zu wissen, außer dass es nicht so geht, wie es da überall zu gehen scheint. Da werden sie größer und wachsen daran, und dann wird geheiratet und ein Kleid getragen und abends in Zimmern gesessen und Schweigen und was essen und zu Bett. Die Frauen werden grau und sitzen zu Hause und haben Kinder, und denen wischen sie das Gesicht mit nassen Taschentüchern, und am Sonntag, Obacht, passieren richtig wilde Sachen. Da geht die Familie spazieren oder Tiere beobachten oder ein Picknick machen, die Frau hat gekocht und das Zeug in einen Korb verstaut und dann wieder die Woche und das Leben und daran sterben. So kann das doch wirklich nicht gehen. Es gibt kein Vorbild dafür, wie es anders sein kann. Andere schauen in die Sterne und träumen von Männern, die sie von sich entführen. Sie will nichts, außer zu schauen, Sachen anzuschauen und der Unruhe nachhängen, die manchmal Verzweiflung wird – da ist etwas, größer als der Verstand es fassen kann. Etwas, das eine Aufregung macht, eine Atemlosigkeit und Tränen in der Nacht manchmal. Und immer schauen und denken und Sachen sehen und irgendwann die Idee, die war wie ein Schock – das festhalten können –, was die Dinge wollen, im Inneren. Vielleicht kann man das lernen. Das kann doch nicht so schwer sein – zu lernen, wie man Sachen festhalten kann, und manchmal ist klar, dass es ja ganz leicht ist, wenn man etwas gelernt hat – das sieht doch gut aus. Aber am nächsten Morgen ist es noch unzulänglicher, das Gutgemachte, da sieht man, dass man nicht sehen kann, nicht festhalten, was hinter den Dingen ist, das gelingt einem nicht. Wenn man es festhalten könnte, das ist klar, wäre da endlich eine Einheit mit sich und allem. So ist sie nur außen und innen. Außen wird sich in eine Form gebracht. Das Außen ist etwas, das man gestaltet, es ist schön und egal. Und innen ist die Angst, dass man nie findet, dass es nichts zu finden gibt vielleicht, dass es unmöglich ist, festzuhalten und anderen sichtbar zu machen, was man fühlt in seltenen Momenten, die sind, wie geboren zu werden inmitten eines Haufens Sterne.

Was kann man bloß von den Menschen wollen? Ihre Anerkennung will man, aber eigentlich nicht, wenn man sie sich genau ansieht. Vielleicht trifft man einen, einen, der die Suche versteht, weil er selbst nicht gefunden hat, der die Einsamkeit (die nie wehtut) aufhebt, wunderbar, wie das Gehirn zu erweitern und vier Hände zu haben. Vielleicht trifft man so einen Menschen, die Chance ist so groß wie eine Blume in der Wüste zu finden. Wahrscheinlich findet man ihn nicht, diesen Menschen, und wenn, dann verliert man ihn wieder, weil man alles verliert, was nach Unendlichkeit verlangt, weil es die nicht gibt für uns, und dann gerade wird es einem wieder weggenommen, um zu zeigen, dass man allein ist, immer. Mit der Angst, dass man sicherer wird in der Ausführung von dem, was man tut, was keiner zu brauchen scheint, worum keiner gebeten hat, und man hat es immer noch nicht gefunden. Aber die anderen wissen Bescheid.

Alle haben eine Meinung zu dem, was man macht. Aber bitte, Sie wollen doch, dass wir unsere Meinung sagen, sagen sie, und nein sagt man leise. Sie bewerten, was sie erkennen können, und viel ist das nicht. Sie ordnen es in ihre Schränke und falten es zusammen und sprühen es mit Bügelstärke ein, das ist doch so unwichtig.

Und er war immer noch nicht da, der Moment, da endlich eine Einheit wird. Vielleicht werden die Falten mehr, aber das sagt ja nur, dass nichts unendlich ist, und das weiß man eh. Und die Zeit rennt, und entspannter macht das nicht, die Angst, es nie zu schaffen, wird größer, aber das bisschen Alter

macht das Herz langsamer schlagen und die Augen milder, da sieht man das nicht mehr so genau. Den Himmel. Der ist immer zu sehen, das ist die Unendlichkeit, und wie man das versteht manchmal, dass es für niemanden von Bedeutung ist – man dieses große Gefühl in sich nie wird teilen können, weil es niemanden interessiert, was da in einem schreit und tobt: DU WIRST ES NIE ERREICHEN. Weiß man in klaren Momenten und weiß auch, dass es egal ist. Aber warum schmerzt es dann so? Und dann ahnt man vielleicht, dass die Zeit knapp wird, und nur das Gehirn läuft noch schnell, im Gehirn kommen jeden Tag die Leute zu Besuch. Hunderte, die einen nie nicht haben alleine sein lassen, setzen sich kurz hin und trinken einen Tee, der kalt ist, und gehen dann wieder, den Hund vergessen sie, und man selbst ist da auch, in schwarzen Sachen und das Gesicht immer unscharf, der Leib nicht da, und kein Gefühl außer Hunger. Wenn es gut ist, kann man sich sitzen sehen da mit dem Tee und kann lachen wegen des Versuches, der das Leben war. Und weg mit dem Licht, und man fällt um, und dann geht das vielleicht alles auf, weiß man, was dahinter war? Aber was, wenn nicht?

Peter
Nauru

Peter schaute fassungslos auf den Ozean, auf einen Gummi-
baum und auf eine dicke chinesische Kellnerin. Er verstand
weder das absurd gelbe Rührei auf seinem Teller noch was in
den letzten Tagen passiert war.

Wie unter Zwang – außerirdische Intelligenz, Versuch an
Bord eines Raumschiffs – war er in der Nacht aus der Ukraine
verschwunden, nach Moskau gefahren, hatte den ersten Flug
genommen, den es gab, der war nach Australien gegangen.
Hundert Jahre später saß er auf einem Schiff nach Nauru. Ein
Steward hatte ihm erzählt, dass es früher eine Flugverbindung
gegeben hatte, jedoch musste Nauru sein einziges Flugzeug an
die USA zurückgeben, wegen Zahlungsschwierigkeiten.

Die hatte Peter auch.

Wenn er das Geld für eine Rückreise, wohin auch immer,
abzog, blieben ihm noch 1.000 Dollar, eine Verwirrtheit, eine
defekte Brille und eine Insel, von der er keine Ahnung hatte.

Der Impuls, von den beiden Frauen und Russland wegzu-
kommen, war so groß gewesen, dass ihm der am weitesten
entfernte Ort der Welt immer noch zu nah erschien.

Peter hatte Olga wirklich gemocht. Er war weit entfernt
davon gewesen, sich in sie zu verlieben, doch diese Hormon-
sachen ließen im Alter sowieso nach, und Peter vertraute ihnen
nicht mehr. Zu oft hatte sich Verliebtheit als kleiner sexueller
Rausch herausgestellt. Olga war angenehm gewesen, er langweilte sich nicht mit ihr. Sie war alles, was eine Frau brauchte,
und er war ein Held für sie. Vielleicht war Peter geflohen, um
ihr die Enttäuschung zu ersparen, beobachten zu müssen, wie
er nach einem Job suchen würde und keinen fände. Und Hartz
IV beantragen, das noch nicht einmal für die Miete der Einraumwohnung ausreichend wäre. Die Angst hatte Peter nach

Nauru getrieben, und da saß er nun und hatte keine Ahnung. Vor dem Fenster des Business-Hotels, es war das einzige auf der Insel, rauschte der Ozean, schon wieder standen Pflanzen in der Gegend, mit denen Peter nicht vertraut war. Stämmige Menschen bewegten sich auffallend langsam, fast seitlich am Horizont entlang. Immer noch betäubt, wie nach einer Überdosis Kodein, schlingerte Peter aus dem Hotel. Das war die bizarrste Insel, die er jemals gesehen hatte, und mit Inseln kannte er sich aus.

Nauru war die kleinste Republik der Welt mit ungefähr 10.000 Einwohnern, von denen 40 Prozent Gastarbeiter waren, die die Phosphatvorkommen der Insel abbauten, der Rest tat gar nichts. Jeder Einwohner war per Geburt Millionär, das Geld größtenteils zentral investiert in ausländische Hochhäuser und Unternehmen. In wenigen Jahren würde die Insel komplett abgebaut sein, sie würde noch mehr als im Moment einer Mondlandschaft gleichen, und alle Einwohner würden umgesiedelt werden. Im Moment allerdings machten sie noch mit Scheiße Geld, denn die Phosphathalden waren durch den Kot urzeitlicher Vögel entstanden. Peter lief durch die Gegend, die sehr übersichtlich war, gepflegte Häuser, Südseereichtum, dicke Menschen liefen mit alkoholischen Getränken herum, saßen träge auf gepflegten Rasenflächen und spielten Domino. Auf der einzigen Straße der Insel, 18 Kilometer lang, kreisten nur neue und teure Autos, und die Damen shoppten im kleinen Städtchen. Alles war von einer so absurden Langsamkeit und Sinnlosigkeit, dass es Peter schon fast zu gefallen begann. Männer standen herum und zeigten sich gegenseitig Vogelkäfige. Die Nauruer liebten es, Fregattvögel zu fangen, die man wie Brieftauben dressieren konnte, um sie mit Botschaften über die Insel zu jagen. Peter ließ sich in ein Café fallen, trank ein wenig Alkohol, um sich zu beruhigen. So, was machen wir jetzt mit dem restlichen Leben, fragte er sich und sah auf die Palmen, die Bagger, die Vogelkot abschürften und das Inselchen auffraßen, und begann ein leichtes Gespräch mit einem Insulaner. Der erzählte Peter von der unfassbaren Langeweile, die alle hier hatten. Jeden Tag gutes Wetter, Geld und nichts zu tun. Die Frauen fuhren auf die Nachbarinselchen zum Shoppen, das war das andere Hobby, neben den Fregattvögeln. Anlasser kaputt am Auto – zack, ein neues gekauft, um damit die eine Straße runterzubrettern. Toaster raucht, weg damit. Keiner hatte hier einen Bezug zu Geld und Arbeit. Die Generation der Eltern war von den Japanern als Zwangsarbeiter verschleppt worden, nur 700 überlebten. Die begründeten den Wohlstand der Insel, kämpften für die Unabhängigkeit, die sie 1968 erhielten. Seitdem gab es auf der Insel keine Kriege, keine Unruhen, keine Kriminalität. Alle waren miteinander verwandt, 90 Prozent Arbeitslose mit dem welthöchsten Lebensstandard. Ein interessantes Untersuchungsfeld für Glücksforscher. Wenn der Mensch es unter diesen perfekten Laborbedingungen nicht schaffte, zufrieden zu sein, wo dann? Peter beobachtete die Inselbewohner, die mit trägen Hüften durch die Straßen schlingerten, einige waren ohne Zweifel stramm betrunken, Frauen lungerten wie schläfrige Tiere auf den Veranden, und selbst die Kinder waren zu faul zum Spielen. Lustlos führten einige im Schulhof, der aussah wie andernorts der Park eines gepflegten Sanatoriums, Tänze auf, vermutlich irgend so ein Südsee-Wackel-Traditionszeug. Die Kinder schienen zu schlafen, während sie sich hin- und herwiegten. Sie waren gnadenlos überfettet. Auf der Straße ein ständiger Lärm. Nicht von den 8.000 Autos, sondern von der Begrüßungszeremonie. Mit lautem Hallo fielen sich die Inselbewohner in die Arme, man sollte meinen, sie hätten sich seit Jahren nicht gesehen. Vermutlich resultierte ihre überbordende Wiedersehensfreude aus der Hoffnung, dass der andere eine Idee hätte, wie man den Tag herumbringen könnte. Sie schnatterten laut, redeten über das Wetter: immer dasselbe, redeten über Shopping: immer dasselbe. Vielleicht mal nach Australien am Wochenende, shoppen? Warum nicht. Dann verabredeten sie sich für den Abend, zum Heimkino-Schauen mit Video-Beamer, fein fett essen und danach ein wenig den Kindern beim Wackeln zusehen. Ein Fremder wie Peter wurde sehr willkommen geheißen, vielleicht wusste er ja etwas von der Welt zu erzählen, die noch ein wenig mehr entfernt war nach der Einstellung der Airline. Und so fand sich Peter rasch umringt von übergewichtigen, freundlichen Insulanern, die sich durch kuhartige Gesichter auszeichneten und alle nach CK one rochen. Eine Vorliebe für Roberto-Cavalli-Kleidung vermeinte Peter ausmachen zu können, aber so sicher konnte er sich nicht sein, er war modisch noch nie auf der Höhe gewesen. Er ließ sich in ein Haus schieben, das aussah, wie sich Peter das Haus eines plötzlich zu Reichtum gelangten Südchinesen vorstellte. Überall standen schwere Couchtische aus poliertem Teakholz herum, und weiße Teppiche lagen vor Massagesesseln. Ungefähr zehn Kinder wackelten müde einen Eingeborenentanz zu Ehren des Gastes, denn Fremde kamen nicht alle Tage vorbei. Nun waren die Eingeborenen bei weitem keine Dummköpfe. Jeder hatte Satellitenfernsehen und wusste Bescheid. Der Mann des Hauses, der sich nicht sonderlich von der Frau des Hauses unterschied – beide hatten freundliche Gesichter, dickes Haar und stämmige Leiber in Cavalli-Trikotagen –, fragte Peter unermüdlich aus. Über Russland, Sri Lanka, Deutschland, Roberto Cavalli, ob er den persönlich kenne, nach dem Wetter, all das wollte er wissen, und sowie Peter ihm eine Antwort gab, schoss die nächste Frage nach. Unterdes hatte sich die Hälfte der Inselbewohner in dem Haus eingefunden, das so groß war, dass es keinerlei Probleme gab, die ungefähr 200 dicken, mopsfidelen Naurüer aufzunehmen. Jede Antwort von Peter wurde mit Händeklatschen und Lachen willkommen geheißen. Unterdes schleppten die Frauen Nahrungsmittel an. Krebsfleisch, Hummertiere, Fische, Geselchtes, Gebackenes, Eingelegtes, Süßspeisen, und als Extraüberraschung für den Gast stellten sie Peter einen Fat-Burger vor die Nase. Vermutlich etwas sehr Exotisches und Teures hier. Und Peter gab sich Mühe, das Teil mit dem größten Verzücken zu essen. Das wurde wieder beklatscht, und zum zehnten Male fingen die Kinder an zu tanzen.

Die Leutchen waren entspannt bis an die Grenze zum Koma. Sie hätten um eine Vogelscheuche ein großes Trara gemacht, wenn die statt Peter bei ihnen gesessen hätte. Nach der Erzählrunde wurde der Video-Beamer angeschaltet und zu Ehren des Gastes Rocky II gezeigt. Tief nach Mitternacht löste sich die kleine Rasselbande auf, und Peter war ein Teil von ihnen geworden. Überhäuft mit Einladungen in andere Häuser, ein Fest sollte ihm zu Ehren gegeben werden, und der Hausherr wollte nicht zulassen, dass Peter zurück ins Hotel ging. Er hatte diesen wunderbaren Gästebungalow, in Ermangelung von Gästen unbenutzt, und Peter dachte an seine Reisekasse und stimmte zu. Der Hausherr begleitete ihn zum Hotel, lud Peters Tasche in seinen Mercedes SL und zeigte ihm den Bungalow, der als Hotelzimmer vermutlich 3.000 Dollar gekostet hätte. Whirlpool, Terrasse, Meerzugang, Doppelbett. Und morgen, sagte der Hausherr, morgen reden wir über meine Tochter.

Peter fiel in einen angespannten Schlaf.

Ruth
Neu-Ulm

So klar war Ruth die Hässlichkeit nie gewesen. Sie war mit dem Zug von Wien nach Berlin gefahren. Eine Reise, die man nur Menschen, denen man nichts Gutes wünscht, empfehlen sollte. Die Streckenführung war absonderlich, und Ruth landete in Neu-Ulm, verpasste ihren Anschluss und musste eine Nacht in dieser Stadt verbringen, von der sie noch nie zuvor gehört hatte und wo sie bereits nach zehn Minuten wusste, dass zehn Minuten Aufenthalt zu viel waren. Sie nahm sich ein Zimmer in einem gelben Hotel, es gab keinen Fernseher, keinen Zimmerservice. All diese Orte, in denen sie gewesen war in ihrem Leben, fielen ihr ein. Da man durch irgendeine unbekannte Stadt stromerte, einzig um Zeit herumzubringen, bis irgendwas passierte, was dann in aller Regel auch nicht besser war. Sie erinnerte sich an einen Abend in Düsseldorf. Vor 100 Jahren. Sie hatte bei einem Lehrgang für Übersetzer in Straelen von Ferne einen Mann wahrgenommen, sie hörte seine tiefe Stimme mit südamerikanischem Akzent und sah seine Umrisse. Lange Haare. Den Namen. Das genügte, dass sich Ruth einredete, dass sie unsterblich in diesen Mann verliebt wäre. Sie recherchierte wie ein Geheimagent, fand seinen Namen, er war Schauspieler, und seine Adresse, Düsseldorf, heraus und überlegte sich eine abenteuerliche Story. Ein Drehbuch, das sie übersetzen sollte und für dessen Hauptfigur er mit Sicherheit der beste Schauspieler wäre. Sie reiste nach Düsseldorf, der Ohnmacht nahe, malte sich den Abend aus, die große Liebe, Leidenschaft im Hotelzimmer, Heirat, das volle Programm. Und dann saß sie ihm gegenüber. Der Mann war klein, alt und unerträglich eitel. Vor Enttäuschung musste Ruth auf die Toilette des Restaurants und weinen. Wie viele Frauen saßen wohl in jeder Sekunde auf irgendeiner Toilette und weinten aus Enttäuschung, Trauer, Verzweiflung?

Nach diesem Desaster hatte sie in einem Hotelzimmer gehockt, es sah aus wie alle davor und danach, sie saß wieder einmal auf einem unbequemen Bett mit Holzrahmen, schaute aus dem Fenster, da war immer ein Hof davor mit Belüftungsschächten. Später war sie halb im Koma durch die Stadt geschlichen, hatte irgendeinen Dreck im Supermarkt gekauft. Im Hotel gegessen. Wie oft hatte sie das gemacht? In immer gleichen Mittelklassehotels auf dem Bett gesessen und Schmelzkäse mit Mischbrot verputzt. Dazu lief der Fernseher, und es regnete. Immer.

Auf ein weiteres schönes Erlebnis, dachte Ruth, sie betrachtete ihren Ausflug in ein anderes Leben als gescheitert. Sie war wohl zu alt, um sich an etwas Neues zu gewöhnen. Sie setzte sich an den Tisch in ihrem Hotel, um eine Liste zu erstellen, mit allen Orten, an die sie gehen könnte. Haziendas in Spanien oder Südamerika. Sie sah sich auf Hängematten liegen, und braune Hispanos fegten den Balkon. Irland. Keine Steuer zahlen, Schafe, Regen. Saufen. Sie hatte den Fernseher laufen, während sie ihre Liste machte. Der Satz: Die größte technische Revolution, auf die je ein Urinstrahl getroffen ist – ließ sie zusammenschrecken. Ein Schwangerschaftstest. Dann: Monatsbinden. Inkontinenzeinlagen. Binden mit integriertem Feuchttuch, Tampons. Meine Güte, dachte Ruth, jeder muss doch zu der Ansicht gelangen, dass Frauen permanent suppen, auslaufen, stinken, nässen, bluten. Kein Wunder, dass es so viele Serienmörder gab, die Frauen, die unreinen Frauen abschlachteten. Glaubte man dem Bild, das die Werbung zeichnete, hatten sie nicht unrecht. Die Frau, eine Fehlentwicklung

der Natur. Zellulitis, Übergewicht, Zahnprothesen, Wasch-
zwänge, wegen der Unreinheit.

Paris – sie könnte im Marais eine Wohnung suchen und auf
der Straße von all den Schwulen ignoriert werden. Super Idee.
Alle Orte, die Ruth mit sich zu bebildern suchte, ließen am
Ende nur sie übrig, in einer Umgebung, die nichts mit ihr zu
tun hatte. Mit Menschen, die sie nicht kannte, mit der unsin-
nigen Freude nach ein paar Wochen, wenn die Supermarktkassiererin sie grüßen würde. Vielleicht. Ruth war zu realis-
tisch, um sich einzureden, dass irgendein Ort oder irgendein
Mensch auf sie warten würde. Junge Mädchen hatten keine
Probleme an neuen Orten. Ruth erinnerte sich daran, wie es
sie genervt hatte früher, dass sie überall, wo sie hinkam, sofort
Männer kennenlernte, die sie nicht kennenlernen wollte. Die
Männer luden sie ein, wollten ihr die Stadt zeigen und vermutlich ihr Glied. Heute würde keiner mehr ihr etwas zeigen
wollen. Sie war in dem Alter, da sie eine Tochter haben könnte,
die 20 wäre. Ruth vermisste auf einmal selbst das Kind, das sie
nie haben wollte. Ein Kind wäre Familie, emotionale Heimat
und Verantwortung. So hatte sie nur die Verantwortung für
sich, und das war eine Person, die sie im Moment nicht besonders interessierte.

Ruth fiel nichts ein, außer zurück nach Berlin zu reisen und
zu versuchen, ihr Leben wieder aufzunehmen. Vor der Idee, einen Menschen gefunden zu haben, war alles ja nicht so schlecht
gewesen, erinnerte sie sich. Sie dachte an ihre kleine Wohnung
mit Dachterrasse, die hässliche beige Küche, in der sie sich
wohlgefühlt hatte, das Schlafzimmer, ihr Bett in einem Erker,
wie im Himmel schlafen – und sie wurde unendlich schwer,
denn in ihrer Wohnung lebte unterdessen eines der jungen
Berlin-Mitte-Mädchen. Ruth ahnte, dass alles, was schön an
ihrer Wohnung gewesen war, unterdes unter White-Stripes-
Postern und hässlichen Pseudo-70er-Möbeln begraben war.

Sinnlos lief Ruth durch Neu-Ulm. Das war nicht zu verstehen, diese Geschwüre hier, wie haben die das nur hingekriegt, ein ganzes Land aussehen zu lassen wie abgepackte Mischbrotscheiben? Lag es daran, dass sie alle Ecken verputzen mussten, an der Manie, alles zu asphaltieren, um es besser wischen zu können? Irgendetwas Gelbes, Kaltes in der Luft, und auf befremdliche Weise fühlte sich Ruth zu Hause und sehr fremd. Sie kannte die Waren in den Supermärkten, sie hatte Seelachsschnitzel in Öl vermisst und Milram-Quark und abgepacktes Brot. Die Lebensmittel schmeckten wie das Land. Nichts richtig Gutes, aber vertraut. Schlecker und Döner und Parkhäuser, die liebevoller gebaut schienen als die gelben Dreckshäuser, ohne Balkon, kleine Fenster mit Plastikrahmen, gestaltete Plätze, auf denen ein schneidender Wind wehte und unverständliche Metallskulpturen die Menschen in schnelle Flucht schlugen. Jaja, sie wollten keine Kunst, die Menschen, sie sind zu dumm, würde der Künstler dann sagen, wenn seine Metallscheiße mit Farbspray beschmiert würde. All diese Geschwüre, wo kamen die her, diese Buden, Dönerschuppen, die nur der Geldwäsche dienten, Gebrauchtwagenplätze mit silbernen Fähnchen? Vielleicht wäre Paris doch eine Alternative, dachte sich Ruth, zog die Schultern hoch, warum konnte man sich Deutschland nie im Sommer vorstellen, selbst wenn Sommer war?

Endlich war es acht, Ruth konnte zurück in ihr Hotel, sie aß Schmelzkäse und Mischbrot auf dem Bett, die Vorhänge zugezogen, dann trank sie eine halbe Flasche Baldrian und versuchte, während sie in eine Art Alkoholkoma fiel, sich vorzustellen, dass in Berlin alles wieder gut werden würde. Vielleicht fände sie eine Wohnung, die noch schöner wäre als...

Rolf
Bochum

Eines Morgens erwachte Rolf dadurch, dass seine Frau neben dem Bett stand, komplett angekleidet, sogar ein Hütchen trug sie, das er zuvor noch nie an ihr gesehen hatte, aber es gab wohl Situationen, die nach ungewöhnlichen Kleidungsstücken verlangten. So, ich gehe jetzt, sagte Rolfs Frau, und am Boden stand eine Reisetasche. Wohin gehst du, fragte Rolf, er war benommen vom Schlaf. Durch die Plastikjalousie fiel fahles Licht, der Verkehr der Hauptstraße Richtung Essen rauschte leise, es roch wie immer, nach Reinigungsmitteln und älteren Menschen. Ich beende unsere Ehe heute, sagte seine Frau. Aber warum, fragte Rolf, es war eiskalt in ihm, zu viel Adrenalin, Todesangst, sein Gehirn ganz langsam, stechend irgendwas in ihm, kaum atmen könnend. Das ist völlig egal, antwortete seine Frau. Wenn ich dir wunderbare Gründe nenne, würde es etwas ändern? Würdest du dann sagen: Och nee, klar, dann geh mal deiner Wege? Ich bin seit Jahren nicht glücklich mit dir. Du machst mich nicht glücklich. Ich mag dich nicht mehr sehen, riechen, ich liebe dich nicht.

Frauen konnten so grausam sein. Manchmal schon hatte Rolf gedacht, dass sie viel brutaler waren als Männer, weil sie nicht mit dumpfer Kraft agierten, sondern mit List und Verstand und wussten, wo man jemanden so treffen konnte, dass er nicht mehr aufstand. Seine Frau wollte nicht reden, nicht diskutieren, sie nahm ihre Reisetasche, und Rolf hörte, wie sie sorgfältig die Tür hinter sich schloss. Das war das Perfide, dass sie alles schon überlegt hatten, die Frauen, dass sie nicht spontan waren und wütend und zornig, sondern überlegt, und wenn sie handelten, gab es kein Zurück. Das wusste Rolf, darum blieb er im Bett, legte sich wieder hin, zog die Decke bis zum Hals und begann zu zittern. Sein Leben hörte in jener Sekunde auf. Was blieb ohne seine Frau, war ein Beruf als Vertreter, der ihm völlig egal war, war Fahren auf der Autobahn, Tausende von Kilometern, war ein Sitzen daheim, mit Iglo-Fischfilet.

Rolf hatte seine Frau immer geliebt. Sie war ihm Familie und Freunde, sie war ihm Zuhause, guter Geruch und warm. Mit ihr zu sein machte die Welt rund.

Rolf hatte nie mehr gewollt, als es ihm zu erreichen möglich war. Er verstand Menschen nicht, die davon sprachen, dass man über sein Limit gehen müsse, über seine Grenzen. Und dann fuhren sie Rallye in Afrika oder verloren beim Entschärfen von Tretminen ihre Beine und rannten dann mit Prothesen Marathon. Rolf verstand nicht, wozu es gut sein sollte, über seine Grenzen zu gehen, denn Grenzen waren doch dazu da, um einem zu zeigen, wo sein Platz war. Rolf verstand dieses Gerede nicht vom: sich lebendig fühlen durch Nahtoderfahrungen. Er fühlte sich nie unlebendig. Jetzt lebte er eben, später wäre er tot, das stellte er sich vor wie vor seiner Geburt – was soll sein?

Rolf fehlte die Phantasie, sich vorzustellen, was an einem anderen Leben besser sein könnte. Wenn er sehr reich wäre, besäße er eben ein größeres Haus, in dem er mit seiner Frau vor dem Fernseher sitzen würde. So what?

Das Stemmen von Gewichten oder andere körperliche Ertüchtigung waren ihm zuwider, und um sein Leben der Wissenschaft zu widmen, fehlte ihm die geistige Kapazität. Rolf lag zitternd in seinem Bett. Er war Ende 40 und wusste nicht weiter. Irgendwann fiel ihm etwas ein, das ihm Trost geben konnte. Ihm eine Aufgabe sein könnte, fast weinte er, in dem Bewusstsein, doch nicht einsam zu sein. Doch: Der Platz, an dem der kleine Hund sonst immer gelegen hatte, war leer.

Frank
Island

Bereits beim Landeanflug schaute Frank verstört aus dem Flugzeugfenster auf die grüne Pizza unter ihm. Er erkannte eine Straße, von ungefähr drei Pkws befahren, die Farbe war eine ihm komplett unbekannte, sie wirkte reizend verschimmelt.

Was ihm bei Betreten des Landes auffiel, nach Verlassen des Flughafens, der wirkte wie etwas aus einem Architekturprospekt, war die Luft und deren Konsistenz. Sie war – feucht und nahrhaft. Das war, was Frank zum Geschmack der Luft einfiel. Es war Sommer, und ein kalter Wind ging, es mochten zwölf Grad sein. Frank hatte es abgelehnt, sich von seinem Kollegen empfangen zu lassen, er wollte, wenn er schon verreisen musste, den ersten Tag Elend alleine überstehen. Er setzte sich in seinen Mietwagen und hatte Angst. Diese

Scheißangst immer, dachte Frank, wie sie einem das Leben verdirbt, es eng macht und anstrengend, dabei hilft uns Angst nicht, sterben werden wir auf jeden Fall. Frank war seit Jahren nicht mehr Auto gefahren, in Berlin verbot sich das von selbst, wenn man in einem eng umrissenen Viertel verkehrte.

Frank fand die Gänge, die Bremse und fuhr mit rasanten 40 Stundenkilometern in Richtung Reykjavík.

Autofahren in Island war nicht die verrückteste Heldentat, derer sich einer rühmen konnte, denn die Straßen waren leer, ab und zu begegnete einem ein anderer Wagen, der sich in langsamer Geschwindigkeit bewegte. Die Möglichkeiten, sich zu verfahren, waren auch sehr übersichtlich, und so entspannte sich Frank nach einer Weile. Er schaute aus dem Fenster, und bemerkenswert war, dass die Insel genauso aussah wie aus dem Flugzeug. Das verschimmelte Grün stellte sich als Moos heraus, das über erkalteter Lava wucherte, Frank musste anhalten, um die Konsistenz des Fußbodens zu überprüfen. Das Moos war teppichweich, und er konnte nicht aufhören zu laufen. Komischer Traum, dachte Frank, wie schwerelos in dieser Landschaft. Dann stand er auf einmal am Meer, getrockneter Tang lag da, Fliegen surrten, und die Sonne kam hinter den schnell laufenden Wolken hervor. Franks Pension hielt sich im Zentrum Reykjavíks auf. Die Stadt bestand aus drei Straßen, ein wenig Zeug daneben, und sah erbärmlich aus, wozu sicher auch der Regen beitrug, der gerade eingesetzt hatte. Die Herbergsmutter war eine dicke Frau, die eindeutig eine Macke hatte, denn sie erzählte Frank sofort, dass es im Moment ein wenig Probleme mit Trollen gäbe, er solle sie einfach ignorieren, wenn sie sich in seinem Zimmer aufhielten. Das nahm er sich fest vor.

Sein Zimmer war warm und freundlich. Ein Geheimnis, das er später noch oft entdecken sollte: Die Häuser sahen von außen ein wenig trostlos aus, von innen jedoch waren sie warm und mit großem Geschmack eingerichtet. Fast alle Isländer liebten Bücher und Musik, die Wohnungen waren spärlich möbliert und auf die lange, dunkle Jahreszeit eingerichtet. Mit für sein Naturell geradezu absurder Unternehmungslust lief Frank durch die Stadt. Auffallend, die große, entspannte Langsamkeit. Die Menschen sahen klar und freundlich aus, die Augen waren bei allen ein klein wenig irr, wie ihm schien, doch die Gesichter von Schönheit und Kernseifenklarheit. Eine übergroße Cafédichte ließ vermuten, wie es im Winter aussehen mochte, wahrscheinlich pfiff ein eisiges Windchen von der See, die hier von überall aus zu sehen war, denn Reykjavík lag in einer Bucht. Frank hatte selten so eine Freude am Laufen empfunden. Er lief und lief bis zum äußersten Zipfel der Stadt, wo ein Leuchtturm stand, auf den er stieg und sich umschaute, so etwas Schönes, Merkwürdiges, dachte Frank, und wie einen alle ansahen, ohne zu werten, wie es schien, wie sie freundlich lächelten und man Intelligenz und Humor hinter fast jedem Gesicht ahnte. Als Frank zurückwollte, stellte er fest, dass ihm das Meer den Weg abgeschnitten hatte. Flut. Und wo er eben noch gelaufen war, lag nun graues Wasser. Frank kehrte um, stieg wieder auf den Leuchtturm und stellte sich darauf ein, die Nacht darin zu verbringen. Frank unterhielt sich mit einigen Möwen, die auf dem Geländer der Aussichtsplattform ruhten. Es wurde nicht dunkel die ganze Nacht, und so saß Frank, redete mit den Vögeln und schaute immer wieder auf die Stadt, die unter ihm lag wie etwas, das er lange zuvor zu Weihnachten geschenkt bekommen hatte.

Helena
Krakau

Die Situation ist wohl, dass wir kein Auto, kaum Geld und schlechte Nerven haben. Außerdem sitzen wir in Tschernobyl, aber es gibt Schlimmeres, hatte Helena an dem Morgen vor einiger Zeit gesagt, als ihr klar wurde, dass Peter verschwunden war. O.k., sag was Schlimmeres, sagte Olga. Das Ganze in Bombay wäre schlimmer, sagte Helena, oder in Bishkek, sagte Olga und begann zu weinen. Nichts ist bösartiger, als Menschen ihre Hoffnung zu nehmen. Olga sah sich zurückkehren nach Bishkek, sah sich Touristen treffen in Hotelhallen, nie genügen und den Rest ihres Lebens in einer staubigen Stadt verbringen, die sie anödete. Es war kein Mitgefühl, das Helena dazu brachte, Olga vorzuschlagen, die Reise gemeinsam fortzusetzen. Vielmehr hatte sie keine Lust, alleine durch dieses Inferno an menschlichem Müll zu wandern, in russischen Lastern zu sitzen, sich vergewaltigen zu lassen und auf einer Müllkippe zu enden. Am allerwenigsten jedoch hatte sie Lust darauf, alleine zu sein. Helena hatte das Gefühl, dass ihr ein Teil ihrer selbst abhandengeraten war, bei all den Reisen, all dem Suchen, sie wurde zu einem anderen Menschen, und den kannte sie noch nicht.

So waren Olga und Helena zusammen weitergefahren, erstaunlich zügig hatten sie Russland hinter sich gelassen und waren nach Polen gelangt, das trotz der Rudel arbeitsloser Trinker auf dem Land außerordentlich reich wirkte, nach all den Metallteilen, die ganz Russland verbarrikadierten, und den Säufern am Straßenrand, den Klebstoff-Kids und den

Straßen mit den großen Löchern. Hinter der polnischen Grenze waren sie zu Rolf in den Wagen gestiegen, der sofort sagte: Ich bin Rolf.

Er war Vertreter für Naturheilmittel. Irgendwelche Tropfen, die mit positiven Ionen aufgeladen waren, so was wie Bachblüten, sagte Rolf, und Helena sagte: Bachblüten, alles klar.

Mit Esoterik kannte sie sich aus.

Rolf hatte die Ausstrahlung eines Eichhörnchens. Er mümmelte Stunden, ab und zu spuckte er wie Nussschalen kleine Sätze heraus. Seine Frau hatte ihn verlassen, sagte er, und Helena sah Olgas Augen gefährlich aufblitzen. »Wissen Sie, alles was ich wollte, war doch einen Menschen für mich. Einer, zu dem ich halten kann und um den sich mein Leben dreht. Sicher habe ich sie ab und zu betrogen, meine Frau, aber das heißt doch nichts, bei uns Männern heißt das doch nichts. Wir sind doch tot, wenn wir keine anderen Frauen mehr wollen, kastriert. Aber ich war immer für sie da. Verstanden habe ich sie nie.« »Was gibt es denn an Frauen nicht zu verstehen«, fragte Olga, »sie wollen benötigt werden.« »Ich bin immer neben ihr eingeschlafen und habe ihr Kaffee ans Bett gebracht«, sagte der Nagermann, »ich habe verregnete Tage mit ihr auf dem Sofa gesessen, und wir haben Fernsehen geschaut, und sie hat den Kopf an meine Schulter gelegt, ich habe gesehen, wie sie älter wurde, und wenn sie krank war, ging ich in die Apotheke für sie und habe gekocht. Und sie ist dennoch weggegangen. Einfach in der Tür ist sie gestanden, mit ihrer Reisetasche, und hat gesagt: Ich gehe jetzt. Und ich habe gesagt: Aber es regnet doch. Aber da war sie schon weg, ohne Schirm, und sie erkältet sich doch so schnell.« Da fiel den Frauen auch nichts mehr dazu ein, und traurig schauten sie das Eichhörnchen an, das Rolf hieß, und schwiegen und waren nicht mehr allein mit ihrem Kummer, denn immer gibt es ja einen, der noch trauriger ist zur selben Zeit. Sie waren mit Rolf nach Krakau gefahren, wo er seine isotonischen Tropfen an Reformhäuser verkaufte, er hatte sie eingeladen, auf seine Kosten in einem billigen Hotel zu übernachten, er könnte sie am nächsten Tag nach Deutschland mitnehmen, wo seine Tropfenfabrikanten säßen, und da sagten die Frauen natürlich nicht nein. Während Rolf auf seiner Vertretertour war, saß Helena auf einem Hotelbett und sah Olga dabei zu, wie sie sich die Haare und das Make-up richtete. »Du willst diesen Rolf?«, fragte sie. Und Olga antwortete: »Du hast Russland gesehen. Würdest du nicht auch lieber einen Rolf nehmen, als da zu leben?« Olga blickte Helena sehr lange an und sagte dann: »Ich glaube, wir müssen dein Outfit ändern. Hast du noch Geld?« Helena, die seit Wochen in Peters schwarzem Shirt und einer unglaublich unattraktiven Jeans unterwegs war, nickte. Sie hatte, einem wirren Impuls folgend, etwas von dem Geld der Botschaft in ihrer Jeanstasche versteckt. Seltsam willig folgte Helena Olga in die Stadt. Vielleicht gehörte ein neues Aussehen zu ihrem neuen Leben. Sie war so lange hässlich gewesen, dass sie sich irgendwann daran gewöhnt hatte. Die hennarot gefärbten Haare, die Batikkleider, die sie normalerweise trug, sie hatte nie darüber nachgedacht.

Krakau war etwas zu renoviert, um wirklich schön zu sein. Helena lief durch das alte Ghetto der Stadt und fand den Bus nach Auschwitz ein wenig befremdlich, sie saß auf einem Friseurstuhl und hörte Olgas scharfe Anweisungen, sie stieg in Kleidung, sie bezahlte Kosmetik, und als es Abend wurde, gingen sie in ein Restaurant. Auf der Toilette betrachtete sich Helena. Ihr Haar war dunkel, der Pony verschwunden, ein Knoten machte ihr Gesicht wenn nicht schmal, so doch irgendwie interessant. Sie trug einen Bleistiftrock, der ihr eine schmale Taille und interessante Kurven verlieh, einen dunklen

Pullover mit V-Ausschnitt – sie sah aus wie eine sexy italienische Frau. Oder eine Französin, das war also ihr neues Leben von außen. Zum ersten Mal in ihrem Leben sah Helena länger als zehn Sekunden in einen Spiegel. Sie ging zurück ins Restaurant und sagte zu Olga: »Lass uns doch einfach zusammenbleiben. Wenn sie dich nicht in Deutschland lassen wollen, heiraten wir eben. Das geht. Wir leben zusammen, sind nicht mehr allein, brauchen keinen Rolf, keinen Peter, wir können uns helfen und...«, ihre Stimme überschlug sich fast vor Angst, dass Olga nein sagen könnte. Olga sagte nicht nein. Sie umarmte Helena, und beide fingen an zu weinen, weil sie ja Frauen waren und das Gefühl hatten, ganz zaghaft, dass sie vielleicht jemanden gefunden hatten, der nicht mehr weggehen würde wie all die Männer zuvor.

Chloe
Bellaggio

Nächstes Jahr leben wir wie alte Menschen, hatte Hyroia ihr versprochen. Und Chloe hatte ihn umarmt und fast geweint, weil Hyroia diese merkwürdige Gabe besaß, immer das Richtige zu sagen oder zu tun. Und weil sie ihn so besonders lieb hatte in jenem Moment und immer, wenn sie ihn so lieb hatte, dachte, warum haben wir uns nur nicht früher getroffen.

Chloe wollte endlich einmal alt sein. Mit Ende 70 stand ihr das zu, hatte sie befunden. Sie war des Reisens müde geworden, des Ohne-festen-Wohnsitz-Seins, Aus-dem-Koffer-Lebens, der Unverbindlichkeit.

Chloe war eine Journalistin der Sorte, die vermutlich mit ihr aussterben würde, eine, der es noch um etwas anderes als sich selbst ging. Sie hatte ihr Leben mit den Geschichten anderer verbracht, sodass ihr erst jetzt auffiel, dass sie nie eine eigene gehabt hatte.

Hyroia hatte sie vor zwei Jahren in einem Restaurant in Tokio kennengelernt. Genauer – in seinem Restaurant. Hyroia hatte 40 Jahre lang eine Frau gehabt, die er bis zu ihrem letzten Tag nicht gekannt hatte. Sie war freundlich gewesen und leise, und er hatte sie erst vermisst, nachdem sie ein Jahr tot gewesen war. Vielleicht war ihm ihre Abwesenheit dann erst aufgefallen.

Chloes und Hyroias Geschichte hatte so unauffällig begonnen, dass sie es lange selbst nicht merkten. Sie konnten sich nicht sehr gut verständigen, Hyroias Englisch war nicht gerade brillant, doch erstaunlicherweise saßen sie einfach gerne zusammen, fühlten sich wohl miteinander und lachten viel. Dann fuhr Chloe nach Hause, weil es das war, was man normalerweise tut mit über 70 und einem kleinen Flirt unterwegs. Zu Hause, das war alles, was sie kannte, und Chloe wusste nicht mehr, was sie damit sollte. Ihr Leben ohne Hyroia, den sie erst zwei Wochen kannte, kam ihr unnatürlich vor. Das Mutigste, was Chloe in ihrem Leben getan hatte, war nicht ein Bericht über die Frauen in Afghanistan, keine ihrer Kriegsreportagen oder Interviews mit geisteskranken Massenmördern, sondern dass sie schnell wieder nach Japan flog und vor Hyroias Tür stand.

Hyroia verkaufte sein Restaurant, sie lebten eine Weile in Japan, eine Weile in Deutschland, und dann begannen sie zu reisen. Chloe zeigte Hyroia Europa, er zeigte ihr Asien, ihre Liebe fand vornehmlich in Flughäfen statt, in Hotelzimmern, und nun, nach zwei Jahren, war Chloe müde geworden. Sie wollte irgendwo zu Hause sein und wusste nicht wo. Die beiden hatten sich einen Monat in der Villa Serbelloni eingemietet, um zu überlegen, was man als alter Mensch machen sollte.

Sie hatten abends in der schönen Hotelhalle gesessen, das Streichorchester hatte gespielt, und wie Kinder hatten sie Listen geschrieben mit all den Dingen, die man als alter Mensch zu mögen hatte. Nach Bayreuth würden sie reisen, zu den Wagnerfestspielen. Sie würden Thermen besuchen und im Fichtelgebirge wandern. Sie kicherten bei all den Dingen, die sie aufschrieben, und hatten keine Ahnung, was alte Leute taten, sie hatten keine Ahnung, wie sie sich hätten fühlen sollen, am Ende ihres Lebens, denn das war ja etwas, was keiner denkt: Ich bin am Ende meines Lebens. Man fühlt sich vielleicht müde, träge, in einen komischen Körper gesperrt, aber am Ende des Lebens – fühlt sich doch keiner. Chloe wollte sich nicht mehr mit Menschen in Redaktionen auseinandersetzen, die ihre Enkel hätten sein können, wären sie intelligenter gewesen. Hyroia wollte nicht mehr kochen, kein Chef mehr sein, und nach zwei Wochen in Bellaggio merkten sie, dass es nicht viel brauchte. Einen angenehmen Ort wie Italien, ein pflegeleichtes Haus und viele Bücher. Das würde ihnen genügen, um die letzten Jahre herumzubekommen, die eventuell noch vor ihnen lagen. Und sie begannen, sich auf ihr neues Leben als altes Paar zu freuen. Was haben wir für ein Glück gehabt, sagte Chloe abends, in zwei Liegestühlen saßen sie, im Garten der Villa Serbelloni, nicht allein alt zu sein, welches Glück. Chloe streichelte Hyroias Hand. Sie sagte etwas lauter: Haben wir nicht wahnsinniges Glück gehabt?

Hyroia konnte sie nicht hören, ein Schwarm Schwalben am Himmel.

Peter
Nauru

Beim Erwachen schien es Peter immer noch befremdlich, einen warmen, braunen Körper neben sich zu wissen. Er musste seine Hand nur ein wenig nach links bewegen, dann konnte er diesen Menschen anfassen, er würde aufwachen, ihn anlächeln und in rollendem Englisch irgendetwas zu ihm sagen. Seit der ersten Nacht im Haus seines Gastgebers lebte er mit dessen Tochter zusammen. Jade war Ende 20 und einsam. Die Möglichkeiten, unter 6.000 Einwohnern einen Mann zu finden, den man auch noch mochte, waren überschaubar.

Jade war rundlich, hatte lange schwarze Haare bis zur Taille, Grübchen im Gesicht und den Charakter eines fröhlichen zehnjährigen Kindes.

Peter ließ sich nach einigen Tagen mit Jade trauen. Das Hochzeitsfest dauerte eine Woche, und in denen lernte Peter ALLE Einwohner der Insel kennen, mit denen er nun verwandt war. Nachdem Peter sieben Tage lang Kindern beim Tanzen zugesehen und Menschen in Roberto-Cavalli-Kleidern bewundert hatte, war er erleichtert, als das Fest zu Ende war. Jades Eltern ließen ein stattliches Haus für das junge Paar

278

errichten, in ein paar Wochen sollte es fertig sein. Pausenlos wurden Gastarbeiter und edle Materialien eingeflogen, ein Pool wurde angelegt und ein Garten. Peter lebte derweil mit Jade im Gästehaus. Er hatte sich nichts überlegt. Wozu sollte er im Alter mit Gewohnheiten brechen. Meistens hatte er noch nicht einmal gehandelt. Augenblicklich fand er es angenehm auf Nauru, angenehm mit Jade, mit dem Wetter, dem Meer, den Tänzen. Jades Eltern hatten Peter einige nette Roberto-Cavalli-Kleidungsstücke gekauft. Und wenn es ihm langweilig werden würde, verschwände er einfach.

Jade schlief immer länger als Peter. Sie lebte ihre Faulheit auf einer meisterlichen Ebene. Sie rollte sich mit kleinen Geräuschen zu Peter hin und legte ihren Kopf auf seine Brust. Dann wurde ihm ganz merkwürdig. Es hatte am ehesten mit der Verzückung zu tun, mit der man junge Hunde beim Spielen beobachtet, was er empfand und schnell verdrängte.

Später kamen die Bediensteten mit dem Frühstück, danach ging er mit Jade zum Strand, sie spielten Ball oder lagen einfach dösend in einer großen Hängematte. Am Nachmittag machten sie Brettspiele oder besuchten einen der vielen Verwandten, um Filme anzuschauen, zu kochen oder irgendein Fest zu feiern. Die Tage vergingen ein wenig träge, warm, faul und zufrieden. Einmal in der Woche fuhren sie auf die Nachbarinsel zum Einkaufen, und was Peter wirklich erstaunte, war nicht die Tatsache, dass er so problemlos heimisch auf einer Insel am Ende der Welt zu werden schien, sondern dass ihn die Anwesenheit eines anderen Menschen 24 Stunden überhaupt nicht störte. Vielmehr wurde er fast ein wenig unruhig, wenn Jade ab und an ihre Freundinnen besuchte, ohne ihn. Ist das das ganze Geheimnis einer Beziehung, fragte sich Peter, der früher immer dachte, eine Beziehung wäre das Komplizierteste, was Menschen zu errichten in der Lage wären.

Jade wollte kaum etwas von ihm. Sie führten keine tiefen Gespräche, denn tief war ein Wort, das Jade nicht kannte. Sie war nicht dumm, ihr Verstand arbeitete träge wie ihr Körper, aber sie begriff, sie beobachtete, sie fühlte, nur war ihr jede Depression fremd, jedes Analysieren der eigenen Person und jeder Anspruch an einen anderen. Das machte sie zu der angenehmsten Person, der Peter jemals begegnet war. Anders als bei Olga, der armen Bishkek-Braut, war Jades Fröhlichkeit ehrlich und die Art, in der sie Peter behandelte, auch.

Sie hatte keinerlei Scheu vor Körperlichkeit. Männer wurden auf Nauru generell von ihren Frauen behandelt wie Kinder. Sie wurden geputzt, gestreichelt, geknufft, ein Mann wurde durch die Heirat unbedingt zum intimsten Familienmitglied. Da gab es keine Geheimnisse, keine Beziehungsgespräche, keine Konkurrenz, kein Getue. Der Mann wurde an die Hand genommen, umsorgt und generell als das schwächere Wesen behandelt, das er war. Nach einigen Wochen zogen Peter und Jade in ihr neues Haus um. Es war absurd groß für zwei Personen, und sein Schwiegervater hatte sich nicht von den goldenen Armaturen im Bad abbringen lassen. Davon abgesehen war es ein wunderbares Haus, eines, das sich Peter ohne all die Zufälle der letzten Zeit in seinem Leben nie hätte leisten können. Das war ein Haus, das normalerweise von Bruce Willis und solchen Leuten bewohnt wurde, mit Korbliegen um den Pool, Fackeln am Abend, offenem Wohnraum und sieben Schlafzimmern. Prima, jubelte Jade, schön viel Platz für die Kinder.

Und zum ersten Mal, seit Peter ohne zu überlegen geheiratet hatte, wenn auch nur nach nauruischem Recht, bekam er Angst.

Pia
Bayreuth

Seltsam, dachte Pia, dass man sofort sagen konnte, dass man in Deutschland war. Pia versuchte zu ergründen, was genau dieses deutsche Gefühl ausmachte – sie sah Bäume, Felder, Häuser, und ein Hauch von Freudlosigkeit schwebte über allem. Sie unterschied sich von italienischer und französischer Freudlosigkeit, wobei sie da dieses Wort nicht gewählt hätte. Woanders in Europa war es arm, trostlos, hässlich, verbaut. Aber freudlos, das gab es nur hier, und sie würde unter hundert hässlichen Landschaften immer die deutsche herausfinden.

Pia hatte sich gewundert, als eines Abends eine feine alte Dame zu ihr an den Tisch trat und ihr ein Ticket für die Bayreuther Festspiele schenkte. »Hier, Sie sehen aus, als ob Sie an so etwas mehr Freude hätten als ich«, hatte sie gesagt und war verschwunden. Warum also nicht mal in die Oper, hatte sich Pia gedacht. Sie konnte nicht länger in Bellaggio bleiben, ohne ihre Kreditkarte komplett zu überziehen, und nun war sie in ein unerfreuliches Kongresshotel in Bayreuth gefahren, es war kühl, und Pias vorherrschendes Gefühl war Angst. Umzingelt von Herren mit gegerbten, braunen Gesichtern und Smokings, das weiße Haar akkurat über die hohe Stirn gelegt, die Gattin dazu könnte sehr gut in einem Freikörperverein Schönheitstänze machen und kleine Fahnen schwingen.

Und was hatten die nur an? Warum sahen die Trikotagen, in Klatschzeitungen nannte man es Roben, aus wie aus einem Sack für die Altkleidersammlung? Das knitterte, das Zeug, schlug Falten, war zu kurz, Kleider bis zum Knöchel und goldene Sandalen, das geht doch alles nicht, soll das reich aussehen? Gab es ein Kind, dann hieß es Carsten-Alexander und hatte einen Seitenscheitel.

Pia war vom Hotel in einem Oldtimer-Bus auf den grünen Hügel gefahren worden, vorbei an Burschenschaften, überall Deutschlandflaggen – hingen die da noch vom Fußball oder wurde für Wagner gehisst? Angst.

Die Freude an klassischer Musik, hatte Pia immer gedacht, würde sich irgendwann im Alter einstellen sowie die Vorliebe für Mobiliar. Sie glaubte, dass sie irgendwann in ihrer Bibliothek säße, ein Bacardiglas mit irgendwas in der Hand, und Schubert-Liedern lauschte, oder Wagner bei trüber Witterung. Semmelblonde Kinder sprängen mit altklugen Gesichtern in ihrer Holzbodenwohnung herum und würden sagen: Maman (also französisch), das ist aber eine schlechte Aufnahme der Todesvariationen. Das Adagio ist verschleppt.

Allein kam mit dem Alter weder Freude an überbordendem Mobiliar noch an Musik. Eher immer weniger Musik, immer weniger Möbel, denn das Bewusstsein, dass einer all das Gerümpel zu entsorgen haben würde, in Kopf und Behausung, verleidete Pia als höflichem Menschen ausufernden Konsum und Kaufgebaren. Wagner hieß für sie: deutsch, braun, Kitsch, Neuschwanstein, Walhalla, Schäferhunde, die Tochter von F. J. Strauß – alles Dinge, die uninteressant waren.

Die Gesellschaft, in der sie sich vor dem Opernhaus befand, tat nichts, um Vorurteile zu entkräften. Der erste Abend: Tristan und Isolde. Aber wie sah das nur aus? Und wozu musste man inszenieren, wenn die Leute dann eh nur auf der Bühne standen und sangen. Die Langeweile macht jeden Muskel kribbeln, Schmerzen in Rücken, Gliedmaßen, links und rechts Reihen voller verzückter Stoibers. Wie kommt man hier raus? Zu Tode langweilen, endlich wusste Pia, was das hieß: lieber sterben wollen, als das weiter erleben zu müssen. Eine Dame hatte einen Kollaps und wurde unter lautem Gerumpel entsorgt. Oh ja, man reiche mir einen Kollaps, dachte Pia.

Erregte das jetzt wirklich die Zuhörer? Ihre beherrschten Gesichter verrieten nichts darüber. War Wagner Rock für emotional Unterentwickelte? Gerieten sie außer sich, wollten tanzen, schreien, ein Leben im Takt dieser Musik?

Bayreuth war eine Perle in Bayern. Das Fichtelgebirge lappte in der Umgebung, die Häuser geputzt und renoviert, berauschend schöne 30er-Jahre-Villen in grünen Seitenstraßen und das wiederaufgebaute Haus Wagners.

Alleen, ein Park, und hier wurde ihr Wagner sympathisch. Er konnte ja nichts für seine Fans. Pia saß in der Bibliothek, irgendeine Wagnermusik rollte durch den Raum in den Park, und wollte etwas ganz Großes. Das hatte nichts mit Deutsch zu tun, oder vielleicht doch, und da wäre ohne Hitler auch nichts falsch daran gewesen. An diesem ernsthaften Volk in der Mitte, nicht verrückt wie die Nordländer, zu kalt, um als Südländer durchzugehen. Zu groß, um sich selbst ignorieren zu können. Ernsthafter Wald, ernsthafte Kunst, ernsthafte Philosophen, schwere Menschen mit rechteckigen Gesichtern, die in ihrer guten Ausprägung vermutlich nach etwas Hehrem suchten, DER DEUTSCHE WALD. Die Reinheit der Kunst. Dieses Ringen, sich selbst zu verlassen, sich zu erheben über die Trivialität des Lebens, des Sterbens, die albernen Jahre dazwischen. Es wäre doch alles nicht schlimm gewesen, wenn sie einfach sonor über Schopenhauer diskutierend auf Kreidefelsen herumgestanden hätten, wie Stöcke, aber dann kam wieder der Mensch dazwischen, der sich denkt: Wenn ich schon mehr denke als andere Völker und weniger Spaß habe, dann bedeutet das, dass ich ihnen überlegen bin. Dann muss doch die ganze Welt so aussehen. In Gehröcken Haltung bewahrend, Meister der Beherrschung, größte Verleugner des Originaltones. Was ist nur aus den Deutschen geworden? Wie traurig war das alles. Diese Fettwurst essende Gemeinschaft von Fußballprolls. Hurra, wir sind Deutschland, und wir sind stolz darauf. Worauf nur, ihr Dumpfbacken? Dass ihr die Fahne wieder ansehen könnt, ohne euch zu übergeben? Dass sich das Land von allem Dreck reinigte, brauchte sicher noch 100 Jahre, die müssten erst alle aussterben, diese Scheißkriegsgeneration, mit ihrem Glauben an alles, was von oben kommt, an Gesetze und links und rechts, und nur nicht selbst denken, das ist heute deutsch, und das gehört weg. Dann würde das vielleicht wieder ein normales Land. Mit vielen dummen Menschen wie überall, und ein paar guten, die versuchen, die Welt zu einem besseren Ort zu machen.

Im Haus Wahnfried, Pia liebte diesen Namen und bedauerte, ihr Kind nicht so genannt zu haben, verstand sie diese große Albernheit des Lebens. Die Musik in Wagners Nachbaubibliothek bekam etwas Schweres, Sehnendes. Und am zweiten Abend saß Pia freundlicher gestimmt in der Aufführung. Es hat ja Raum für vieles in unserem Leben, nebeneinander, übereinander, Parallelwelten. Solange sie nicht böse werden, können sie anders sein bis zum Umfallen. Manche wollen an das Erhabene glauben, wenn es ihnen hilft bei ihrer Art Lebenstheater, bitte. Der Mensch ist immer kleiner als das, was er kreieren kann. Die Welt, die so ein hässlicher Ort ist hinter den Fassaden oder auch schon davor. Da kann man sich doch nicht in grüne Auen flüchten und von der Schönheit der Erde reden. Kann man doch. Wie gehen wir würdevoll unter, zusammen mit diesem Müllhaufen, den wir geschaffen haben? Mit diesen Geschwüren von Häusern. Nicht nur in Indien oder Afghanistan, wir sitzen ja mittendrin. Diese Lieblosigkeit, in der Deutschland zurechtgezimmert wurde, die ist da doch, die atmen wir ein, jeden Tag; selbst in Bayreuth, was wenig Bomben erwischt zu haben scheint, stehen diese Geschwüre. Die Buden, der Schlecker, all dieser Dreck, zwischen dem sich Menschen seitlich bewegen, weil geradeaus nicht mehr geht wegen des Bauches. Arme Menschen, arme Erde, es bleiben nur Fluchten, kleine Momente, zu denen einem Künstler verhelfen, wo man eins wird mit seinem Kopf und verschwindet aus all dem Dreck, dem Körper, den Wurstbuden, und eine Idee hat oder Hoffnung, wie es sein kann, wenn wir diese Welt verlassen dürfen. Vielleicht ist Totsein wirklich nicht die schlechteste Alternative. Und bis dahin nur noch Auen ansehen und Kunst und entrückt in den Himmel schauen, der immer da sein wird, den konnten wir noch nicht verbauen, und träumen, dass sich das Ende mit dem decken wird, wovon wir träumen in seltenen Momenten großer Kunst.

Pia ließ sich noch eine heiße Milch auf ihr Zimmer bringen, wunderte sich kurz über das junge Mädchen, das für Sekunden in ihrem Raum stand wie eine Außerirdische, dann vergaß sie ihr Befremden wieder und überlegte sich, was sie als Nächstes mit sich anfangen sollte.

Helena
Füssen

Manchmal fügten sich viele Details zu einem perfekten Moment – die Luft, der Mensch in der Umgebung, die Laune, die Bekleidung. Die stimmte bei Helena nicht mehr. Sie war mit Olga und Rolf, dem kahlen Vertreter, der während der gesamten Autofahrt seinen schweren Blick auf Olga ruhen ließ, nach Füssen gekommen. Ist das schön hier, jauchzte Helena und sprang wie ein jüngeres Tier vor Olga und Rolf her. Kleine Fachwerkhäuser, eine Burg, ein Brunnen, Cafés, Touristen, Schwanstein – Füssen war, was der Deutsche unter »Schöner Ort« verstand. Es war die Idylle, es war, wie das ganze Land hätte aussehen sollen. Rundliche Menschen saßen in Eiscafés, überall boten Restaurants Gerichte von Schwein und Rind, die Frauen trugen noch Dauerwellen im Haar, und die Teenager waren übergewichtig. Alle waren übergewichtig hier, und Helena atmete tief durch. So musste es einem Zwerg gehen, der in ein Zwergenland kommt. Endlich normal. Rolf brachte die beiden zu Anke, der inoffiziellen Chefin des Stammes. Ein altes Haus, innen mit organischen Farben und Formen renoviert, alles rund und warm, und Anke machte da keine Ausnahme. Eine angenehme Frau mit Übergewicht, langem Haar, rotglänzendem Gesicht und einnehmender Art. Sie bot Kaffee an und erledigte mit Rolf Geschäftliches. Dann war Rolf entlassen. Ein letzter trauriger Blick zu Olga, dann verschwand er in ein ereignisloses weiteres Dasein. Helena sah ihm nach, all die Menschen, die ihr begegnet waren auf ihren Reisen, die sie nie wieder sehen würde. Helena dachte kurz an den kleinen Goldgräber, dessen Namen sie vergessen hatte. Sie dachte daran, dass alle diese Menschen für sie so bedeutungslos geblieben waren und dass es vermutlich auch ihr nicht gelungen war, irgendjemanden mit sich zu beeindrucken. Helena hatte

niemanden, der sie liebte. Keiner würde da sein, wenn sie sterben würde, allein im Mehrbettzimmer eines deutschen Krankenhauses oder im eigenen Stuhl liegend.

Sie würde keine Kinder haben und nicht wissen, wie es wäre, mit einem Mann länger als sechs Monate zusammenzuleben, jemanden so gut zu kennen wie sich selbst. Vielleicht nicht von innen, aber doch von außen. Einen vertrauten Körper. Sie hatte nichts geleistet, sie würde keine Spuren auf der Welt hinterlassen. Helena schämte sich für ihre Existenz, für ihr faules, dickes Leben. Sie lief hinter Olga und Anke her, fast mochte sie die Füße nicht mehr heben vor Mitleid mit sich, wie gelähmt, und Helena dachte, vielleicht kann ich Olga retten, dann hätte ich etwas geleistet in meinem Leben.

Anke erklärte derweil den Stamm der Likatier, Helena hörte es wie unter Wasser. Fast 400 Menschen lebten in dem 30 Jahre alten Stamm. Mit vielen kleinen Unternehmen, hauptsächlich im Natur-Esoterikbereich, hatte sich der Stamm zu einem lukrativen Unternehmen entwickelt, dem 30 Häuser in der kleinen Stadt gehörten. Die meisten Gründungsmitglieder kamen aus Füssen und hatten noch ihre Familien hier, das war der einzige Grund, warum sie noch nicht mit Steinen aus der Stadt gejagt worden waren, denn die Einwohner der sauberen bayrischen Gemeinde hassten die Kommune. Abenteuerliche Geschichten wurden verbreitet, die Presse verfolgte sie seit Jahren mit Pädophilievorwürfen, vom Ausverkauf der Stadt war die Rede, ungeachtet dessen, dass die Häuser, die die Kommune gekauft hatte, meist Ruinen gewesen waren, die sie selbst instand gesetzt hatten. Der Gründer des Stammes, Herr Wankenmiller, war ein guter Kopf, hatte sich das Konzept der Lebensgemeinschaft noch in seiner Schulzeit ausgedacht. Alle wichtigen Positionen, die es in einem Staat brauchte, hatte er mit eigenen Leuten besetzt. Sie wurden zum Medizin- und Anwaltsstudium geschickt, Therapeuten

gab es, Ökonomen und Werber. Ein großes Gemeinschafts-
haus befand sich direkt hinter der Grenze in Österreich, weil
dort der Hausunterricht erlaubt war und die Likatier bis zum
Gymnasium ihre Kinder gerne selbst unterrichteten. Fast 160
Kinder bei 400 Stammesmitgliedern. Die Kinder wuchsen
miteinander auf, die Eltern lebten in den seltensten Fällen als
klassisches Paar. Alle Lebensmodelle gab es im Stamm, Homo,
heterosexuelle Zweiergemeinschaften, Wohngemeinschaf-
ten, fast alle Frauen hatten Kinder von verschiedenen Vätern,
die meisten hatten drei, vier und keinen Stress damit, weil
die Kinder wie in einer Großfamilie aufwuchsen. Überall in
der kleinen Stadt trafen sie Stammesmitglieder, dicke entspannte Frauen, Stammesweiber und zufriedene Männer. Es
gab kein Elend der Alleinerziehenden, es gab keine strengen
Regeln.

Olga schaute Helena an, Helena nickte – ich kann Olga retten, dachte sie. Und so fragte Olga, was sie tun müssten, um in
den Stamm aufgenommen zu werden.

Jeder kann mit uns leben, erklärte Anke. Ihr könnt in einem
unserer Betriebe arbeiten, dann kommt der Stamm für alle
eure Kosten auf, ihr könnt in einem Stammhaus leben und
Miete zahlen oder einfach irgendwo hier eine Wohnung suchen und an unseren Feiern und am Essen teilnehmen. Nach
einer dreimonatigen Probezeit würden Stamm und Gast entscheiden, ob sie zusammenpassten. Dann konnte man Lebe-
mensch werden, eine Art freundlicher Nutznießer des Stammes, man konnte aufsteigen zum Spurmenschen (dem Leben
auf der Spur), später Schwurmensch, das heißt, man müsse
schwören, den Stamm auf Lebzeit nicht zu verlassen, und gehörte zum inneren Zirkel, der auch Entscheidungen treffen
konnte. Die Existenzialmenschen waren die 16 Leute, die den
Stamm vor 30 Jahren gegründet hatten. Klingt alles kompli-
zierter, als es ist, sagte Anke, es braucht einfach Regeln, wenn

Menschen zusammenleben, und Strukturen. Nur wollten wir die lieber selbst bestimmen, als sie uns vorschreiben zu lassen. Am liebsten hätten wir einen eigenen Staat.

Zufällig war in einem Stammhaus gerade ein großes Doppelzimmer frei. Das könnten Helena und Olga bewohnen, hatte Anke angeboten. Und arbeiten könnten sie in der Werbeagentur, in der Küche, im eigenen Kaffeehaus, im Reformshop – Helena entschied sich für die Arbeit im Ökoladen, Olga wollte in die Küche, so lange, bis ihr Deutsch perfekt genug für die Werbeagentur wäre. So weit zu den praktischen Dingen, dachte Olga, als sie am ersten Abend beim Stamm der Likatier auf ihrem Bett saß und aus dem Fenster schaute. Vor dem jahrhundertealten Haus war eine autofreie kopfsteingepflasterte Gasse, hier gehörten die meisten Häuser dem Stamm, ungefähr 20 Kinder spielten, alle hatten lange Haare. Das gehörte irgendwie zum Stammesmenschsein dazu. Schwalben flogen mit spitzen Schreien hoch am Himmel, und das Rauschen des Lechs war zu hören, der war ungefähr zehn Meter von Helenas neuem Zuhause entfernt. Oben irgendwo war Schloss Neuschwanstein, Olga war in der Küche, und später ging Helena zum Essen. Sie hatte ein wenig Angst, wie Kinder, die vor ihre neue Schulklasse treten müssen. Sie betrat den Speiseraum, und sofort winkte ihr Anke zu – hol dir das Essen aus der Küche, setz dich her. Helena holte sich irgendwas Vegetarisches und setzte sich neben Anke. Keiner schaute sie merkwürdig an, alle lächelten, fragten nach ihrem Namen und stellten sich vor. Selten war Helena so einer großen Gruppe angenehmer Leute begegnet. Anke erklärte ihr, dass man jeden Tag gemeinsam essen könnte, aber auch selbst kochen, in ein Restaurant gehen, es gäbe keine Regeln. Und heute Abend gäbe es im Haus in Österreich eine Party. Ein Stammeskind wurde 18. Eine gute Möglichkeit, um die meisten kennenzulernen.

Am Abend liefen Olga und Helena den Lech entlang über die Grenze nach Österreich. Ein riesiges altes Bauernhaus stand da, in dessen Garten ungefähr 50 Kinder spielten. Erwachsene saßen dabei, unterhielten sich, machten Handarbeiten, eine Welt, auf der nur 400 Menschen lebten. Die Party, an der fast alle Stammesmitglieder mit den beiden Neuen redeten, endete früh am Morgen. Viele waren angenehm betrunken, die Kinder schliefen in Hängematten oder tanzten immer noch oder küssten einander, wenn sie im Alter dazu waren. Die Erwachsenen wurden müde, und Olga ging mit Helena heim. Der Morgen erwachte, als sie in ihrem Zimmer ankamen, wieder waren die Schwalben unterwegs.

Fatma
Bayreuth

Fatma beneidete die entspannte Dame, der sie eine Milch gebracht hatte. Sie war weder Dame noch entspannt, sie arbeitete Schicht in einem Hotel, in dem sie sich nie ein Zimmer würde nehmen können, weil nach der Arbeit einer ihrer drei Brüder auf sie warten würde, um sie nach Hause zu begleiten. Fatma war in Bayreuth geboren, in die Schule gegangen, und immerhin konnte sie in einem Hotel arbeiten und musste nicht irgendwo putzen gehen. Oder heiraten. Obwohl das bald anstehen würde, denn Fatma war 18. Zu Hause flatterte ihre Mutter in ihren schwarzen Gewändern herum wie ein Rabe, ihr Vater und die Brüder saßen Wasserpfeife rauchend auf dem Sofa und ließen sich bedienen. Sie redeten über die Weltpolitik, und was für einen Mist sie schwatzten, mit klugscheißerischen Gesichtern, wie sie alles besser machen würden und wie sie benachteiligt wären und keine Chance hätten. Keine Chance, ist klar, dachte Fatma, wenn man auf dem Sofa hockt. Fatma war in der Schule ausgezeichnet gewesen, sie war die erste Frau in ihrer Familie, die lesen lernte, doch Bücher durfte sie zu Hause keine haben. In der Schule ignorierten sie die Klassenkameraden, weil sie nie bei einem Schulausflug mitkommen konnte, nicht am Sportunterricht teilnehmen durfte, weil sie nie alleine nach Hause gehen konnte, sich nie mit den anderen zum Eisessen treffen durfte. Sie war das einzige muslimische Mädchen in der Klasse, und irgendwie war sie gar nichts. Nicht deutsch, nicht arabisch, nichts. Sie war ein Zwitter und traute sich nicht einmal im Unterricht, wenn ihre Brüder sie nicht sahen, das Kopftuch abzunehmen. Das Geld, das sie im Hotel verdiente, musste sie zu Hause abgeben. Seltsam, dass es ihre Familie nicht störte, dass sie arbeiten ging, dass sie im Hotel täglich Männer traf, aber da ihre Brüder nicht arbeiteten, waren sie in diesem Punkt ein wenig nachsichtig. Fatma hatte sich nie an die Prügel zu Hause gewöhnt, sie hatte immer Angst, etwas falsch zu machen, falsch zu schauen, zu handeln. Sie wünschte sich nur eins: ein normales Leben, so wie die anderen hier. Mit einer Wohnung für sich alleine, einem Freund eventuell, und ohne ihre Familie, ohne die schreienden Tanten, ohne ihre Mutter, die weinend zugesehen hatte, wenn ihre drei Brüder auf sie eingeschlagen hatten, wenn sie sie an den Haaren ins Haus geschleift hatten als junges Mädchen, bei wieder einem ihrer verrückten Vergehen, sei es, dass sie sie lesend ertappt hatten oder ohne Kopftuch. Sie wollte nicht genauso ein Leben, in einer vollgestopften Wohnung, mit diesen Männern, die darin herumsaßen, mit dem Geruch, ständig kochte·irgendetwas auf dem Herd, immer wurde gegessen und getrunken und geschnitten und gebraten. Fatma würde nach ihrer Arbeit im Hotel nach Hause müssen, ihrer Mutter helfen, die Männer bedienen, sie würde in ihr Zimmer gehen, das sie mit ihrer kleinen Schwester teilte, beten, schlafen, und keinen Moment gäbe es, da sie alleine wäre. An jenem Abend ging Fatma in einen kleinen Raum, der sich im Keller des Hotels befand, neben der Vorratskammer und der Wäschekammer, ein Raum, der nie benutzt wurde, und sie beschloss, den Raum so lange nicht mehr zu verlassen, bis ihre Familie sie vergessen hätte.

Ruth
Paris

Schwitzend war Ruth vor einem Reisebürofenster stehen geblieben. Sie sah: EIS. Kühle Grünflächen. Niedliche kleine Schafe. Sie sah ein Sommersonderangebot: zwei Wochen Island.

Wo auch immer das liegen mochte, es sah KÜHL aus.

Paris war so heiß, dass alle Menschen in der Stadt sich aufzulösen schienen, die Gebäude schmolzen und flossen ab, und auf dem Asphalt flimmerte es. Fata Morganas. Musste man einen Platz überqueren, und Gelegenheit dazu bot Paris reichlich, schleppte man sich wie durch die Wüste, bei 39 Grad, zum nächsten Baum oder Dach, da war es nicht kälter, doch die Sonne, die 100-mal heller schien als normal, gab Ruhe. Ruth war seit einer Woche in Paris, in einer kleinen Ferienwohnung am Platz der Nationen, einem normalen Wohnquartier, nah am Marais, an der Metro, und am ersten Abend war Ruth sehr glücklich gewesen in dieser Wohnung, die vielleicht 30 Quadratmeter groß war. Wenn sie aus dem hohen Fenster schaute, sah sie graue Dächer, steinerne Ritter und Pariser Himmel. Reine Freude war es, durch die Straßen zu gehen, es wirkte immer beruhigend und machte den Gang so beschwingt, die Farbe der Häuser war das wohl oder die Platanen oder die innerlich dauererrigierten Franzosen. Und überall die unverbindliche Möglichkeit, Nahrung oder Kaffee zu sich zu nehmen. Eine Traumstadt, solange man nicht darauf angewiesen war, hier zu arbeiten. Ruth hatte sich die ersten Tage unspektakulär wohlgefühlt. Paris war eine wunderbare Stadt für Alleinstehende. Keiner beachtete einen über Gebühr, und doch wurde man wahrgenommen. Es bedurfte großer Anstrengung, sich wirklich allein zu fühlen in dieser Stadt, die einen umschloss wie ein eleganter Schlafsack. Das Angenehme an Paris war, dass man sehr schnell in einen Alltag gleiten konnte, einkaufen, kochen, aus dem Fenster schauen und sich vorstellen, eine der alten Damen mit einem weißen Hündchen zu sein. Eine angenehme Stadt, um alt zu werden, dachte Ruth, und sooo romantisch. Ruth war überzeugt, dass die vielzitierte Romantik der Stadt einzig durch zu Molekülen in der Luft gewordene Hormone bestand. Was hatte die Franzosen nur so wild auf Sex werden lassen? Alles war oversexed – nackt paaren ging gar nicht, es mussten Strapse dabei sein und Lederfetzchen und Peitschen und Handschellen. Swingerclubs waren normal und dass arbeitende Frauen aussahen wie Nutten auch. War in Deutschland zu offensichtlicher Sex eher eine Sache des Proletariats, der Arbeitslosen, der Asozialen, war es hier Allgemeingut, durch alle Schichten wurde gevögelt, darüber geredet, in Büchern darüber geschrieben. Sex war allgegenwärtig in Paris. Jede Supermarktkassiererin saß in Highheels an der Kasse, die alten Damen schminkten sich und trugen kecke Hütchen, alle Männer waren am Pfeifen, oh, là, là sagen, Handküsse verteilen, das erfüllte die Luft eindeutig mit Hormonen, nur verstand Ruth nicht, wozu das gut sein sollte. Sicher konnte Sex ein angemessenes Hobby sein, wenn man sonst keine Interessen hatte, aber war es wirklich genug, um ein Leben damit zu verbringen? Ruth gefielen die französischen Männer nicht. Sie sahen allesamt zu dünn und zu kompliziert aus. Beides Eigenschaften, die Ruth bei Männern lächerlich fand. Wenn Männer schwierig waren, dann waren sie geisteskrank, das war Ruths feste Überzeugung, denn Männer schienen ihr intellektuell zu unterentwickelt, um Marotten an den Tag legen zu dürfen. Sah sie einen Mann, der wichtig tat, der von seinem Werk redete, der Krisen hatte, die er im Alkohol betäuben musste, einen Mann, der vor Beziehungen floh, weil er nicht für Beziehungen gemacht war, sah sie Männer, die dozierten, dann wurde Ruth sehr albern zumute, denn Männer, die taten, als seien sie mehr als Männer, kamen ihr vor wie verkleidete Hasen. Für Ruths Geschmack musste ein Mann groß und schwer sein, ein wenig phlegmatisch und faul, egal was er tat, es musste wie Spielen anmuten, denn Männer, die sich ernst nahmen, waren ihr suspekt.

Am dritten Tag war es heiß geworden. Ruth erwachte von etwas Störendem, und es dauerte, bis sie merkte, dass es die Temperatur war, die nichts Freundliches mehr hatte. Es war neun Uhr und an die 30 Grad. Weder Paris noch die kleinen, alten, schlecht isolierten Wohnungen waren auf Hitzewellen ausgelegt, und so wurde wieder reihenweise gestorben. Viele kleine damenlose Hündchen sah man in den Straßen weinen. Die Luft war träge und billig, mit Schweiß und schlechtem Deo, die Abgase klebten am Boden, und der Müll roch streng.

Die es sich leisten konnten, waren aus der Stadt verschwunden, in die Bretagne, in die Provence, die Übriggebliebenen wollte keiner sehen, in Spaghettiträger-Leibchen, mit Gummischuhen und zu kurzen Röcken.

Warum ist es immer da, wo ich bin, zu heiß, wunderte sich Ruth, oder zu hässlich? Gibt es keinen Ort, der frisch und kühl auf mich wartet?, dachte Ruth, und in die Gedanken sprach sie ein Herr an, der eindeutig zur Sorte jener gehörte, die sie nicht mochte. Zu modisch, zu elegant, zu transpiratfrei in der Hitze. »Darf ich Sie einladen zu einer kleinen Privatparty heute Nacht auf der Seine?«, fragte der Mann, und Ruth fragte sich, ob er ein Wahnsinniger wäre. Der Mann beschrieb ihr die Anlegestelle des Bootes, er empfahl ihr, sich praktisch zu kleiden, sie müsste nichts machen, was sie nicht wolle, sie könnte einfach nur zusehen, aber eine attraktive Frau wie sie wäre unbedingt eine Bereicherung des Festes, und er würde sich freuen. Dann verbeugte sich der Mann und verschwand in der Dunstwolke der mittäglichen Stadt.

Eine Sexparty. Ruth, die sich aus beidem nichts machte, Sex und Party, ging in ihre kleine Wohnung und überlegte bis in die Dunkelheit, ob sie unbedingt eine Erfahrung machen musste, die sie nicht machen wollte.

Die Nacht jedoch wollte etwas. Sie war zu heiß zum Schlafen, und Ruth hatte jenes unselige Gefühl, dass sie sich bewegen müsste. Laufen, etwas erleben. Immer dieser Drang, etwas erleben zu müssen, dass sich das immer noch nicht völlig gelegt hatte. Ruth litt unter ihrer Bequemlichkeit, denn immer wieder hatte sie Angst, ihr Leben zu verschlafen. Sie musste doch wild sein und lebendig, auf Tischen tanzen und

Gefahren überleben. Immer wieder unternahm Ruth gewaltige Anstrengungen, um ihrer Behaglichkeit zu entfliehen. Immer wieder fand sie sich daraufhin bei befremdlich langweiligen Partys, in schmutzigen Hotelzimmern in Hafenstädten, manchmal auch mit Männern irgendwo auf Straßen morgens, mit Gliedern in der Hand, die ihr nichts sagten.

Und doch versuchte Ruth immer wieder das, was sie unter einem verrückten Leben verstand, denn ab und zu wurde die Angst, ihr Leben im Bett zu verpassen, übermächtig.

Pünktlich um 23 Uhr betrat Ruth ein elegantes Teakholz-Boot, das nahe dem Eiffelturm ankerte. Ruth hatte sich so verwegen angezogen, wie es ihr möglich war. Also gar nicht.

Das Erste, was sie sah, war ein Mann, der komplett in Latex gekleidet war. Himmel, dass das noch jemand trug. Je unverkrampfter Ruth um sich schaute, umso mehr dachte sie, in einen Zeittunnel gefallen zu sein. Dieses ganze SM-Zeug war doch in Deutschland bereits in den 90ern out gewesen, als es Thema in allen Mittagstalkshows war.

Die Menschen sahen aus wie die Besucher einer Buchmesse. Viele Brillenträger. Keine übergewichtigen Intellektuellen in Hasenkostümen. Ruth setzte sich an die Bar und schwor sich, diesen Platz den Abend lang nicht zu verlassen. Nach einer Stunde und mehreren Herren, die ihr Glück bei Ruth gesucht und nicht gefunden hatten, begann der Sex. Einige Paare hatten sich in separate Räume zurückgezogen, andere lagen auf einer Art großer Matratze direkt neben der Bar. Nach den ersten Schrecksekunden wurde Sex, dem man beiwohnte, etwas sehr Banales. Fast musste sich Ruth zwingen, nicht zu sehr auf das zu starren, was sich neben ihr aufhielt. Dieses Reiben, Schmatzen, Ruckeln, merkwürdig mutete es an, ohne den Schleier der Intimität und des hormonellen Rausches, den Ruth nur aus den ersten Wochen junger Verliebtheit kannte.

Irgendwann fiel ihr ein gutaussehender, sehr junger Mann auf, der in einem schwarzen Mantel gegenüber der Bar stand. Er schwitzte, war nervös und schien nicht an diesen Ort zu gehören.

Ohne weitere Überlegung ging Ruth auf ihn zu. Die Augen des jungen Mannes wurden panisch. Pia sagte ihm, dass er ruhig bleiben solle, sie wolle keinen Verkehr, sie wolle nur reden. Ich rede nicht mit Frauen, sagte der junge Mann, und Pia dachte noch, komischer Ort für religiöse Fanatiker. Als sie das gedacht hatte, war ihr auf einmal klar, was der junge Mann wollte, warum er einen langen Mantel trug.

Miki
Amirim

Zwei Wochen war Miki in Tel Aviv gewesen. Im Hilton-Hotel, das war wie alle Hotels hier. Ein großer Kasten am Meer. Da war mal von Tourismus geträumt worden, im großen Stil, nun standen die Hotels die meiste Zeit des Jahres leer. Miki war zum ersten Mal nach über zehn Jahren wieder zu Hause und befand sich in jenem merkwürdigen Schockzustand, einem, der nirgendwo hingehört. Sie verstand die Sprache, sie fuhr durch die Straßen, und es war, wie ein alt gewordenes Familienmitglied wiederzusehen nach langer Zeit. Es war ihr

vertraut, aber in einem anderen Zusammenhang und aus einer Zeit, als ihr Tel Aviv die Welt war. Miki war erstaunt, wie schäbig ihr die Stadt erschien, wie laut und überfüllt, und wie wenig sich verändert hatte. Oder nur Kleinigkeiten, neue Bars, Sushi-Restaurants, eine erstaunliche Mischung aus Hightech und Verfall. Und wie die aussahen. Miki hatte den überwältigend originellen Geschmack der Israelis vergessen. Alles war eine Spur zu bunt, zu kurz, die Schuhe zu plump. Es gab niemanden, den sie hier besuchen wollte. Nicht ihre alten Schulkameraden, nicht die Freunde, die sie nie gehabt hatte, nicht ihre Schwester. Miki fühlte sich wie ein Tourist während der ersten Woche. Sie ging zu allen Plätzen, die ihr früher etwas bedeutet hatten, sie suchte nach Gefühlen, die sie über die Jahre verklärt hatte, und fand nichts.

Nach dem Verkauf von Lings Wohnung in Hongkong hatte sie Zugriff auf rund 20 Millionen. Nachdem sie in den Hamptons Holzhäuser für diese Summe besichtigt hatte, wusste sie, dass 20 Millionen auch nicht die Welt waren. Geld schenkte Freiheit, aber was, wenn man die gar nicht wollte? Frei hatte sich Miki immer gefühlt, was sie suchte, war eher ein Ort, zu dem sie gehören konnte. Oder einen Menschen. Aber sie wusste, dass der vermutlich schwerer zu finden war als ein Platz, an dem sie sich wohlfühlte. Ihren 44. Geburtstag feierte Miki in ihrem Hotelzimmer. Sie hatte sich etwas zu essen kommen lassen und saß auf dem Balkon, blickte aufs Meer und wunderte sich, dass alles nichts mit ihr machte. Miki betrachtete ihren Ausflug in die Vergangenheit als gescheitert und ging gedanklich die Möglichkeiten durch, die sie hatte. An welchen Orten konnte sie glücklich werden? Sie wusste, dass der Mensch, um zufrieden zu sein – daraus konnte dann Glück erwachsen –, Sicherheit, Demokratie, Bildung, Wohlstand bedurfte. Somit entfielen bereits 90 Prozent der Erde. Die zufriedensten Menschen lebten in Island, aber das erschien Miki nun wirklich ein wenig zu abwegig. Dänemark, Schweden, all die Länder, in die es Miki wegen des Klimas nie gezogen hatte, waren weit vorne in Sachen Zufriedenheit. Aber Miki ahnte, dass es ihr in Lappland zu kalt sein würde. Irland kam auch in der Liste vor, und da hatte es die Biskaya, von der Miki nicht genau wusste, was sie war, aber es klang wärmer. Vielleicht sollte sie nach Irland reisen. Dachte sie gerade, als ihr ein Mann im Café auffiel. Ein Gutaussehender, scharfe Nase, ein bisschen Adrien Brody, und dann dachte Miki, dass ihr der Mann bekannt vorkam. Und ehe sie das Geheimnis lösen konnte, war der Mann an ihren Tisch getreten und hatte gesagt, dass er Jakob sei. Der Jakob, der vor 20 Jahren für einige Monate mit Mikis jetzt religiöser Schwester zusammen gewesen war. Vage erinnerte sich Miki an den jungen Mann, der ab und zu in der Wohnung ihrer Eltern aufgetaucht war und den sie damals aufregend gefunden hatte. Jakob setzte sich zu ihr, erzählte seltsame Geschichten von einem Kibbuz, in dem er gewesen war und wo es eine Reihe merkwürdiger Todesfälle gegeben hätte. Ein Bauwerk sei abgebrannt, und unter seinem Fundament hätten sich viele Gerippe gefunden, nun sei er auf dem Weg nach Amirim. Miki erinnerte sich an den Ort von sehr weit her. Sie war dort in den Ferien gewesen. Eine Vegetariersiedlung im Norden, sie hatte schöne Erinnerungen an Nadelbäume und den nahen See Genezareth. Der Plan, mit Jakob nach Amirim zu fahren, war schnell gefasst.

Sie verstanden sich gut während der Fahrt, Jakob fragte sie nicht nach ihrer Vergangenheit, nicht nach ihren Einkünften, sie redeten, und Miki fühlte sich, als wäre ihr Jakob sehr vertraut, und zugleich spürte sie die anstrengende Aufgeregtheit, die eintrat, wenn man sich verliebte. Sie hörte sich zu laut lachen. Sie ertappte sich dabei, Jakob zu lange anzusehen. Er sah gut aus, die Haare waren schulterlang und glatt, sie fielen ihm ins Gesicht, das scharf gezeichnet und von der Nase dominiert war, bis man seine Augen sah, die fast absurd groß und grün waren. Unter seinem weißen Hemd sah man angenehm glattes Fleisch, Mist, dachte Miki, geht das los jetzt? Sie war gewöhnt, dass sie immer, wenn sie sich verliebte, alleine mit diesem Gefühl blieb. Miki war eine Meisterin darin, Signale falsch zu interpretieren. Sie meinte gelernt zu haben, dass es nichts nützte, sich in einen Mann zu verlieben. Er musste sich verlieben, und die Frau konnte sich dann an den Gedanken gewöhnen. Nie würde man einen nicht verliebten Mann umstimmen. Miki versuchte also, Jakob nicht anzusehen, sondern sich auf den Ort zu konzentrieren, in den sie nun fuhren. Amirim war etwas, das man sich vorstellte, dachte man an perfekte Ferien. Eine Straße führte am Berghang entlang, links und rechts große Grundstücke mit Whirlpools, Holzhäusern, Windspielen, Gärten, Pinien. Einen kleinen Supermarkt gab es, Cafés und Restaurants.

Eine Tante von Jakob vermietete Zimmer an Feriengäste. Gerade waren zwei Wohnungen frei, und darum war Jakob auf die Idee gekommen, sie zu besuchen. Die Tante war eine stämmige Kommunistin mit esoterisch-vegetarischem Flitz und ihre Ferienwohnungen über jeden Zweifel erhaben. In duftenden Holzhäusern mit Pinienboden, im Wald hatte es einen heißen Whirlpool und eine Hollywoodschaukel. Durch die Fenster mit Fliegengittern floss klare Waldluft. Miki setzte sich auf das Bett in ihrem Zimmer und atmete tief durch. Sie war verliebt und an einem Ort, den sie sich schöner nicht hätte ausmalen können. Nun wartete sie, bis alles wieder furchtbar wurde, so wie es meist passiert im Leben.

Nusrat
Talkeetna, Alaska

100 Dollar sind geboten, bietet jemand mehr? Wir haben hier einen gutaussehenden 23-jährigen Franzosen, der in einem Forstbetrieb arbeitet, gesunde Zähne, gute Umgangsformen, ah, da sehe ich eine junge Dame 120 Dollar bieten.

Nusrat stand auf der Bühne der jährlichen Junggesellen-versteigerung in Talkeetna, er verstand nicht ganz, was er hier tat, aber es gefiel ihm. Der rustikale Versammlungsraum war unbeholfen geschmückt, es roch nach Bier, die Männer trugen Anzüge, aus denen sie zu platzen schienen mit ihren breiten Nacken, die zahlreichen Frauen hatten sich in einer Art schön gemacht, dass sie wie der Raum wirkten – rührend überladen. Draußen war die dunkelste Zeit des Jahres. Talkeetna bestand aus Wald und Eis, aus Schnee und gemütlich beleuchteten Holzhäusern. Trat man auf die Straße ohne einen Gesichts-schutz, froren einem innerhalb von Minuten einzelne Partien im Gesicht ab. Ein netter Ort. Jetzt im Winter wirkte er wie eine gemalte Coca-Cola-Weihnachtsreklame.

Alaska war ein Platz, der wirklich noch auf Menschen zu warten schien. Nusrat war vor einigen Monaten gekommen. Als es noch wärmer war und überraschend grün.

Bereits am ersten Tag hatte er einen Job gefunden und eine Schlafstelle. Nach einer Woche hatte er sich ein eigenes Holz-haus mieten können, mit Holzmöbeln und karierter Tisch-wäsche. Nach der Arbeit im Wald, Männerarbeit, ging er mit seinen Kollegen ein Bier trinken und lauschte abenteuerlichen

Bärengeschichten. Alaska war die perfekte Männerwelt, Frauen waren rar, sie mochten die kalten Winter nicht und die mückengeplagten Sommer. Die wenigen, die es hier gab, wurden vergöttert. Es waren robuste Engländerinnen, Amerikanerinnen und auffallend viele Deutsche mit bemerkenswertem Knochenbau. Einmal im Jahr versteigerten sich die Junggesellen des Ortes, derer es sehr viele gab, für wohltätige Zwecke. Die Damen reisten aus der ganzen Welt zu diesem Spektakel an, und meistens folgten nach der Versteigerung wilde Trinkgelage, Sex, aus dem mitunter Ehen resultierten. Eine Ehe war etwas, von dem Nusrat nicht einmal zu träumen wagte, als er die Frau ansah, die das derzeitige Höchstgebot hielt. Eine rundliche schöne rothaarige Irin. Vielleicht könnte ich mit ihr in meinem Holzhaus wohnen und Kinder haben, dachte Nusrat und betrachtete das weiße Fleisch ihres Armes.

Nusrat hatte gemerkt, dass er nicht bereit war zu sterben, und wenn das bedeutete, dass er kein Auserwählter war, dann eben nicht. Diese Frau damals, die er in Paris getroffen hatte, als er sich und das Leben abartiger Franzosen auslöschen wollte, mit dem unglaublich bissigen und aggressiven Frettchen, das er unter seinem Mantel trug, hatte ihn nervös gemacht. Vielleicht war einfach sein Glaube nicht groß genug gewesen, sodass sie in eine Lücke seines Bewusstseins eindringen konnte mit ihren Fragen, die ihn danach tagelang beschäftigt hatten. »Warum glaubst du Idiot, hast du das Recht zu töten, bist du Allah – und ist es nicht so, dass du eines dieser hübschen französischen Mädchen willst, die du nicht bekommst, weil du keine Ausbildung gemacht hast?« Sie hatte ihn so verrückt gemacht, dass er das Frettchen um ein Haar zu Boden geworfen hätte.

Es war klar, dass er das Land verlassen musste nach einem nicht ausgeführten Selbstmordeinsatz. Und so verließ er Frankreich und ging weg, so weit wie möglich.

»...Und unser schöner Franzose geht an ...« »Kathy«, sagte das rothaarige Mädchen und nahm Nusrat an der Hand.

Sie verließen die Auktion danach schnell, denn es wurde immer lauter, die Luft immer feuchter, der Rauch immer dichter, und als die Nacht zu Ende ging, lag Nusrat zum ersten Mal neben einer Frau und dachte: Besser kann das nicht sein im Himmel mit den Jungfrauen. Und er begann wieder zu weinen, weil er nochmals eine Chance bekommen hatte und nicht wusste von wem. Kathy streichelte ihn und flüsterte, hab keine Angst, ich werde nicht weggehen. Das Licht von draußen schien blau in den Raum, Schnee fiel, und vielleicht, dachte Nusrat, vielleicht wäre jetzt die beste Gelegenheit, Gott meine Liebe zu beweisen.

Peter
Brisbane

Fuck Brisbane, dachte Peter und saß betäubt im Garten eines Motels nahe dem Flughafen in Brisbane.

Wie konnte es nur dazu kommen, dachte er, das war, was Männer oft dachten, denn die handelten erst, ihrer unseligen genetischen Anlage folgend, ehe sie im Anschluss unter großem Getöse den Schaden zu begrenzen versuchten. Vermutlich war so Wissenschaft entstanden.

Peter hatte sich gelangweilt und war nur mal so zum Flughafen in Nauru gefahren. Der Zufall hatte ihn in eine Maschine der australischen Airline gelenkt. Über Honiara nach Brisbane. Mahlzeit. Peter hasste Australien vom ersten Moment an. Diese großen Menschen mit ihren Hüten und den roten Gesichtern. Und alle wie besemmelt BBQ machend, unentwegt kleine Kängurus essend. Babykängurus.

Peter saß apathisch auf dem Hotelbett, draußen knackte das Gras, so trocken war es, flimmernde Hitze, der Geruch von Grillfleisch – war er also wieder einmal alten Gewohnheiten erlegen. Weiter, kopflos, planlos. Warum sollte er sich mit Mitte 40 auch noch ändern? Peter hatte die vom ungesunden Essen übergewichtigen Naurer satt, er hatte die öden Produkte satt, die es auf der Insel zu kaufen gab, er hatte die kleine Insel satt, er wollte ... Nun, das war ein kleines Problem. Peter besaß nach wie vor kaum Geld, und er wusste nicht, was er wollte. War er ehrlich, dann langweilte ihn die Idee, sein Leben so willkürlich fortzusetzen wie bisher, unendlich. Immer andere beim Zu-Hause-Sein beobachten hatte sich abgenutzt. Lange Zeit war er glücklich gewesen, die Menschen stagnieren zu sehen in ihren Welten, und er zog weiter an neue Orte, bis er merkte, dass seine Art, das Leben herumzubekommen, genauso öde war. Es lag eine große Langeweile in der Wiederholung des Fremdseins. Peter hasste dieses Hotel. Er dachte nicht an Nauru, das hatte er wirklich über, er dachte an Jade.

Er hörte nicht auf, an sie zu denken, als es Abend wurde und er immer noch ratlos auf seinem Bett saß.

Er musste sich eingestehen, dass er sie vermisste. Es war kein wildes Sehnen, wie er es von früheren Liebesgeschichten kannte, er fühlte sich nur leer und alleine ohne ihre warme körperliche Anwesenheit. Als Peter im Bett lag, begann er zu weinen. Er fühlte das Abhandensein der Frau in einem Maße, das er nicht kannte. Es war wie die Sehnsucht nach einem Ort der Kindheit, nach einem warmen Haus, einem Kaminfeuer, all dem Kitsch, den Peter immer zu verachten geglaubt hatte. Er wollte Jade kitzeln, er wollte mit ihrem Kopf auf seinem Bauch einschlafen, er wollte aufwachen und sie kichern hören. Er hatte alles falsch gemacht.

Er könnte einfach zurückfliegen, aber da war diese Insel in ihrer unendlichen Ödheit, er könnte… Und als ihm nichts mehr einfiel, was er könnte, begann er wieder zu weinen. Peter fühlte sich, als hätte er jeden Halt verloren, und wusste doch zugleich, dass es nirgends Halt gab, was seinen Zustand noch hoffnungsloser machte.

Als der Morgen kam, schien es Peter, als hätte er den Tiefpunkt seines Lebens erreicht. Nicht das Sterben nach dem Tsunami, nicht seine Exfreundin in Sri Lanka, die ihn verlassen hatte, nichts hatte sich so hoffnungslos angefühlt wie der Blödsinn, den er selbst zu verantworten hatte. Es klopfte an seiner Zimmertür. Der Kaffee. Peter öffnete, und Jade stand vor der Tür. Das passiert nur in Filmen, dachte Peter, und er dachte weiter – nun werde ich wahnsinnig. Das dachte er noch, als Jade mit ihm auf dem Bett lag und ihn mit ihren warmen Armen hielt. Was machst du für Dummheiten, sagte sie, was machst du nur für Dummheiten. Sie redete nicht weiter über sein Verschwinden, kein Vorwurf, sie strahlte ihn an, und Peter hörte auf einmal überlaut das Geschrei von Schwalben im Garten, und in sein Glück mischte sich eine Angst, die Peter fast ersticken machte: Jetzt, wo ich mein Zuhause gefunden habe, dachte er, was ist, wenn es mir wieder weggenommen wird?

Frank
Reykjavík

Frank hustete. In unerklärlichem Rhythmus hustete er keu-
chend, bis ihm fast schlecht wurde. Sonst war alles in Ordnung. Frank hatte ein Zimmer mit Kochzeile, die Straße, in
der sein Gästehaus lag, führte steil hinab zum Meer, das sah
Frank aus seinem Fenster. Ein Meer, das einen nie auf die
dumme Idee brachte, in ihm baden zu wollen. In der Straße
gab es kleine Läden, Cafés, also alles, was ein zivilisierter
Mensch zum Leben brauchte. Die Buchhandlung führte sogar
recht frische deutsche Zeitschriften und Bücher. Das hatte
Frank noch nie erlebt, dass er sich an einem fremden Ort nach
Tagen gefühlt hatte wie zu Hause. Nur interessanter, denn
Island war etwas, was er wirklich noch nicht gesehen hatte,
Lavalandschaft, mit Moos gepolstert, überall rauchte und
blubberte es aus dem Fußboden. Alle Kilometer mal ein Haus.
Da schliefen sie aber noch.

Island war nicht nur das Land mit den glücklichsten Men-
schen der Welt, sondern auch das am dünnsten besiedelte.
Klarer Zusammenhang. Dem Isländer ging es gut, es hatte
keine finanziellen Probleme, die Bildung war hervorragend,
Religion egal, Terroristen nicht auszumachen, in den sechs
Wintermonaten spielten sie Schach, die Isländer, oder sangen
Schubert-Lieder. Die Großstadt der Insel war Reykjavík, mit
ausgeflippten 14.000 Einwohnern. Elf Grad und ein satter
Wind, Regen und grau, das ist Hochsommer, aber hallo. Die

Stadt, ohne Sonne, strahlte die Behaglichkeit eines Dorfes in der Ukraine aus. Erst von innen erschloss sich das Prinzip – der Isländer legte nicht viel Wert auf Verschalung. Das Innere der Häuser legte einen 1-a-Standard an Wohnkomfort an den Tag. Jeden Mittag ging Frank zu einem kleinen, unendlich schlechten thailändischen Restaurant. Der Inhaber hatte eine offensichtliche Macke, wie fast alle Isländer. Man merkte es am Blick, an dem, was sie sagten, vielleicht war es die Folge von zu viel Frieden oder Inzest, der die Inselbewohner so schrullig hatte werden lassen. An jenem Tag hielt der Restaurantbesitzer einen kleinen Vortrag über die Luft. Frank und ein älterer Herr, von dem sich später herausstellte, dass er ein eigenes Kino besaß, in dem er ausschließlich Filme über Vulkanausbrüche zeigte, waren die einzigen Gäste. »Es ist das Nichts, das man riecht«, erklärte der Restaurantinhaber. »Island hatte keine Geschichte der Kunst und der Gestaltung, aus irgendeinem Grund haben sich die Einwohner gegen die opulente Kirchenkunst entschieden. Die Kirchen sehen aus wie Fischfabriken. Oder andersherum. Es hatte nie einen Krieg gegeben, außer dem Fischerkrieg gegen England, in dessen Verlauf Isländer englische Fischer mit Fischen bewarfen. Es gibt noch nicht einmal einen Geschlechterkonflikt. So viel Harmonie lädt die Luftmoleküle auf.« Die Männer nickten schwer. Frank hatte sich an derartige Vorträge gewöhnt, sie kamen gratis mit Essen oder Kaffee. Später fuhr er ein wenig in die Natur.

Frank fuhr oft aus der Stadt heraus, das bedurfte bei der Überschaubarkeit ihrer Ausmaße keiner großen Verrenkung. Das Wetter wechselte alle Minuten, von tiefhängenden Wolken zu hellblauem Himmel, Sonne, Schwarz und Regen. Die niedlichsten kleinen Schafe und Pferde der Welt sprangen in der Landschaft herum, und ab und zu meinte Frank, auch Elfen wahrzunehmen. 60 Sorten von Elfen sollte es geben, hatte ihm Erla Steffansdottier, die staatliche Elfenbeauftragte, verraten. Einfach herumfahren, husten und isländische Musik hören – brauchte es mehr?

Am Abend war Frank so verabredet, wie man es in Island tat. Komm doch vorbei, sagte man, und dann kamen alle vorbei und hockten in Küchen, gingen später noch in eine Bar oder irgendeine andere Wohnung, um da herumzuhocken. Dabei wurde immer nett geschwiegen und getrunken, bis mehrere Isländer umfielen. Ohne Umfallen war der Abend kein gelungener. Frank, der nie ein Freund von Gesellschaft gewesen war, fühlte sich inmitten dieser merkwürdigen Menschen ausnehmend wohl. Vielleicht war es das Abhandensein von Eitelkeit, das die Atmosphäre so angenehm machte. Alle waren irgendwie miteinander verwandt, wer wollte da angeben?

Auf jeden Fall hatte das beschissene Wetter die Insel gerettet. Die circa 80.000 Touristen, die jährlich kamen, waren vornehmlich wettergegerbte Naturfreunde, die sich schnell in Offroad-Autos oder auf Fahrräder verdrückten und im Mondgelände rumdüsten, in Zelten unter Wasserfällen schliefen und alles wieder fein aufräumten. Für Pauschalreisende war die Insel definitiv zu kalt und zu teuer. Keine Hotelburgen, keine Schnitzelrestaurants, ein Land, weitgehend in Ruhe gelassen von der Welt, das bekam keinem schlecht.

Nach kalten Wochen erlebte Frank den ersten Tag mit Sonnenschein. Satte 17 Grad, und die Stadt wurde wahnsinnig. Auf der feuchten Wiese vor dem Parlament lagen Rotten halbnackter Jugendlicher, einige hatten kleine Karnickel an Leinen bei sich, das trug man jetzt so. In großem Maße machte sich die Unsicherheit in Fragen leichter Bekleidung bemerkbar. Woher sollten sie das auch wissen? Viel weißes Fleisch und alle 14.000 auf der Straße. Auf den Balkonen wurden die Grills entzündet, da kam Walfisch drauf. Nachts um zwölf strahlte die Sonne vom Himmel, was nicht zu einer verrückten Erwärmung, aber zu ziemlich viel Licht führte. Erhellte die platte Gegend, in der nicht eine Reklametafel stand. Nirgends! Wie wenig man all den Scheiß benötigte, die Marken, das Theater darum, die Shops, das Kaufen und Mehr-Kaufen, das wissen wir ja alle. Ein Chanel-Kostüm in Island? Niedliche Idee. Hier trug man Fellkappen und Stiefel und Daunenjacken, hell in der Nacht, die Isländer betranken sich gepflegt, die Geysire spuckten heißes Wasser in den Himmel, und irgendwo brach sicher gerade wieder ein kleiner Vulkan aus. Frank saß mit einem Bier vor einer Bar und hustete, er dachte, dass so die Welt vielleicht einmal gedacht war wie diese geologische Urform hier. Frank wusste, dass er auf dieser Insel bleiben wollte. Für immer.

Peter
Hongkong

Jade hatte sich vom Staat Nauru ihr Geld auszahlen lassen, außerdem gehörte ihrer Familie eine Wohnung in Hongkong, und in der saßen sie jetzt. Mid Level, Robinson Street, 33. Stock. Die Wohnung schwebte in den Wolken, und Peter wunderte sich jeden Morgen, wie angenehm das Leben war, nachdem man eine Entscheidung getroffen hatte. Jades Anblick machte ihn zunehmend glücklicher. Ihre leichte Art und

das Leben mit ihr, das sich wie ein dauernder Urlaub anfühlte. Sie machten Ausflüge auf die Inseln, lernten chinesisch, gingen ins Kino, saßen abends auf ihrem verwegen kleinen Balkon über dem Abgrund, aßen Nudelsuppe und schauten fern in die Fenster der Hochhäuser um sie herum. Peter wollte nichts anderes, als das, was er im Moment hatte. Das hatte er noch nie erlebt. Diese unendliche Beruhigung, nichts zu wollen. Alles, was Peter bislang ausgezeichnet hatte – Unruhe, Unzufriedenheit und andere Undinge –, gab es nicht mehr. Er fühlte sich wie ein Mensch, den er nicht kannte, den man aber gerne kennenlernen wollte. Peter begann Haikus zu dichten, ein wunderbares Hobby, in das er sich mehr und mehr vertiefte. Zu dichten ohne die Absicht, irgendeinen Nutzen daraus zu ziehen, war etwas sehr Befriedigendes. Manchmal las er Jade seine Zeilen vor, und sie lächelte und gab ihm das Gefühl, etwas sehr, sehr Großes geschaffen zu haben. Peter begann Jade zu lieben, in einem Maße, das er noch nie erlebt hatte, vielleicht liebte er zum ersten Mal in seinem Leben, und die Erfahrung war eine wunderbare. Es störte ihn nichts an ihr. Er lächelte, wenn er sie betrachtete, ihren runden, unperfekten Körper, der ihm der schönste auf der Welt erschien, einfach weil sie darin wohnte. Er mochte es, ihr Gefallen zu tun, sie glücklich zu sehen, und er glaubte manchmal, dass man diese Art Liebe für seine Kinder empfinden musste. Das sexuelle Begehren war in der Beziehung zu Jade nicht von größerem Interesse. Der Beischlaf erfolgte mitunter nach dem Erwachen, aus einem biologischen Drang heraus, doch eigentlich war Peter wohler, wenn er Jade nur einfach fest an sich drücken konnte. Jade interessierte sich in einer angenehmen Art für nichts. Sie war der faulste Mensch, den Peter je getroffen hatte. Sie lag am liebsten irgendwo herum, aß etwas und las in Büchern oder starrte einfach nur vor sich hin. Erstaunlich, dass ihr Gehirn nicht genauso träge wurde wie ihr Körper.

Immer wieder überraschte sie Peter, denn Jade hatte nie eine Großstadt gesehen zuvor, sie kannte keine Staus, keine Geschäftszeiten, keine Marken, und für all das Nichtwissen zeichnete sie sich durch eine erstaunliche Beobachtungsgabe aus.

Peter hatte sein vorheriges Leben vergessen. Er war Ende 40 und hatte das Gefühl, alles zum ersten Mal zu erleben. Wie in der Pubertät kam er sich vor, staunend, und jeder Tag erschien ihm wie der erste, denn zwischen ihren naturgegebenen Ruhezuständen hatte Jade immer wieder Anfälle von Entdeckungslust. Sie wollte in den Zoo, auf ein Boot, auf den Berg, in ein Museum, in eine Fabrik, auf Wochenmärkte und Volksfeste. Sie besuchten Kickbox-Veranstaltungen und Miss-Hongkong-Wahlen. Peter hatte das Gefühl, als hätte er sein bisheriges Leben verschlafen, er hatte jedes Gefühl von Zeit verloren. Sonne und Regen, das Meer vor dem Fenster, die feuchte Luft, Nudelsuppe und Jades warmer Körper ließen die Tage ineinanderfließen, formten sich zu etwas sehr Hellem.

Mitunter erwachte Peter nachts, weil Jade nicht neben ihm lag. Dann wurde er nervös und suchte sie. Meist saß sie dann auf dem Balkon und schaute mit einem Fernglas in die Nachbarwohnungen. Peter gewöhnte sich so an das Vorhandensein eines anderen Menschen, dass er sich fragte, warum er sein Leben vertan hatte. Alleine.

Es mochten einige Monate vergangen sein, unterdes war es kühler geworden in der Stadt, als Jade eines Morgens nicht neben Peter lag. Er suchte sie auf dem Balkon, später im Supermarkt, in den Straßen, an ihren Lieblingsorten, Peter suchte wie nach seinem Leben. Stunden verbrachte er in der Nacht auf einem Polizeirevier, um eine Anzeige aufzugeben. Nach drei Tagen, in denen sich Peter so weit aufgelöst hatte, dass er nicht mehr aß, nicht mehr trank und die Wohnung nicht mehr verließ, schaute er einer unklaren Eingebung folgend durch

Jades Fernglas in die Wohnung, die sie so befremdlich ob-
sessiv beobachtet hatte. Er sah Jade eng an einen Mann ge-
schmiegt, der Suppe aß und Jade fütterte, mit weißen, langen
Nudeln.

Pia
London

Wir haben da ein kleines Problem, dachte Pia, eine Woche
nachdem sie ihre in London gemietete Wohnung nahe der
Whitechapel Road bezogen hatte.

Die Straße, in der ihre kleine Wohnung lag, mit Fenstern,
die nicht schlossen, mit einem Wasserhahn, aus dem entweder
kochendes oder eiskaltes Wasser kam, war komplett baumfrei,
und permanent schienen Plastiktüten auf ihr herumzuwehen.
Eine Scheißstraße inmitten eines riesigen Viertels, in dem es
aussah wie in einer verunglückten Mischung aus Bombay,
Dhaka und Marrakesch. Ein paar englische Arbeiter, die alle
als Statisten in britischen Sozialfilmen mitgespielt hatten, in
denen den Frauen die Kinder weggenommen werden, und der
Mann hat ein Raucherbein, verschwanden in der Masse der
verschleierten Bekaftanten. Pia erinnerte sich an Zeiten, in
denen man das multikulturell und spannend fand, in der Brick
Lane essen zu gehen, und die drolligen Verkleidungen be-

staunte. Jetzt fühlte sie sich seltsam nackt ohne einen Schleier im Gesicht. So sollte also die Welt aussehen? Wie ein dreckiger Basar? Super Idee, dachte Pia, scheiß auf multikulturell, wenn es bedeutete, dass man sich bald verschleiern musste. Pia saß in dieser Wohnung, ihre Füße mochten den ockerfarbenen Teppich nicht, der Wasserhahn tropfte, sie hatte überteuerte Lebensmittel eingekauft, und sie fragte sich, warum sie ausgerechnet hier ein neues Leben beginnen sollte. So viel Leben war ja nicht mehr übrig.

Wie halten das manche nur aus? Zu wissen, dass fast alles, was uns so wichtig erscheint, nichts ist? Woran man alles leiden kann. Da ist ja alles falsch gelaufen, bei jedem. Dann älter werden, durch die Hölle der Schule gehen, Außenseiter sein oder Streber, erwachsen werden daran und einsam. Weil der andere nicht will. Weil er sich nicht binden kann, oder gerade in Trennung lebt, oder eine schlechte Kindheit hatte und haut. Oder er will, und dann – na danke: Wie er isst und wie er geht und was er sagt und wie UNAUFMERKSAM, wie ignorant, verletzend und grausam kann das denn sein. Nie hört er zu, schaut er hin oder im richtigen Moment weg. Dann kommt das Kind. Da hat man keine Zeit für sich, der Mann geht fremd, die Stillgruppe ist ätzend, die Freundinnen weg, das Kind nimmt Drogen oder keine, auf jeden Fall ist es NIE DANKBAR genug. Der Beruf – Selbstverwirklichung, natürlich, wenn man nicht arbeitslos ist, ist der Chef unfähig, könnten wir besser, tun wir aber nicht, weil wir gemobbt werden, oder Frau sind, oder Mann, und das ist ja auch alles ein Problem. Männer weinen in Männergruppen, Frauen beten für den Papst. Die Frisur von Frau Merkel, meine Güte. Und Fischer hat jetzt eine 18-Jährige. Die Rechnungen, die Steuer, der Arzt, die Gallenblase, die Momente, die das Leben sind, Sie wissen schon. Nein, es gibt so viel Schönes, man muss doch dankbar sein – ein Sonnenauf- oder -untergang, eine neue Hoffnung, eine neue Liebe, ein neuer Urlaubsort, Momente sammeln, 14 Tage, und dann muss man wieder heim. Ins Büro. Himmel, wie man das Büro hasst. Was tun wir da nur alle?

Wie kann man leben und sich der Vergänglichkeit wirklich bewusst sein? Das geht doch nur mit Verdrängung, sonst würde man das Bett doch nicht mehr verlassen. Wir müssen dem Mist eine Chance geben, den Nichtigkeiten eine Bedeutung, weil wir sonst vor Angst erstarren würden. Ob der Erde, die schon bald auf uns fällt. Oder dem Knopf im Krematorium, der gedrückt wird. Nie, nie kann man sich sicher sein, dass der Lebensentwurf, für den man sich mitunter nicht einmal entschieden hat – bin da so reingerutscht –, der richtige ist. Jeder lebt in seiner kleinen Welt. In der Schreiberwelt, in der Vertreterwelt, in der Welt der Prostituierten, der Großunternehmer, der Manager, der Zeitungshersteller, und keine berührt eine andere, jede scheint uns die einzig wahre. Was aber, wenn wir in einer anderen Welt viel glücklicher gewesen wären? In der sie sich zusammenreißen, forschen und versuchen Aids zu besiegen oder Beriberi. Und manchmal gelingt es, dann wird Millionen das Leben gerettet. Kurzfristig. Weil gewinnen werden wir nie. Keine zweite Chance gibt es. Das lässt einen doch ganz starr werden von Zeit zu Zeit. Sitzen, in den Himmel stieren und auf Humor hoffen, der über einen kommt und einen lachen lässt über Unbill und Quatsch, der Leben ist. Was kann man tun mit dieser Traurigkeit im Bauch, die jeden Tag mit einem spazieren geht? Lächeln und alles richtig machen. Alles so gut machen, wie es eben geht. Wozu? Nein, es macht alles keinen Sinn, so sehr jeder auch danach suchen mag. Das Leben ist keine Sammlung kleiner Momente, es ist ein großer Quatsch. Doch zum Glück vergessen wir die Generalübersicht wieder, verlieren uns in einem warmen Abend, ein kleiner Hund tanzt auf einer Lichtung, wir sehen eine Oma, vielleicht ist es unsere, wir waren nett zu ihr, sie lächelt, wir legen den

Kopf auf den Bauch unseres Mannes, das Kind macht nette Geräusche, die Suppe ist gut, der Fernseher aus, und für einige Sekunden stimmt alles wieder überein, es gibt uns nicht, den nahen Tod, den Ärger, und wir wissen immer noch nicht, was alles soll, aber es ist uns für ein paar Minuten völlig egal. Pia merkte, dass sie in letzter Zeit immer mehr zu Selbstmonologen neigte. Sie saß und dachte sich Reden aus, die sie an sich selbst richtete. Das Alleinsein macht mich wahnsinnig, dachte Pia und starrte aus dem Fenster in den Sozialbaublock gegenüber.

Parul
Bangladesch

Parul lag am Boden. Der Himmel dunkel, nur ein helles Licht zu sehen. Parul schaute das Licht an.

Manche glauben an Reinkarnation, manche an Schicksal, andere denken einfach, dass das Leben ein ungerechter Scheißdreck ist. Vielleicht ist das so. Es hat niemand etwas anderes versprochen. Warum Parul in Barisal geboren wurde, weiß keiner. Aber sie hatte vom ersten Atemzug an schlechte Karten gezogen. Die Eltern schauten Parul nach ihrer Geburt kurz an. Danach hatten sie sie vergessen. Parul war nur ein Mädchen.

Ein Mädchen kann mit sieben Jahren auf dem Feld und im Haushalt helfen, es kann die Geschwister versorgen, aber spätestens mit dreizehn, vierzehn wird es verheiratet und nützte nichts mehr.

In dem Dorf, in dem Parul aufwuchs, war die Welt noch in Ordnung. Die Eltern arbeiteten auf den Reisfeldern eines Bauern. Die Familie, sieben Kinder, die Eltern des Vaters und Mutter und Vater lebten in einer Hütte, die 20 Quadratmeter groß war. Die Mutter war eine ängstliche Frau, die ihrer Tochter weitergab, was ihr beigebracht wurde: ein Mensch zweiter Klasse zu sein. So war es für Parul normal, dass Frauen nach den Männern aßen, wenn noch etwas übrig war, dass sie härter arbeiteten und keine Rechte hatten, dass Frauen zu Tode geprügelt oder gesteinigt wurden, dass sie aus dem Dorf verstoßen wurden, was den sicheren Tod bedeutete, wenn sie sich den Männern widersetzten. Als Achtjährige hatte Parul gesehen, wie eine Frau zu Tode gesteinigt wurde. Der Imam, der Vorbeter des Ortes, hatte die Frau verurteilt. Sie hatte einen verheirateten Mann verführt. Obwohl die Frau beteuerte, dass der Mann sie vergewaltigt hätte, glaubte ihr keiner. Im Namen Allahs wurde sie gerichtet. Ob Allah davon wusste, ist unklar.

Paruls Kindheit, in der sie nie gespielt hatte, endete an ihrem dreizehnten Geburtstag, da wurde sie mit einem 20 Jahre älteren Mann verheiratet, den sie nie zuvor gesehen hatte. In der Nacht verlor sie in sechs Sekunden ihre Jungfräulichkeit. Am nächsten Tag kam die Flut und vernichtete das ganze Dorf. Nachdem das Wasser etwas zurückgegangen war, war da, wo zuvor die Hütten gestanden hatten, ein träger, breiter Fluss. Die Eltern waren alt. Sie würden vielleicht durchkommen. Doch dazu mussten die Kinder irgendwo Geld auftreiben, und auf dem Land gab es keine Arbeit mehr, weil es das Land nicht mehr gab. Parul ging mit ihrem Mann in die Stadt.

Sie stand sechs Stunden im Zug, zwischen Menschen, Tieren und Bündeln eingeklemmt. Sie roch den Schweiß der anderen, spürte die feuchten Körper der anderen, doch das störte sie nicht. Menschen war sie gewöhnt, denn Bangladesch ist eines der überbevölkertsten Länder der Welt. In den Gesichtern der Reisenden stand eine Mischung aus Angst vor der großen Stadt und Hoffnung. Alle hatten von Dhaka gehört. Von Reichtum und Wundern. Auch Parul träumte, aber sie wusste gar nicht genau, von was. Einen Fernseher hatte sie noch nie gesehen, Reichtum noch nie gesehen, also stellte sie sich einfach nur ein wunderschönes Kleid vor, mit dem sie über eine Wiese lief. Der Mann, den Parul geheiratet hatte, redete während der Fahrt kein Wort mit ihr. Der Mann gefiel Parul nicht, aber Männer waren auch nicht zum Gefallen da. Männer waren da, damit eine Frau leben durfte. Nach einer Ewigkeit kamen sie an. Am Bahnhof brannten Feuer, und viele Menschen schliefen zwischen den Gleisen und an der Straße. Schmutzige Menschen, manche waren nackt. Parul kam aus einem armen Dorf, doch schmutzige, nackte Menschen hatte sie noch nie gesehen. Menschen, die in Müllhaufen nach Nahrung suchten, auf die andere gerade uriniert hatten, hatte sie noch nie gesehen. Es war stickig und heiß, es war laut und widerlich. Parul hatte Angst. Weil es schon dunkel war und beide nicht wussten wohin, weil sie niemanden kannten und die Stadt bedrohlich wirkte, weil sie kein Geld mehr hatten, legten sich Parul und ihr Mann auch vor den Bahnhof. Parul neben den fremden Mann, der ihrer war, einen Meter entfernt von fremden Menschen, die nicht gut rochen und wirkten, als seien sie schon lange hier. Als Parul einen Platz zum Austreten suchte, lief eine ältere Frau hinter ihr her: Pass auf, sagte sie, du darfst hier nicht alleine herumlaufen. Sie kommen und fangen dich weg. Wer kommt?, fragte Parul. Die Polizei oder welche von den Banden. Sie fangen Frauen vom

Bahnhof, junge, wie dich, und dann musst du es für sie tun. Was tun?, fragte Parul. Die andere Frau schüttelte den Kopf über des Mädchens Dummheit, blieb aber neben ihr, bis sie fertig war. Parul war dumm, alle um sie waren dumm. Nicht dass sie ein kleines Gehirn gehabt hätten, aber es war nie benutzt worden, das Gehirn. Zum Lernen nicht, zum Denken nicht, dafür waren ja die Männer da. In der Nacht dachte Parul an Allah. Und dass er ihr nicht helfen würde, weil er doch ein Mann war. In dieser Nacht schlief Parul sehr schlecht, doch morgen, dachte sie, morgen würde alles besser werden. Am nächsten Morgen ging ihr Mann, um Arbeit zu finden. Parul blieb den ganzen Tag neben ihren Bündeln sitzen. Sie wagte es nicht zu urinieren, sich Wasser zu besorgen. Sie hatte den Blick gesenkt und wartete. Am Abend kehrte ihr Mann, sein Name war Panu, ohne Arbeit zurück. Er konnte weder lesen noch schreiben, und solche wie ihn gab es in Dhaka genug. Millionen lebten in der Hauptstadt auf der Straße oder in Slums. Die Stadt hatte wirklich nicht auf Parul und ihren Mann gewartet. So übernachteten sie sieben Wochen vor dem Bahnhof, Panu war den ganzen Tag unterwegs, Parul saß am Bahnhof, und es waren, so schien es ihr, die schrecklichsten Tage ihres Lebens. Als Parul ihren Mann irgendwann fragte, wann sie denn weggingen, schlug er sie das erste Mal. Er schlug sie mit seinen Fäusten ins Gesicht, in den Bauch. Die anderen um sie herum schauten zu und lachten. Parul gewöhnte sich daran zu schweigen. Nach sieben Wochen hatte ihr Mann einen Job gefunden. Für sie. Ziegelsteine klein schlagen zu Splitt für den Straßenbau. Sie würde am Tag umgerechnet 50 Cent verdienen, und damit könnten sie sich einen Platz in einem Slum leisten. Sie packten ihre Sachen und gingen los. Jetzt wird alles gut, dachte Parul. Gleich um die Ecke des Bahnhofs begann der Slum und schien nicht zu enden. Es war der erste Slum, den Parul sah. So furchtbar hätte sie es sich nicht vorgestellt. Auf einer alten Müllkippe waren Tausende kleiner Hütten aufgebaut. Aus Plastik und Jutesäcken, jede nur etwas größer als eine Hundehütte. Gleich neben den Hütten lag der Unrat. Der schlechte Geruch wie eine zu dicke Decke über dem Slum. Die Menschen, die aussahen wie Wilde oder Geisteskranke, musterten Parul feindlich. Parul begann zu weinen. Ihr Mann gab ihr ein paar Ohrfeigen, packte sie und zerrte sie zwischen den Hütten durch den Müll, durch Abfälle, durch Urin. Nackte, schmutzige Kinder rannten neben ihnen her und warfen mit Steinen. Obwohl Parul Angst vor ihrem Mann hatte, weinte sie. Sie konnte einfach nicht aufhören. Ihr Mann wies auf einen Platz, der zwei Meter lang und anderthalb Meter breit war. Müll lag darauf. Mach das sauber, sagte er und verschwand. Parul schob mit ihren Händen verfaulte Essensreste und Kot zur Seite. Als Panu zurückkam, hatte er einen alten blauen Sack dabei und ein paar Hölzer. Daraus baute er eine Hütte. Von da an lebten sie in dem Slum. Jeden Morgen setzte sich Parul an die Straße auf einen Haufen Steine, die sie zerklopfte, um Baumaterial daraus werden zu lassen. Der Staub in der Lunge, gemischt mit den Abgasen, der Lärm und die Hitze machten, dass Parul abends fast ohnmächtig war, danach musste sie noch für ihren Mann kochen, der nach wie vor in der Stadt nach Arbeit suchte. Manchmal fand er für einen Tag einen Job auf einer Baustelle. Sie aßen Reis. Und an guten Tagen etwas Gemüse dazu. Paruls Bauch wurde dick, und sie bekam ihr erstes Kind. Ein Mädchen. Parul entband es in der Hütte. Nie hatte sie solche Schmerzen erlebt. Und nie solche Einsamkeit. Sie freute sich nicht, das schmutzige Kind im Arm zu halten. Es war ihr fremd. Ihr Mann schlug sie, als er in die Hütte kam, weil es nur ein Mädchen war. Am nächsten Tag ging Parul mit dem Säugling auf den Steinhaufen arbeiten. Und mit den Monaten gewöhnte sie sich an dieses Leben, das eigentlich kaum eines war. Täglich prügelten sich die Frauen im Slum, wegen der Kinder, wegen der Ohnmacht, weil sie so wütend waren und doch gar nicht wussten, auf wen. Täglich prügelten die Männer die Frauen, weil sie so wütend waren, weil sie fühlten, dass irgendetwas nicht stimmte mit ihrem Leben. Die Frauen hatten keine Angst vor den Schlägen, sie hatten nur Angst, krank zu werden. Wenn eine Frau sehr krank war und ins Krankenhaus musste, suchte sich der Mann in dieser Zeit oft eine neue Frau. Aber auch ohne das war es schlimm genug, krank zu sein. Denn wer einmal lag, kam selten wieder hoch. Der Körper wurde von Müdigkeit wie gelähmt, es gab keinen Grund wieder aufzustehen für den Körper. Die Frauen in den Slums waren oft krank. Sie versuchten, es sich nicht anmerken zu lassen. Sie lebten im Dreck, im Schlamm, wenn der Monsun kam, schliefen am Boden, sie entzündeten sich den Unterleib, sie bekamen Krätze, Tuberkulose, offene Stellen, sie starben meistens, bevor sie 40 waren. Die Männer lebten länger.

Parul war nicht krank. Ein bisschen vielleicht, denn alles tat ihr weh, der Körper, das Herz, und sie war so traurig. Nur nicht denken, nicht innehalten. Arbeiten, essen, schlafen, nicht still halten, denn dann könnten die Gefühle kommen. Warum, dachte Parul, warum bin ich nur eine Frau. Eine Frau ist ein Hund in Bangladesch. Frauen werden zu Tode geprügelt, mit Säure entstellt, Frauen werden verstoßen, und das ist meistens ihr Todesurteil, denn eine Frau ohne Mann ist nichts mehr wert. Man kann sie entführen, vergewaltigen, töten, egal.

Die Regierung unterstützte die Rechtlosigkeit der Frauen. Die Regierung besteht aus Männern. Doch ganz langsam entstand Widerstand. Taslima Nasreen, eine feministische Schriftstellerin, musste aus Bangladesch fliehen. Doch das wusste Parul nicht, und sie würde es nie erfahren. Woher sollte sie das erfahren? Es kam doch keiner und erzählte es ihr.

Parul hatte sich an das Leben gewöhnt. Sie kannte es nicht anders. Wusste nicht, wie es ist, Zeit für sich zu haben, mit jemandem zu reden, sich auszuruhen. Was sie kannte, war die Müdigkeit und ein Gefühl, das ihr die Kehle zuschnürte. Es war vielleicht eine Krankheit. Sie lebten nun schon ein Jahr auf der Müllkippe. Als der Regen kam, wie jeden Sommer, wurde der Slum zu einem großen Schlammbecken. Die Hütte stand unter Wasser. Paruls Mann baute aus Kisten ein Bett. Darunter gluckerte das dreckige Wasser, schwammen Ratten, wenige Zentimeter von Paruls Körper. Sie war schon wieder schwanger. Und sie hatte Angst, denn sie schaffte die Arbeit schon jetzt kaum mit einem Kind. Sie war doch erst 15.

Ihr Mann wollte jede Nacht mit ihr schlafen. Parul wurde ängstlich, wenn die Nacht kam, mit den Geräuschen aus den Hütten, die machten, dass ihr übel wurde. Man hörte Schläge und das Stöhnen der Männer in der Nacht, das Parul so gut von ihrem Mann kannte. Er hatte sie noch nie gestreichelt, ihr Mann. Er drang in sie, manchmal schlug er sie dabei, und immer tat es weh. Die meisten Frauen im Slum bekamen ungefähr sieben Kinder. Meist starben drei davon.

Parul saß einige Monate später mit zwei Kindern auf dem Ziegelhaufen. Das letzte Kind war zum Glück ein Sohn geworden. So etwas wie Windeln, Babypuder, Wiegen, Spielzeug hatte es nicht im Slum. Parul schrubbte die Kinder mit kaltem Wasser am Brunnen. Manchmal so sehr, dass die Kinder zu schreien begannen, doch Parul konnte gar nicht aufhören, das dreckige Leben von ihnen abzuschrubben. Einen Brunnen hatte es im Slum für ungefähr 10.000 Menschen. Jeden Morgen weckte die Sonne Parul gegen fünf. Denn wenn die Sonne kam, war es nicht möglich weiterzuschlafen, die Hitze und der Gestank wurden dann zu unerträglich.

Parul hoffte jeden Morgen, dass die Kinder nicht zu schreien begannen, denn dann würde Panu geweckt und böse. Parul ging sich waschen und Wasser holen. Danach begann sie Müll und alte Fetzen von Kunststofffasern zu entzünden, um Reis zu kochen. Sie fütterte und wusch die Kinder und ging dann mit ihnen zum Steinhaufen. Neun bis zehn Stunden saß sie da, vor ihr donnerte der Verkehr, und bereits nach einer Stunde hörte sie nur noch das dumpfe Geräusch, das das Zerklopfen der Steine machte, und ihr ganzer Körper war voll roten Staubes. Ihre Kinder waren sehr ruhig, als wüssten sie, dass es sich nicht lohnte, gegen ihr Schicksal anzuschreien. Drei Jahre später, das dritte Kind war geboren, eines gestorben in einer sehr kalten Winternacht, kam ihr Mann mit guten Neuigkeiten nach Hause. Ein Vetter von ihm wohnte in einem besseren Slum, und er half ihm bei der Beschaffung einer Fahrradrikscha, mit der er arbeiten könnte, um den Platz im neuen Slum zu bezahlen. Der Slum hätte richtige Strohhütten und wäre von der Straße weg gelegen. Und vielleicht könnte Parul sogar Arbeit in einer Fabrik finden. In dieser Nacht war Parul fast glücklich.

Am nächsten Tag kam es zu einem Streit mit der Nachbarin. Worum der ging, war egal. Es war wie in einem Gefängnis, in dem Tiere lebten, traurige, gereizte Tiere. Die Nachbarin griff Parul an und verprügelte sie. Dabei brach sie Parul zwei Rippen und die Nase, und sie fand sich ohnmächtig am Boden wieder, als ihr Mann zurückkam. Er drehte sie mit dem Fuß um und sah sie an wie ein Stück totes Vieh. Er sagte, wenn du morgen nicht mitkommen kannst, bleibst du hier. Da spürte Parul das erste Mal Hass auf ihren Mann. Nie hatte Parul mit ihm über irgendetwas geredet, das nicht mit der Organisation des Lebens zu tun hatte. Wozu auch reden. ER war doch ein Mann. In jener Nacht wimmerte Parul vor Angst. Und als ihr Mann am nächsten Morgen die Sachen packte, riss sie sich zusammen. Schweigend ging sie hinter Panu durch Dhaka. Parul sah Dhaka zum ersten Mal. Sie war noch nie aus dem Slum

herausgekommen. Sie lief mit dem Gepäck, dem schmerzen-
den Körper und den Kindern an hohen Häusern vorbei, an
Cafés, aber auch an Menschen, die noch schlimmer dran waren als sie. Menschen, die am Straßenrand lebten, Menschen,
die verrückt geworden waren, weil es so etwas gibt wie Men-
schenwürde, und wenn man lebt wie ein Tier, ist es, als ob das
Gehirn irgendwann aufhören würde zu arbeiten, weil es die
Erniedrigung nicht mehr erträgt. Sie liefen drei Stunden und
kamen dann zu einem Abwassertümpel. An dessen anderem
Ufer lag ihre neue Heimat. Der Slum befand sich direkt neben
dem Viertel, in dem die Reichen wohnten. Sie waren durch
Straßen gekommen, die von Bäumen gesäumt waren, hinter
hohen Toren hatte Parul große Villen gesehen und Vögel singen gehört. Doch nun fuhr sie mit einem Boot über einen
Abwassersee zu ihrem neuen Heim. Wahrscheinlich dem, in
dem sie sterben würde, dachte Parul kurz, und sie erkannte
sich heute selbst nicht wieder. So viel dachte sie sonst nie, vielleicht machte der Schmerz der gebrochenen Rippen sie benommen.

Der neue Slum war eng und heiß. Dunkle Gassen aus
Schlamm führten durch dicht bebaute Hüttenreihen. Ihre
Hütte war ungefähr acht Quadratmeter groß und hatte einen
festgestampften Boden aus Erde. Parul schaute sich in ihrem
neuen Zuhause um. Vielleicht würde nun doch alles besser
werden.

Parul war 25 geworden und hatte vier Kinder. Die älteste
Tochter versorgte die Kleinen und ging putzen, sie war ja
schon sieben. Parul hatte Arbeit in der Fabrik gefunden. Jeden
Morgen um fünf lief sie los, um eine Stunde später in einer
großen Halle anzugelangen. Dort war es drückend heiß, ungefähr 500 saßen an Nähmaschinen. Parul nähte Taschen auf
Hosen. Die Arbeit war besser als das Steineklopfen, aber Parul
hatte jeden Tag Angst, dass der Aufseher sie vergewaltigte,

wie es am Anfang zweimal geschehen war. Oder ein Arbeiter sie verprügelte. Manchmal wurde Parul einfach nicht bezahlt für ihre Arbeit. Ein anderes Mal wurden die Fabriktüren verriegelt, und sie mussten die ganze Nacht durcharbeiten. Dann wurde sie am nächsten Tag von ihrem Mann geprügelt. Parul arbeitete bis zehn Uhr in der Nacht, und danach lief sie durch die Dunkelheit nach Hause. Allmählich musste sie wenigstens keine Angst mehr haben, vergewaltigt zu werden, denn sie sah schon aus wie eine alte Frau. Zu Hause kochte sie für die Familie. Ihr Mann war den ganzen Tag Fahrradriksa gefahren, durch den Dreck und die Abgase, und er wurde immer bösartiger. Manchmal, wenn Parul eine Minute für sich hatte auf dem Weg in die Fabrik, dachte sie über ihr Leben nach. Die Gedanken machten sie traurig. So traurig, dass sie kaum mehr Luft bekam. Und sie wünschte sich zu schlafen, um die Trauer nicht so zu spüren.

An einem Abend kam Parul früher nach Hause, weil ihre Nähmaschine ausgefallen war. In ihrer Hütte war eine junge Frau am Kochen. Sie sagte, sie sei Panus neue Frau. Parul hockte sich vor die Hütte und wartete auf ihren Mann. Als der kam, sagte er, Parul solle gehen, er habe jetzt eine neue Frau. Da fing Parul an zu schreien. Sie schrie für jedes Jahr ihres Lebens, und sie hörte auch nicht auf, als ihr Mann sie zu schlagen begann. Sie fiel zu Boden. Er trat sie. In den Bauch, auf den Kopf, und Parul hörte, wie Dinge in ihr kaputtgingen. Wie ein Bündel Unrat ließ ihr Mann sie vor der Hütte liegen. Die Nacht kam.

Jakob
Rosh Pina

Jakob war einkaufen gefahren. Ich fahre einkaufen, hatte er zu Miki gesagt, und er hatte sie zum Abschied geküsst. Wie rot sie geworden war, wie durcheinander. Wieder eine mehr, dachte Jakob. Er hatte noch nie eine geliebt. Das schien ihm auch suspekt. Dieser romantische Liebesgedanke. Er konnte sich nicht vorstellen, mit nur einer Frau in einem Haus zu leben, alt zu werden, Abendessen zuzubereiten. Die Welt war voller Möglichkeiten, und er würde keine davon nützen, so weit kannte er sich, doch er würde es als freier Mann tun. Auf dem Rückweg, kurz vor Amirim, entschied er sich, noch eine kleine Auszeit zu nehmen, ehe er Miki sagen würde... Was würde er ihr sagen, wo noch nichts ausgesprochen war. Vielleicht am besten gar nichts, dachte Jakob, der nicht mit übermäßiger Zivilcourage ausgestattet war. In den Hügeln tauchten die Häuser von Rosh Pina auf, ein reizender kleiner Ort, hübsche Cafés, hübsche Touristinnen. Jakob begann zu pfeifen, aus dem Radio sang Klaus Nomi. Jakob fragte sich, ob er sich nie in eine Frau verliebt hatte, weil er vielleicht Männer mochte, und er durchsuchte seine Erinnerung nach schönen Männern, die in seinem Leben wichtig gewesen waren, als ihm seine Zigarette aus dem Mund fiel. Er sich bückte, um sie zu suchen.

Pia
Mountshannon

Kleine Backsteinhäuser, dieses triste Material schienen sie zu lieben auf den Inseln, wie es das Licht des Himmels reflektierte und einen immer frösteln ließ. Ein Hafen, Kopfsteinpflaster und gelbes Licht aus den Fenstern, Grünzeug-Ginster, vermutlich war alles voll von Ginster, und im Frühling tanzten Irländer unter Ginsterhecken und tranken Braunbier. Steinfußboden, eine Holztreppe, im ersten Stock zwei kleine Zimmer mit Küche und Bad. Die Zimmer schauten in einen Obstgarten, das Bad aufs Meer, das war die Wohnung, die Pia von John gemietet hatte, who the fuck is John. Und wie war sie nach Mountshannon gelangt, und warum wehte einem der Wind hier die Haare immer so unvorteilhaft aus dem Gesicht? Unten in der Küche briet John Eier, und Pia wäre gerne hinuntergegangen, hatte aber Angst. Sie hatte John in der Kneipe getroffen, als sie übermüdet angekommen war, und alles hatte sich irgendwie ergeben, gefügt, Gott, das Schicksal. Der kleine Ort war ihr wie etwas aus einem alten Märchenbuch. Irland wirkte wie ein frisch gewaschener, gut riechender alter Mensch mit freundlichem Gesicht. Alles war zu perfekt, zu sehr abgestimmt auf die Träume eines älter werdenden Mädchens. Pia wusste auf einmal, wie alles weitergehen würde hier. Sie würde in die Küche gehen zu John, der aussah wie Robert Mitchum. Sie würden die verfluchten Eier essen, sie würde über Johns Witze lachen und denken: was für ein intelligenter, schweigsamer Mann, der nur alle halbe Stunde etwas sagen würde. Doch das wäre so geistreich und charmant, dass sie jedes Mal wieder erschrecken würde und denken: was für ein intelligenter und geistreicher Mann. Sie führen gemeinsam in die Stadt zum Einkaufen, ans Meer zum Spazieren, besuchten Freunde von John, mit denen es sich hervorragend schweigen und trinken ließe, und irgendwann würde sie in seinem Bett erwachen und nicht wissen, wie es dazu gekommen wäre. Vielleicht hätten sie eine Beziehung miteinander, da sie später auf der Bank vor dem Haus säßen und schweigend die Möwen beobachten würden. Und sähe man sie, würde man sagen – wie schön das ist, so ein altes Paar, das sich an den Händen hält. Wahrscheinlicher aber wäre, dass sie keine Beziehung miteinander hätten. Weil Dinge nie so laufen, wie sie sollten. John würde immer noch seiner verstorbenen Frau nachtrauern, das würde er ihr sagen, nachdem sie in seinem Bett erwacht wäre: Es tut mir leid, ich bin noch nicht offen für etwas Neues. Und dann ginge Pia in ihre Wohnung und würde warten, dass sie wieder einmal trinken würden zusammen, wieder im Bett landen, und dass endlich einmal eine Beziehung begänne. Wider besseres Wissen, dass so nie Beziehungen beginnen, verzögert mit Warten, mit dem Versuch, alles richtig zu machen, Geduld zu haben, nicht zu fordernd zu sein. Und das machte Pia direkt wütend, dass es doch immer so war. Und sie hatte die Nase voll von Experimenten, vom Warten, von all dem Scheiß, und sie packte ihre Sachen und dachte: So, du alter Idiot, das hast du nun davon.

Peter
Berlin

Das kann es nicht gewesen sein, dachte Peter mit der unangenehmen Ahnung, dass es das gewesen war. Er saß im Zimmer
einer Wohngemeinschaft, mit fünf Männern in den schlechtesten Jahren, die als Barmann, Sozialarbeiter, Lagerverwalter
und Arbeitslose durchs Leben gelangten, in einer Art, die man
seinem Feind nicht wünschen mochte. Wie konnten Männer
so viele Jahrtausende das Gerücht am Leben erhalten, dass
sie das überlegene Geschlecht waren, fragte sich Peter. Er beobachtete die ungepflegten, hilflos vor sich hin vegetieren-
den Männer und hatte noch nicht einmal Mitleid mit ihnen,
weil er sich dann selbst hätte bedauern müssen. Die Wohnung
klebte ein wenig, war dunkel, geschmacklos eingerichtet, eine
Schlafstätte für Heruntergekommene, es gab einen Fernseher
in der Küche, und das waren die Momente, in denen die Män-
nergruppe zusammenkam, zum Fußballschauen, sich krat-
zend, Bier trinkend, Schwachsinn vor sich hin redend. Peter
bekam 400 Euro im Monat und das Zimmer bezahlt. Er versuchte weder an Jade zu denken noch an Hongkong noch daran, dass er sein Leben vertan hatte und dass es jetzt vermutlich zu spät wäre, etwas zu ändern. Das war's dann, dachte
Peter, sah sich in seinem Zehn-Quadratmeter-Raum um, das
Klappbett, auf dem er saß, der Klapptisch, ein alter Spind,
wie lange ging so ein Leben nochmal? Halbentschlossen hatte
er in der vergangenen Zeit versucht, einen Job zu finden, im
Hotelgewerbe, in einem Restaurant, sogar auf einem Schrott-
platz, doch überall hatte er gesehen, wer sich mit ihm bewarb –
Männer, 20 Jahre jünger und bei weitem besser ausgebildet. Er

hatte keinen Job bekommen, und das würde sich wohl kaum mehr ändern. Er war Ende 40 und sah auch so aus. Peter fühlte sich in einem so ohnmächtigen Ausmaß als Verlierer, dass er sich kaum mehr bewegen konnte. Wäre Jade nicht gewesen, war ein Gedanke, der sich immer tiefer in ihn grub, wenn er nachts nicht schlafen konnte. Und dann begann er zu überlegen, die Geschichte seines Lebens rollte sich vor ihm auf wie verschmutzte Auslegeware. Seine große Liebe in Sri Lanka, die ihn verlassen hatte, Susanti, die ihm sein Hotel gestohlen hatte, Olga, die ihn mit ihrer Anhänglichkeit zum Gehen getrieben hatte, wären all diese Frauen nicht gewesen, was hätte aus ihm werden können, dachte Peter. Und mit den Tagen, die er bei herabgelassenen Rollläden lag, konnte er nichts anderes mehr denken. Wie hatte sein Leben nur so aus dem Ruder laufen können wegen einiger Frauen? Er war doch einmal jung gewesen und gutaussehend, er war den anderen in seiner Klasse überlegen gewesen, doch er merkte, dass er sich wiederholte in seinen Gedanken, merkte, dass es keine andere Antwort gab auf die Frage seines Scheiterns, als dass einige Frauen das aus Lust und Laune so entschieden hatten. Und nach Tagen unbestimmten Unglücks wusste Peter endlich, was er tun konnte, um seine Situation zwar nicht zu verbessern, aber um sich wieder im Spiegel ansehen zu können des Morgens. Es war relativ einfach, sich eine Waffe zu besorgen. Dann bedurfte es einiger Tage, bis Peter die richtige Position für seinen Feldzug gefunden hatte. Gegenüber des Hauptbahnhofs, auf dem Dach einer Versicherungsgesellschaft, hoch genug, nicht gesehen zu werden, niedrig genug, um genau zu erkennen, wenn Frauen das Bahnhofsgebäude betraten.

Ruth
Reykjavík

Ein feiner Regen fiel, und Ruth saß in einem Café an der Hauptstraße, sie war glücklich, der Hitze von Paris entkommen zu sein, dem dampfenden Asphalt, den Touristenströmen, die sich durch das Marais schoben, dem Fischgeruch, der über allem klebte, entkommen in diese frische kalte Luft, die nach Meer roch, nach unbenutztem Meer, nicht nach Sonnenöl und dampfendem Fleisch. Ruth trank die dritte Tasse Tee, las eine deutsche Klatschzeitung und freute sich an den rot eingekreisten Cellulitepartien einiger Stars. Die Tür öffnete sich, und mit der kühlen Luft trat Frank ein. Er setzte sich an ihren Tisch und hustete. Das klingt ein bisschen schwierig, sagte Ruth. Wollen wir wieder Vögel suchen, oder geht es diesmal auch ohne, fragte Frank. Nach zehn Minuten Fremdheit kehrte erstaunlicherweise die Unbefangenheit des Abends zurück, den Frank nie vergessen hatte und an den sich Ruth jetzt so gut erinnerte. Sie tranken Tee, schauten gemeinsam die Klatschzeitung an und redeten nicht über das vergangene Jahr. Sie unterhielten sich leise, der Regen wurde so sanft, dass er nur mehr wie Luftfeuchtigkeit niederging, die Kellnerin gähnte, und dann war es Mitternacht. Frank zeigte Ruth das taghelle Reykjavík, er führte sie zu seinem Leuchtturm, sie stiegen die enge Treppe hinauf, und wie in seiner ersten Nacht sahen sie das Meer zurückkehren und ihnen den Weg ver-

sperren. Sie legten sich in den kleinen Raum oben im Leuchtturm und schliefen oder auch nicht, wer kann das sagen, da
doch die Sonne nicht verschwand. Frank hustete, Ruth fragte
ihn nicht, ob er sich erkältet hatte, und dann begannen sie sich
Gruselgeschichten zu erzählen, bis sie irgendwann wirklich
einschliefen. Als sie aufwachten, lag Ruth auf Franks Bauch,
der sich bewegte wie ein freundliches Boot.

Pia
Berlin

Pia sah dem Möbelwagen nach, der mit ihren Dingen beladen
in Richtung Schweiz rollte. Sie selbst würde mit der kleinen
Tasche reisen, die sie sich extra für diesen Tag gekauft hatte.
Eine Art Körbchen, mit dem sie an der Seepromenade in Vevey spazieren gehen wollte. Die kleine Wohnung mit Balkon
und Seesicht (2.400 Franken) hatte sie nur im Internet gesehen, war sich allerdings sicher, dass Schweizer nicht lügen
würden. Die Bilder sahen genauso aus, wie Pia sich damals in
Vevey ihr Leben vorgestellt hatte. Sie hatte sich eine Reise erster Klasse gegönnt, um den Beginn vom Rest ihres Lebens zu
feiern. Sie warf den Schlüssel in den Briefkasten und ging zum
ersten Mal in diesem Jahr der Reise und der Suche fast erregt
vor Freude zum Bahnhof. Die Sonne schien, vielleicht sangen

sogar ein paar Vögel, was aber im Ausbruch plötzlicher Hysterie nicht zu verstehen war.

Miki
Amirim

Nachdem Miki ein paar Tage gewartet, nicht geschlafen, geweint und Krankenhäuser sowie Polizei angerufen hatte, fand sie sich damit ab, dass Jakob nicht zurückkommen würde. Das Haus, das ihr anfangs als Inbegriff des Glücks erschienen war, verblieb als Hülle. Die schöne Umgebung machte Miki nur deutlich, dass da keiner war, mit dem sie die Schönheit teilen konnte, und dass der Zauber des Ortes nicht mehr gewesen war als Verliebtheit.

Miki lag allein in dem heißen Whirlpool im Wald, der Duft der Nadelbäume, des Wassers im Holzfass ließen sie vor Sehnsucht völlig taub werden. Miki saß auf dem Doppelbett, der Duft des Waldes drang penetrant durch die Fliegengitter, und Miki hatte es so satt. Ihr Leben alleine, die Hoffnung auf irgendwen, das Geld, das ihr nichts zu nützen schien, und für einen seltsamen Moment sehnte sie sich zurück nach Los Angeles, in ihr Bett am Meer und zurück in die Zeit, da sie keine Möglichkeiten hatte und damit recht zufrieden war. Wodurch war nur alles durcheinandergeraten, und wann war diese stumpfe Leere in ihr Leben gekommen? Miki starrte in den schönen Raum, der ihr nichts zu sagen hatte, als es an der Tür klopfte. Jakob, dachte sie, Jakob, rannte zur Tür, riss sie auf und erstarrte. Tal stand da. Schwarz gekleidet wie ein Gespenst, fett wie ein Walross, eine furchtbare Perücke auf dem Kopf. Sie riss Miki in ihre Arme, schnatterte, schleppte Tüten ins Haus, setzte Wasser auf, machte Tupperwaredosen auf, alles gleichzeitig, vielleicht, um ein ruhiges Gespräch zu vermeiden, vielleicht, um Miki nicht zu genau anzusehen, schließlich hatten sie sich vor über zehn Jahren nicht sehr friedlich getrennt. Tal, die immer alles richtig machte, die per- fekt war und schön, und nun religiös. Tal, die immer anwe- send war, die Miki angespornt hatte, immer mild lächelnd, selbstgerecht. Und doch gab es im Moment keinen, außer Ja- kob, den Miki lieber sehen wollte. Es interessierte sie nicht, wie Tal herausgefunden hatte, wo sie gerade war. Das Land war klein und die Menschen klatschsüchtig. Miki war nur froh, dass da jemand war. So betete sie mit Tal vor dem Essen, den Kopf bedeckt. Als Miki später im Bett lag und das Atmen ihrer Schwester hörte, fühlte sie sich zum ersten Mal seit lan- ger Zeit ruhig und ohne weitere Fragen.

Am nächsten Tag reisten beide ab, nach Rammat beit Schemmesh, Miki würde in einem Zimmer bei ihrer Schwes- ter wohnen, sie würde lange Röcke tragen, die Arme und den Kopf bedecken, sie würde ein neues Leben beginnen, und sie freute sich darauf. Denn sie würde es nicht alleine tun.

Helena
Füssen

Helena schloss den kleinen Bioladen zu, in dem sie seit einiger Zeit arbeitete. In der Gasse verriegelten andere Händler ihre Läden und grüßten. Dann ging sie 400 Meter in ihre neue Wohnung. Helena lebte jetzt in einer Hausgemeinschaft mit einigen alleinstehenden Frauen und vielen Kindern. Sie wohnte in einer kleinen Einraumwohnung mit einem Balkon, der direkt auf den Fluss schaute. Olga lebte mit dem Chef des Stammes zusammen.

Helena sah sie ab und an bei den Festen oder im Essensraum, sie war ihr nicht böse, doch verband die beiden Frauen zu wenig, um eine Freundschaft zu entwickeln.

Der Stamm war eine wunderbare Erfindung für Alleinstehende. Keiner fühlte sich einsam, weil es sich im Großfamilienverband selten ergab, dass man alleine war, es sei denn, man wollte es. Es war egal, wie man aussah, irgendeinen Mann gab es immer fürs Bett, Kinder hatte es reichlich, es mussten nicht die eigenen sein, es gab keinen Wettbewerb um die Gunst der Männer, und das entspannte die Frauen. Fast alle waren rund, ungeschminkt und liefen in weiten Trikotagen durch den Ort. Helena fühlte sich zu Hause. Sie betrachtete sich nicht mehr im Spiegel, sie litt nicht mehr unter ihrem Aussehen, und ihr Tag war erfüllt. Helena setzte sich auf den Balkon, der Fluss rauschte, sie entschied, heute daheimzubleiben, ein bisschen fernzusehen, früh zu Bett zu gehen, denn es war ein warmer Abend, sie könnte die Balkontür offen lassen und den Schwalben zuhören. Morgen gab es wieder ein Fest, das hieß lange aufbleiben, trinken, tanzen, reden, und

nach all den Jahren des Alleinseins strengte es Helena noch ein wenig an, auf einmal Teil einer Gemeinschaft zu sein. Unter den 400 Menschen im Stamm gab es viele, mit denen sich Helena gut verstand. Frauen wie sie, die nach langer Suche hier angekommen waren. Sie hatte zweimal die Nacht mit einem Mann verbracht, es war so einfach gewesen, weil es frei von Erwartungen war. Die Idee, einen Mann für sich haben zu wollen, kam Helena nicht. Was sollte sie mit einem, wenn ihr 100 zur Verfügung standen. Wenn sie von Menschen in den Arm genommen wurde, mit Menschen reden konnte und Kinder streicheln. Da will doch keiner einen eigenen Menschen besitzen. Die Idee kam einem nur, wenn man alleine war, in Städten, da es kalt war in der Nacht.

Helena ging, wie sie es vorgehabt hatte, früh zu Bett, um den Schwalben zuzuhören. Eine Kerze brannte und warf flackerndes Licht an die Balken der Decke, und wie jede Nacht, seit sie hier war, schlief Helena lächelnd ein und dachte, Leben ist gar nicht so schlecht.

Frank
Reykjavík, Gunners Haus

Es war die Jahreszeit, da es nur vier Stunden ein schwaches Licht gab in Island. Seit Tagen wehte ein properer Wind, der pfiff und heulte, der machte die Häuser klappern und die Stille noch klarer, die in Gunners Haus herrschte. So eine Stille, die sich wie etwas Gefrorenes anfühlte und die jede Bewegung so langsam werden ließ, dass man nicht anders konnte, als sich von außen zu beobachten.

Jetzt schau nicht so traurig, sagte Frank. Versprich mir, dass du hierbleibst, in unserem Haus.

Das Haus, das sie von einem schweigenden alten Mann gemietet hatten, der ihnen Angst gemacht hatte und dann nur noch Mitgefühl weckte. Als er ihnen gesagt hatte, dass sie keinen Schlüssel brauchten, das Haus sei es gewöhnt, nicht abgeschlossen zu werden.

Du findest einen tollen großgewachsenen Isländer und machst noch ein paar Kinder. Und alle heißen Frank. Sagte Frank, legte den Kopf zurück, es strengte ihn an zu reden, er bekam kaum mehr Luft, aber er war glücklich, versunken in einem Morphiumnebel, der alles golden färbte. Er verstand Ruths Unglück nicht mehr, dazu war er schon zu weit entfernt. Warum war sie traurig, wo sein Zustand so angenehm war, sodass er, hätte er die Wahl, gar nicht mehr zurück hätte wollen. Es war nicht schön, dass Ruth nicht mit ihm kommen konnte, aber das war eine Frage der Zeit. Die letzten Wochen waren die besten seines Lebens gewesen, und er war froh, dass er mit dieser Erinnerung gehen konnte. Der Abschied wäre sonst ein wenig zu banal gewesen, zu unklar, wozu nun eigentlich das Leben gut gewesen war, das größtenteils aus Wiederholungen bestanden hatte, aus Zeit-Herumbringen, bis man wieder etwas tun konnte, das man kannte. Er hatte nicht viel gewagt, und Gott sei Dank war die Droge wie ein freundlicher Schleier, der sich über alles legte, sodass er nicht wütend wurde, sodass er nicht sagte: Warum habe ich nicht? Frank lag wie ein merkwürdig gealtertes Kind in weißen Kissen. Alles, was einen Erwachsenen im Gesicht auszeichnete, war verschwunden. Ruth hatte ihn mit nach Hause nehmen dürfen, weil es keine Chance mehr gab, dass sich etwas wie ein Wunder ereignen würde. Nun stand das Krankenhausbett mit dem Morphiumtropf im Wohnzimmer des kleinen Holzhauses, das sie seit einigen Wochen bewohnten. Ein schönes, kleines Haus war das, auf dem Hügel in der Innenstadt, mit Blick auf das Meer, aber wo sah man das Meer hier nicht? Sie waren wie erschöpft gewesen, als sie den ersten Abend in dem Haus saßen, Abendbrot aßen und sich fühlten, als spielten sie Erwachsen. Sie betrachteten ihr Glück, und dass alles so einfach war zwischen ihnen, minderte das Misstrauen nicht.

Jeden Tag, den sie gemeinsam erwachten, war wie ein Urlaubstag in einem besonders gelungenen Land, sich miteinander wohlfühlen, vermutlich geht es darum, und warum hat uns das keiner gesagt, fragte Ruth, und Frank sagte, es ist doch besser so, als alte Säcke das Glück zu finden, da weiß man es zu schätzen.

Nach einem besonders starken Hustenanfall war Ruth mit Frank in die Klinik gegangen, die Frank sofort einwies, und nach ein paar Stunden Untersuchung war auch der Befund klar. Chemotherapie und Bestrahlung würden Frank vielleicht zwei Monate mehr schenken. Ohne Eingriffe würde das Ende erheblich schneller da sein, und die Ärzte gaben klar zu verstehen, dass sie die zweite Variante für die bessere hielten. Ruth konnte noch am selben Tag mit Frank heimgehen. Das Bett und die Medizin wurden am nächsten Tag geliefert, eine Einweisung erfolgte, und dann saßen Frank und Ruth und warteten, dass das Ende käme. Sie redeten ein paar Tage kaum und begegneten sich mit Verklemmung. Dann verschlechterte sich Franks Zustand sehr schnell, er bezog das Krankenhausbett, und der Tropf wurde installiert. Das war nun so seit fünf Wochen. Ruth befand sich in einem merkwürdigen Zustand der Unwirklichkeit. Sie wollte jede Sekunde mit Frank auskosten, und sie wollte, dass er geht, denn sie wusste, dass sie überleben würde, nur wie, das wusste sie nicht. Es stand ihr so unerbittlich bevor, das Weiterleben, dass sie schnell damit beginnen wollte.

Frank versuchte immer wieder, ihr irgendetwas Tröstliches zu geben, doch ihm fiel nicht viel ein. Die Tatsache, dass ihnen ein wenig Glück gezeigt worden war, nur um es ihnen dann wieder zu nehmen, war unentschuldbar vom Schicksal, und Frank hätte es gerne wie ein Mann zum Zweikampf gefordert. Allein war er zu müde dazu. Schau, du weißt gar nicht, wie gut es mir geht, vielleicht probierst du auch ein wenig Morphium, schlug er vor, und genau das tat Ruth dann. Das Gift floss durch beider Körper. Kichernd lagen sie im Bett, trugen die Hasenohren und spielten zusammen. Sie erzählten sich von den goldenen Sonnenaufgängen, die sie sahen, Ruth lag auf Franks Bauch, der hob und senkte sich wie ein Boot auf dem Meer, und am dritten Tag schlief Frank ein. Ohne Schmerzen, ohne Ansage, einfach so, mitten in dem Märchen, das Ruth ihm gerade erzählte, fiel sein Kopf zur Seite und ein paar Tränen aus seinen Augen. Ein leiser Regen ging, und die Schwalben erwachten.

Tirdad Zolghadr. Softcore. Roman. Deutsch von J.C. Maass.
KiWi 1048

Ein junger Iraner kommt aus dem Ausland zurück, um
in Teheran das *Promessa* – in den 70er-Jahren eine gla-
mouröse Cocktailbar – als Galerie wiederzueröffnen.
Aber er hat keine Ahnung, worauf er sich einlässt.
Ein rasanter Roman über den Iran von heute, über
den Kunstbetrieb, Pop und Verschwörungstheorien
und zugleich das schillernde Porträt einer Stadt, die
so kein Europäer kennt.

www.kiwi-verlag.de

Tilman Rammstedt
Wir bleiben in der Nähe

Felix, Konrad und Katharina waren mal Freunde, aber irgendwann lief das nicht mehr. Nach Jahren bekommen Felix und Konrad Post. Eine Einladung: Katharina heiratet irgendeinen Tobias. «Tilman Rammstedt ist der Erzähler einer neuen Zeit.» *Welt am Sonntag*
Roman. rororo 24402

Junge deutsche Literatur bei rororo

Kirsten Fuchs
Heile, heile

Die erste Liebe. Der erste Tod. Rebekka ist in einer Orientierungsphase. Sie knabbert an der Trennung von Adrian. Dass sie selbst den Anlass dazu gegeben hat, weil sie ihn betrog, davon will sie nichts mehr wissen. «Diese Sprache produziert eine Energie und eine Lebendigkeit, die in der deutschen Gegenwartsliteratur ihresgleichen sucht.» *Der Spiegel*
Roman. rororo 24736

Wolfgang Herrndorf
In Plüschgewittern

Die Geschichte eines Mannes um die dreißig, der auf dem Weg aus der westdeutschen Provinz in die Szene-Quartiere der Hauptstadt wenig tut, aber viel mitmacht. Der seine Umwelt beobachtet, sie bissig kommentiert und im Übrigen an sich und der Welt leidet. Dann widerfährt ihm ein Missgeschick: Er verliebt sich. «Überaus unterhaltsam.» Gustav Seibt, *Süddeutsche Zeitung* rororo 24727

Weitere Informationen in der Rowohlt Revue *oder unter* www.rororo.de